Cuadernos de

gramática española

Más de 250 ejercicios para mejorar tu competencia gramatical y léxica

Cuadernos de

gramática española

Autores: Emilia Conejo, Pilar Seijas, Bibiana Tonnelier, Sergio Troitiño
Coordinación pedagógica: Agustín Garmendia
Coordinación editorial y redacción: Ernesto Rodríguez
Corrección: Carolina Domínguez, Alba Vilches

Diseño de cubierta: Luis Luján, Eduard Sancho
Diseño del interior: Enric Font
Maquetación: Enric Font, Elisenda Galindo

Ilustraciones: Martín Tognola
Fotografías: pág. 19 Coveralia; pág. 29 Andrew7726/Dreamstime, Bright/Dreamstime, Kamchatka/Dreamstime, Prudkov/Dreamstime; pág. 45 y pág. 46 Stuart Monk/ Dreamstime; pág. 48 Markbz/Dreamstime; pág. 91 Albo di Mari Murga/Dreamstime, alfonsodetomas/Dreamstime, Pavel Kapish/Dreamstime, Robertsrob/Dreamstime, Stockjigoo/Dreamstime, Veronika Markova/ Dreamstime, Waxart/Dreamstime; pág. 108 stockxpert; pág. 110 Anne_sophie Fauvel, Oscar García Ortega; pág. 116 O_C_colombia/Dreamstime, Darius Strazdas/Dreamstime; pág. 117 Ariwasabi/ Dreamstime, Gerard Roche; pág. 133 Wikipedia; pág. 151 Wikipedia; pág.72 Sharon Kingston/ Dreamstime; pág. 194 Mbastos/Dreamstime, Articoufa/Dreamstime, Paha_l/Dreamstime; pág. 204 Fredo González/Flickr, Phillie Casablanca/Flickr; Pierre-Yves Babelon/Dreamstime; pág. 222 cakito22/Stock.xchng

Grabación audios: Difusión

Locutores: Gema Ballesteros, Severine Battais, Iñaki Calvo, Enric Català, Oscar García, Agustín Garmendia, Pablo Garrido, Lucile Lacan, Luis Luján, Edith Moreno, Veronika Plainer, Ernesto Rodríguez, Eduard Sancho, Laia Sant, Lupe Torrejón, Julián Kancepolski, Evlin Pérez, Cristina Carrasco, Eduardo Díez

ISBN: 978-84-8443-858-8
Depósito legal: B 6570-2012
Reimpresión: junio 2016
Impreso en España por Novoprint

C/ Trafalgar, 10, entlo. 1ª
08010 Barcelona
Tel. (+34) 93 268 03 00
Fax (+34) 93 310 33 40
editorial@difusion.com

www.difusion.com

Cuadernos de gramática española

Más de 250 ejercicios para mejorar tu competencia gramatical y léxica

Emilia Conejo
Pilar Seijas
Bibiana Tonnelier
Sergio Troitiño

Cuadernos de

gramática española

Hoy en día existe un amplio consenso sobre la importancia de la gramática en el proceso de aprendizaje de una lengua extranjera: casi todos los profesores y estudiantes comparten el principio según el cual la adquisición de una lengua requiere que los aprendientes presten atención a las formas.

Los enfoques orientados a la acción, en los que se inscriben los manuales publicados por nuestra editorial, han adoptado de manera decidida dicho principio y otorgan un papel destacado al estudio de la gramática, siempre desde una perspectiva comunicativa y que tiene en cuenta el significado.

El presente ***Cuaderno de gramática*** tiene como objetivo ayudar al desarrollo de las competencias lingüísticas del estudiante de los niveles A1, A2 y B1 –en especial las competencias léxica, gramatical y ortográfica–, a la vez que apoyar el avance en su competencia plurilingüe. Sus características son las siguientes:

IMPORTANCIA DEL SIGNIFICADO

Esta obra propone una comprensión y una práctica de la gramática basadas en el significado; es decir, que se procura que los estudiantes entiendan las implicaciones de utilizar una u otra forma. Además, los ejercicios destinados a la práctica de esas formas tienen en cuenta los contextos de uso y los diferentes tipos de texto en que se utilizan.

ADECUACIÓN AL MARCO COMÚN EUROPEO DE REFERENCIA Y A LOS NIVELES DE REFERENCIA DEL PLAN CURRICULAR DEL INSTITUTO CERVANTES

Su sílabo se ha diseñado teniendo en cuenta los descriptores del MCER para los niveles A1, A2 y B1 y, muy especialmente, los exponentes del inventario de gramática de los niveles de referencia del Plan Curricular del Instituto Cervantes.

USO AUTÓNOMO O GUIADO

De manera autónoma, el aprendiente puede buscar en el índice el tema gramatical que desea estudiar, acceder a las explicaciones ofrecidas y practicar su uso mediante los ejercicios. Como herramienta de aprendizaje guiado, el profesor puede utilizar las explicaciones del ***Cuaderno*** para aclarar los puntos gramaticales en los que quiera hacer hincapié y recomendar la realización de los ejercicios que considere oportunos.

USO INDEPENDIENTE O VINCULADO A UN MANUAL

Este ***Cuaderno*** se puede utilizar para complementar cursos de niveles A1, A2 y B1 basados en cualquier manual, ya que está organizado según los temas gramaticales propios de estos niveles.

ATENCIÓN A LA ORALIDAD

Tradicionalmente, las obras de estas características no han incluido documentos auditivos. Aquí se ha considerado fundamental que los aprendientes estén expuestos a muestras de lengua oral y que comprendan las implicaciones que tienen algunos fenómenos gramaticales en dicha lengua. Así, cada unidad incluye uno o varios ejercicios de **comprensión auditiva** basados en los documentos auditivos descargables gratuitamente en www.difusion.com/cdge_a1-b1.

ATENCIÓN AL DESARROLLO DE ESTRATEGIAS

Bajo el epígrafe **ESTRATEGIA**, alumnos y profesores encontrarán en las unidades una o más notas en las que se hace una reflexión estratégica sobre el ejercicio realizado y se explica un recurso útil para aprender más y de manera más eficaz.

DESARROLLO DE LA COMPETENCIA PLURILINGÜE

En los ejercicios llamados **MUNDO PLURILINGÜE** se ofrece al alumno la posibilidad de comparar la lengua que está estudiando con otra u otras que conozca, de manera que pueda observar y sistematizar las posibles semejanzas y diferencias.

ESTRUCTURA CLARA Y OPERATIVA

Cada unidad contiene uno o varios cuadros con la exposición del tema gramatical abordado, seguidos de una serie de ejercicios (en los cuales se especifica su nivel correspondiente) relacionados con dicha explicación.

Además, este volumen ofrece un **GLOSARIO** de términos gramaticales.

Índice

El alfabeto

El alfabeto español tiene 29 letras.

a	a	**j**	jota	**r**	erre
b*	be	**k**	ka	**s**	ese
c	ce	**l**	ele	**t**	te
ch	che	**ll**	elle	**u**	u
d	de	**m**	eme	**v***	uve
e	e	**n**	ene	**w**	uve doble
f	efe	**ñ**	eñe	**x**	equis
g	ge	**o**	o	**y**	ye / i griega
h	hache	**p**	pe		
i	i	**q**	cu	**z**	zeta

Atención: en algunos países las letras **b** y **v** se llaman **be larga** y **ve corta**, respectivamente. En otros, sus nombres son **be grande** y **ve chica**.

Las letras tienen género femenino: la **a**, la **b**, la **c**...

Para ordenar alfabéticamente (por ejemplo, en un diccionario), no se considera que la **ch** o la **ll** son una letra sino la combinación de dos letras: **c+h** y **l+l**.

Para indicar que una vocal lleva acento gráfico decimos **a con acento, e con acento**, etc.

En general, a cada letra del alfabeto español le corresponde un sonido, pero hay algunos casos especiales.

se pronuncia	se pronuncia	se pronuncia
[a] **a**ntes [b] **b**olsa [k] **c**anción [θ] o [s] **c**ena [tʃ] **ch**icle [d] **d**os [e] **e**sto [f] **f**ácil [g] **g**ato [g] **gu**ía [χ] **g**el no se pronuncia: **h**ola	[i] **i**r [χ] **j**amón [k] **k**ilo [l] **l**ápiz [j] o [ʎ] **ll**uvia [m] **m**ano [n] **n**oche [ɲ] a**ñ**o [o] **o**jo [p] **p**iso [k] **qu**eso	[ɾ] pu**r**o, sali**r** [r] **r**opa, ma**rr**ón [s] **s**ol [t] **t**odo [u] **ú**til [b] **v**ida [u] **w**indsurf, **k**iwi [ks] e**x**acto [j] **y**o [θ] o [s] **z**apato

1 ¿ME LO PUEDES DELETREAR? A1

001 **A.** Vas a escuchar a unas personas deletreando algunos de estos nombres y apellidos. Marca los que escuchas en la grabación.

1.	☐ Pena ☐ Peña
2.	☐ Eduardo ☐ Edgardo
3.	☐ Fernández ☐ Hernández
4.	☐ Pérez ☐ Píriz
5.	☐ Viviana ☐ Bibiana

B. Ahora escribe tu nombre y apellidos y el nombre de tu ciudad. Luego deletréalos por escrito.

Ezequiel: e, zeta, e, cu, u, i, e, ele

Mi nombre: ....

Mi apellido: ....

Mi ciudad: ....

¿Y cómo se deletrea su nombre, señor... Kennedy Höwstersbrojink?
¿Tiene tiempo? Esto puede llevarnos un buen rato.

El sonido **[k]** se representa con las siguientes letras:

Con **c** en **ca, co, cu** y en final de sílaba:

cara, comida, curso; actor, doctor

Con **qu** en **que**, **qui**:

quedar, quitar

Con **k** en algunas pocas palabras de origen extranjero:

ketchup, Kenia, kilómetro, karaoke

El sonido [θ] se representa con las siguientes letras:

Con **c** en **ce**, **ci**:

cerca, cinco

Con **z** en **za**, **zo**, **zu** y a final de palabra:

zanahoria, zona, zurdo, capaz

y en **ze**, **zi** en unas pocas palabras especiales:

zénit, zinc

En toda América, parte del sur de España y en las Canarias no existe el sonido **[θ]**; en su lugar se pronuncia **[s]**.

2 TE LO DELETREO A2

002/005 Vas a escuchar algunas personas deletreando sus apellidos. Toma nota.

1. ....
2. ....
3. ....
4. ....

3 UN POQUITO, POR FAVOR A2

006 **A.** Subraya las sílabas que tienen el sonido [k], como en **casa**, en las siguientes palabras. Después, comprueba tus respuestas escuchando la grabación.

tranquila	cebolla	aspecto	pinchos
parque	caballo	copa	alquiler
vecino	acción	corto	chicos
aquí	parecer	mosca	kiosco

007 **B.** Ahora vas a escuchar algunas palabras de la misma familia que estas cuatro. Intenta escribirlas.

1. poco ....
2. rico ....
3. kiosco ....
4. mosca ....

Os voy a contar el cuento de La Cenicien y lo contaré cantand ¿Cuándo se conviert en calabaza su carro? las doce en punto es momento exacto...

4 ¿CEREZAS EN ESCOCIA? A2

008 **A.** Escucha estas palabras y señala con un círculo las sílabas en que se produce el sonido [θ], como **cinco**.

- ☐ 1. deducir
- ☐ 2. eficaz
- ☐ 3. dirección
- ☐ 4. brazos
- ☐ 5. cabeza
- ☐ 6. Escocia
- ☐ 7. cereza
- ☐ 8. catorce
- ☐ 9. cazuela
- ☐ 10. baloncesto

B. Clasifica las palabras anteriores según el tipo de sílaba en que se da el sonido [θ].

Sílaba que empieza por **c**	Sílaba que empieza por **z**	Sílaba que acaba en **z**

009 **C.** Ahora intenta escribir las palabras que vas a escuchar a continuación.

1. ....

2. ....

3. ....

4. ....

ESTRATEGIA

Para pronunciar [θ] intenta pronunciar [s], pero con la lengua entre los dientes. Es el mismo sonido de **th** en la palabra inglesa *three*. Puedes pronunciar las palabras del ejercicio anterior y grabarte. Después puedes comparar tu pronunciación con la grabación del ejercicio.

El sonido **[x]** se representa con las siguientes letras:

Con **g** en **ge**, **gi**:

gente, gimnasio

Con **j** en **ja**, **je**, **ji**, **jo**, **ju**:

jamón, ejército, jirafa, joven, judía

Con **x** en palabras como:

México, mexicano, Texas, Oaxaca

Con **h** en palabras extranjeras como:

Hawái, heavy

Las palabras con **je**, **ji** son bastante menos frecuentes que las palabras con **ge**, **gi**. Se escriben con **je**, **ji** palabras que derivan de otras con **j**:

caja → *cajero, cajita*
ojo → *ojear, ojito*
trabajar → *trabajé*

También se escriben con **je** los nombres que terminan en **-aje** y derivados:

paisaje, viaje, cerrajería

Y las formas irregulares del pretérito indefinido de **traer** (**traje**), **decir** (**dijiste**) y de los que terminan en **-ducir** (**condujeron**).

El sonido **[g]** se representa con las siguientes letras:

Con **g** en **ga**, **go**, **gu**:

pagar, gordo, guardia

Delante de **l**, **r**:

glaciar, grande

Con **gu** en **gue**, **gui** (la letra **u** no se pronuncia):

guisante, guerra

En la combinación **gü** + **e/i**, la letra **u** sí se pronuncia:

bilingüe, pingüino

Entre vocales, el sonido de la **g** es más suave [ɣ]:

agua, regar

Me gusta mi gato porque es muy grande y muy gordo.

5 GEMA Y GUILLERMO A2

010 **A.** Escucha la pronunciación de estas palabras y clasifícalas en una de las dos columnas.

agenda | **jefe** | **Guillermo** | **energía** | **gustar** | **gerente** | **gracia**

[G], como en guapo	[X], como en joven

B. Ahora intenta pronunciar estas otras palabras y clasifícalas en el cuadro del apartado **A**.

imaginar | **gueto** | **Gloria** | **lejía** | **mensaje** | **guardia** | **Gema** | **pareja** | **grabación** | **mujer** | **gobierno** | **espejo** | **gorra** | **juntos**

Los sonidos representados por las letras b/v, r y ll/y

El sonido **[b]** se representa con las letras **b** y **v**:

baño, beso, billete, botas, bueno, blusa, broma; vaca, vez, vino, voz, vuelo

La **r** representa dos sonidos diferentes:

Uno suave, **[r]**, que corresponde a la **r** después de una vocal:

duro, caro, corto, amor

y después de las consonantes **b, c, d, f, g, p, t:**

bravo, crudo, drama, frío, grupo, precio, tren

Un sonido fuerte, **[rr]**, que vibra más y que pertenece a una **r** a principio de palabra:

ruso, Roma

y a **rr** entre dos vocales:

carro, perro.

El sonido [ʝ] se representa con varias letras:

Con **y** delante de vocal:

ya, yema, yogur, yuca

Con **ll**:

llave, lleno, allí, llorar, lluvia

Cuando la **y** va a final de sílaba después de una vocal, se pronuncia igual que la letra **i** a final de sílaba:

soy [soj], oigo [ojgo].

Atención: en algunas regiones del Cono Sur el sonido representado por las letras **y** y **ll** se pronuncia de manera diferente: **[z]** (similar a *jour* en francés); o [ʃ] (como *she* en inglés).

Atención: en algunos lugares la **ll** tiene una pronunciación diferente de la **y** y se corresponde con el sonido [ʎ], parecido al del italiano *gli*.

6 ¿VALENCIA O PALENCIA? A2

Marca en cada caso cuál es la frase que oyes.

011/015

- [ ] 1. a. Vivo en Valencia.
  b. Vivo en Palencia.
- [ ] 2. a. Me gusta el vino.
  b. Me gusta el pino.
- [ ] 3. a. Para comer ha traído un bollo.
  b. Para comer ha traído un pollo.
- [ ] 4. a. Juan tiene una beca.
  b. Juan tiene una peca.
- [ ] 5. a. Estoy buscando el baño.
  b. Estoy buscando el paño.

ESTRATEGIA

Para pronunciar [r] tienes que hacer vibrar la punta de la lengua una vez. Para pronunciar [R] tienes que hacer vibrar la punta de la lengua varias veces. Atención: para producir estos sonidos no debes usar la garganta. Si el sonido que produces se parece a [g] o a [x] no estás usando la parte adecuada de la boca.

7 ¿CÓMO SUENA EL ESPAÑOL? A1

016

Escucha esta conversación entre dos españoles. Fíjate en los sonidos, no en el significado, y responde a las preguntas.

1. ¿Cómo suena el español (fuerte, suave...)? ¿Qué te llama la atención?

....

....

....

....

2. ¿Hay algún sonido que no existe en tu lengua?

8 ERRES, GES, JOTAS... A1

A. ¿Cuál de las dos palabras oyes?

017

☐ hago	☐ ajo
☐ carro	☐ caro
☐ coro	☐ corro
☐ pesto	☐ pisto
☐ vaga	☐ baja
☐ perro	☐ pero
☐ casa	☐ caza

B. Ahora, busca en el libro cinco palabras o expresiones en las que aparecen los sonidos:

[x] como en baja: jota ....

....

....

[rr] como en perro: rubia ....

....

....

El perro de San Roque no tiene rabo porque Ramón Ramírez se lo ha robado.

9 TRES TRISTES TIGRES A1

018 **A.** Escucha y marca las siguientes palabras con una (**r**) si tienen una **r** débil o una (**R**) si tienen una **r** fuerte.

☐ 1. caro	☐ 4. mira	☐ 7. rojo
☐ 2. carro	☐ 5. perro	☐ 8. ser
☐ 3. estar	☐ 6. Ramón	☐ 9. suerte

019 **B.** Ahora lee las siguientes palabras con la pronunciación adecuada. Después, escucha la audición y comprueba si lo has hecho bien.

abierto	**rápido**	**puerro**
puerto	**Roberto**	**verde**
rojo	**Enrique**	**bailar**

C. Clasifica ahora las palabras del apartado **A**. ¿Coincide con tus resultados?

Pronunciación fuerte	Pronunciación débil
- a principio de palabra	- a final de una sílaba o palabra
- dos **r (rr)** entre dos vocales	- una **r (r)** entre dos vocales

D. Ahora intenta pronunciar los sonidos de la letra **r** en los siguientes nombres. La pronunciación que hacemos en español de la **r**, ¿es igual en tu lengua?

¿Y tú qué piensas?
Resulta que Rubén quiere romper con Rebeca porque dice que es muy rara.
Que él tiene razón. ¡Te recuerdo que ella es enterradora!

El acento

Una sílaba es la vocal o el grupo de vocales y consonantes que pronunciamos de un solo golpe de voz en una palabra. En todas las palabras con más de una sílaba siempre hay una que se pronuncia más fuerte que las otras (sílaba fuerte o tónica). El acento (o sílaba fuerte) puede estar en diferentes posiciones.

última sílaba	penúltima sílaba	antepenúltima sílaba
□ □ □ ■ ven ti la **dor**	□ □ ■ □ es pa **ño** la	□ ■ □ □ his **tó** ri co
□ □ ■ mu si **cal**	□ ■ □ car **te** ro	■ □ □ **rá** pi do
□ ■ ca **lor**	■ □ **me** sa	

10 ¿DÓNDE ESTÁ EL ACENTO? A2

020 **A.** Escucha estas palabras y marca en cada caso la sílaba fuerte.

1. no-ve-la
2. so-fá
3. quí-mi-ca
4. com-pa-ñe-ro
5. in-ter-net
6. car-te-ro
7. mú-si-ca
8. in-glés
9. dor-mir

B. Escribe otras palabras que conoces con las sílabas fuertes en el lugar marcado.

□ ■ □ □ ____________________

□ □ ■ □ ____________________

□ □ □ ■ ____________________

□ □ □ ■ ____________________

Las vocales, los diptongos y los triptongos

En español hay cinco vocales. Distinguimos entre vocales abiertas (**a**, **e**, **o**) y vocales cerradas (**u**, **i**). También existen los diptongos, formados por dos vocales seguidas que se pronuncian en la misma sílaba, y los triptongos, formados por tres vocales seguidas pronunciadas en la misma sílaba.

Los diptongos está formados por una vocal abierta y una cerrada o por dos cerradas.

a,e,o + i,u

bailar, reina, Europa, oigo, Paula

i, u + a, e ,o

ciencia, camión, cuando, cuento, cuota

i, u + u , i

Luis, cuidado, diurno

Los triptongos está formados por una vocal abierta y dos cerradas.

i, u + a , e, o + i, u

estudiáis, averiguáis, actuéis

Dos vocales abiertas nunca forman un diptongo, es decir, que se pronuncian en sílabas distintas:

a-é-re-o.

Abuelo, ¿huerto tiene diptongo?
No, un huerto tiene zanahorias, tomates, patatas...

El acento y la tilde (I)

En español se coloca un acento gráfico o tilde sobre una vocal de la sílaba tónica de algunas palabras para saber cuál es la pronunciación de esas palabras. Un método sencillo de saber cuándo una palabra debe llevar el acento gráfico consiste en dividir las palabras en dos grupos.

Grupo 1: palabras acabadas en vocal, **-n** o **-s**. En este tipo de palabras la sílaba tónica suele estar en penúltima posición.

moda, comen, peras, libreta

Grupo 2: palabras acabadas en otras letras. En este tipo de palabras la sílaba fuerte suele ser la última.

legal, capaz, regar, verdad, realidad

Cuando una palabra no sigue la pronunciación más frecuente de las palabras de su grupo, lleva el acento gráfico para señalar cuál es su sílaba fuerte.

*ca**fé**, fran**cés**, me**lón*** [grupo 1]
***lá**piz, **ár**bol, **cán**cer* [grupo 2]

Por estas mismas reglas, todas las palabras cuya sílaba fuerte es la antepenúltima, llevan acento gráfico:

***sá**bado, **pá**ginas, **dá**melo* [grupo 1]
***Jú**piter, **dé**ficit* [grupo 2]

El grupo vocal + **y** funciona, en lo que respecta a la tilde, como terminado en consonante diferente de **n** o **s**:

*con**voy**, **pó**ney*

El grupo consonante + **s** funciona como terminado en consonante diferente a **s**:

*ro**bots**, **bí**ceps*

Los diptongos funcionan igual que una vocal simple en lo que respecta a la acentuación:

*com-pe-**ten**-cia* [grupo 1, sílaba fuerte en la penúltima sílaba]
*ca-**mión*** [grupo 1, sílaba fuerte en la última sílaba]

En los diptongos, el acento gráfico va siempre sobre la vocal abierta (**a**, **e**, **o**) y en el caso de los diptongos compuestos por **i** e **u**, en la segunda de las dos:

***cuí**date, lin**güís**tico*

Pero en los casos en los que las dos –o tres– vocales no forman diptongo o triptongo (se pronuncian en sílabas distintas), usamos el acento gráfico para indicarlo.

*en-**ví**-o, **dí**-a, sa-**lí**-a, a-**ún***

11 SABER ESPAÑOL ES ÚTIL A2

021 **A.** Escucha con atención estas palabras. Divide sus sílabas y marca cuál es la sílaba fuerte. Atención: faltan los acentos.

1. util
2. camiseta
3. musical
4. alli
5. familiar
6. saber
7. alquilo
8. bebeis
9. alquilo
10. limpiais
11. fiesta
12. español
13. futbol
14. atico
15. simpaticas
16. jardin
17. movil
18. examen
19. azul
20. jabon
21. azucar

B. Ahora clasifícalas en el grupo al que pertenecen usando la siguiente tabla. Finalmente, decide si llevan acento gráfico y escríbelo sobre la vocal correspondiente.

GRUPO 1: final en vocal, -n o -s				
5.ª sílaba	4.ª sílaba	antepenúltima sílaba	penúltima sílaba	última sílaba
	ca	mi	se	ta

GRUPO 2: final en otras letras				
5.ª sílaba	4.ª sílaba	antepenúltima sílaba	penúltima sílaba	última sílaba
			ú	til

ESTRATEGIA

Para acentuar correctamente, tendrás que saber antes cómo se pronuncian las palabras. Al leer, fíjate en las tildes y recuerda las reglas para reconocer las sílabas fuertes.

El acento y la tilde (II)

Las palabras que tienen una sola sílaba no llevan acento gráfico, excepto en algunos pocos casos en los que es necesario diferenciar dos palabras con la misma forma pero de categorías diferentes.

- ***El** libro cuesta 9 euros.* [artículo]
- ***Él** es Juan.* [pronombre personal]
- ***Mi** casa está lejos de aquí.* [posesivo]
- *A **mí** me encanta bailar.* [pronombre personal]
- *Luis **se** va a casa.* [pronombre reflexivo]
- *Yo **sé** hablar un poco de italiano.* [verbo saber]
- ***Si** quieres salimos esta tarde.* [condicional]
- ***Sí**, por favor.* [adverbio afirmativo]
- *¿**Te** gusta pasear en otoño?* [pronombre personal]
- *Quiero un **té**, por favor.* [sustantivo]
- *¿Esa es **tu** casa?* [posesivo]
- ***Tú** eres Noelia, ¿no?* [pronombre personal]
- *¿Eres **de** Cuenca?* [preposición]
- *No le **dé** comida al perro.* [verbo dar]
- *Vino, **mas** no se quedó.* [equivalente a **pero**]
- *¿Quieres **más** agua?* [adverbio]

Todas las partículas interrogativas y exclamativas llevan tilde. Cuando estas palabras cumplen otras funciones, no la llevan.

INTERROGATIVAS: **qué, quién/quiénes, cuál/cuáles, dónde, cuándo, cómo, cuánto/a/os/as, por qué...**

EXCLAMATIVAS: **qué, cómo, cuánto/a/os/as, quién/quiénes...**

*¿**Qué** color prefieres, el rojo o el amarillo?*

*Nico ha aprobado el examen, ¡**qué** buena noticia!*

12 BIOGRAFÍA LLEVA ACENTO EN LA I A2

Este texto es una breve biografía de la escritora Laura Restrepo en el que faltan todos los acentos gráficos. Colócalos tú.

BIOGRAFIAS

Entre armas y palabras

Una escritora comprometida con la dura realidad de su pais, Colombia.

Laura Restrepo nacio en Bogota en 1950. Estudio Filosofia y Letras, formacion que completo con un postgrado en Ciencias Politicas. A los diecisiete años, ya daba clases de literatura en una escuela y, concluidos sus estudios, paso a enseñar en la Universidad Nacional de Colombia.

A finales de los años setenta, vivio en España y luego se marcho a Argentina a reclutar medicos y enfermeras para Nicaragua. En este pais paso cuatro años en los que pudo observar la dureza de la dictadura militar de Somoza. A su regreso a Colombia, comenzo su actividad como periodista en la revista *Semana*.

En 1983 fue nombrada por el presidente Belisario Betancur miembro de la Comision de Paz, encargada de mediar entre el Gobierno y la guerrilla M-19. El fracaso de las negociaciones y las amenazas de muerte forzaron a la escritora a abandonar el pais. Tras su periodo de exilio en Mexico, volvio a su pais en 1989, cuando el M-19 abandono sus armas y se convirtio en un partido legal.

Ha publicado los siguientes libros: *Historia de un entusiasmo* (1986), *La isla de la pasion* (1989), *Leopardo al sol* (1993), *Dulce compañia* (1995, Premio Sor Juana Ines de la Cruz y Premio de la Critica Francesa Prix France Cultura), *La novia oscura* (1999), *La multitud errante* (2001), *Olor a rosas invisibles* (2002) y *Delirio* (2004, Premio Alfaguara). Ademas, es autora del libro para niños *Las vacas comen espaguetis*.

MUNDO PLURILINGÜE
¿Sabes cómo se pronuncian los sonidos destacados en estas palabras? ¿Hay sonidos similares en alguna palabra de tu lengua o de otras lenguas que conoces? ¿Esos sonidos se escriben con esas mismas letras?
agente
rebajas
soñar
avanzar
real
llorar
pozo
rosado
cabeza
hielo
año
joven
您好！
¡Hola!
مرحبا

Los numerales cardinales

Los numerales pueden ser de dos tipos: numerales cardinales y numerales ordinales.

Los numerales cardinales expresan cantidades.

● *¿Cuánto dinero tienes?*
○ ***Cinco** euros.*

Pueden ir delante del sustantivo o, si está claro a qué sustantivo se refieren, solos.

● *¿Cuántos hermanos tienes?*
○ ***Tres**.*

Los cardinales son:

0	cero	31	treinta y uno/**-ún/-una**
1	uno/**un/una**	32	treinta y dos
2	dos	40	cuarenta
3	tres	50	cincuenta
4	cuatro	60	sesenta
5	cinco	70	setenta
6	seis	80	ochenta
7	siete	90	noventa
8	ocho	100	cien
9	nueve	101	cien**to** uno/un/una
10	diez	134	ciento treinta y cuatro
11	once	200	**doscientos**/doscientas
12	doce	300	trescientos/-as
13	trece	400	cuatrocientos/-as
14	catorce	500	**quinientos**/-as
15	quince	600	seiscientos/-as
16	dieciséis	700	**setecientos**/-as
17	diecisiete	800	ochocientos/-as
18	dieciocho	900	**novecientos**/-as
19	diecinueve	1000	mil
20	veinte	1001	mil un/uno/una
21	veintiuno/**-ún/-una**	1025	mil veinticinco
22	veintidós	1134	mil ciento treinta y cuatro
23	veintitrés	2000	dos mil
30	treinta	3000	tres mil

10 000	diez mil
20 300	veinte mil trescientos
100 000	cien mil
1 000 000	un millón
2 000 000	dos millones
3 536 787	tres millones quinientos treinta y seis mil setecientos ochenta y siete

Para formar los cardinales ten en cuenta lo siguiente: hasta el **29**, los números se escriben en una sola palabra y se forman uniendo las decenas y las unidades mediante la conjunción **y**, transformada en **i**. Puede haber también algunos cambios ortográficos, como **z** ➔ **c** delante de una **i**, o el uso de tildes.

*veinte **y** (+) cinco = veinticinco*

*diez **y** (+) seis = die**ciséis***

*veinte **y** (+) dos = veintid**ós***

A partir del **31** se escriben separados y van unidos por la conjunción **y** entre las decenas y las unidades. Las centenas y las decenas, y las centenas y las unidades no están unidas por **y**.

*treinta **y** uno* [decena + y + unidad]

*trescientos cincuenta **y** ocho* [centena Ø decena + y + unidad]

ciento Ø treinta [centena Ø decena]

doscientos Ø siete [centena Ø unidad]

Uno/una concuerda en género con el sustantivo. **Uno** se convierte en **un** delante de un sustantivo masculino y dentro de un número compuesto.

*Solo llevo **un lápiz** y una **libreta**.*

*Mira, este piso cuesta doscientos **un** mil **euros**.*

● *Mi hermano tiene veintiún años.*
○ *Mi hermana, cuarenta y **uno**.*

El número **100** se dice **cien**, pero a partir de **101** se convierte en **ciento**:

ciento uno, ciento dieciséis

Las centenas superiores a **100** (**200, 300**...) se escriben en una sola palabra y tienen una forma masculina y una forma femenina:

***doscientos** euros, **doscientas** cinco personas*

Millón es siempre masculino:

trescient<u>os</u> millones

Atención: si hablamos de millones completos, usamos la preposición **de** antes del sustantivo:

***un millón de** personas*
***un millón trescientas mil** Ø personas*

1 ¿DOS O DOCE? A1

022/025 Escucha estos diálogos y marca el número que escuchas en cada uno.

diálogo **1**	☐ 45 ☐ 54
diálogo **2**	☐ 34 ☐ 913
diálogo **3**	☐ 12 ☐ 2
diálogo **4**	☐ 530 ☐ 503

2 SERVICIO DE INFORMACIÓN A1

026/029 Vas a escuchar a seis personas que piden un número de teléfono al servicio de información. Anota el número de teléfono al lado del nombre.

1. Blanca Aguado ....
2. Esteban Rico ....
3. Martín Serrano ....
4. Leonor Matamala ....

3 CONTINÚA LA SERIE A1

¿Puedes continuar las series de números?

a. tres, nueve, veintisiete, ...

b. doscientos doce, trescientos veintitrés, cuatrocientos treinta y cuatro, ...

c. cien, mil, diez mil, ...

4 ¿MAYOR O MENOR? A1

Escribe estos números en cifras y ordénalos de mayor a menor en la tabla.

a. ocho mil novecientos cincuenta y seis
b. cuarenta y cinco mil seiscientos treinta
c. nueve mil quinientos ochenta y cuatro
d. trescientos ochenta y cuatro
e. mil doscientos uno

MAYOR ↑	☐ ....
	☐ ....
	☐ ....
	☐ ....
MENOR ↓	☐ ....

Cariño, está bien que me enseñes a cocinar, pero esto es excesivo, ¿no?
6

Los ordinales

Los ordinales sirven para indicar el orden de algo en una serie o secuencia. También identifican un elemento mediante el número de orden en el que aparece en una serie.

Los ordinales del 1.º al 10.º son:

primer*o*	sext*o*
segund*o*	séptim*o*
tercer*o*	octav*o*
cuart*o*	noven*o*
quint*o*	décim*o*

El femenino singular se forma con la terminación **-a**. Los plurales se forman con la terminación **-os** (masculino) y **-as** (femenino).

Por lo general, van entre el determinante (artículo, posesivo...) y el sustantivo y funcionan como adjetivos, es decir, que concuerdan en género y en número con el sustantivo.

*Mis **primeras** clases empiezan en enero.*

Para formar los numerales ordinales ten en cuenta que si está claro a qué sustantivo se refieren, pueden ir sin ese sustantivo.

● *¿Es la primera vez que viajas a Marruecos?*
○ *No, la **segunda**.*

*Ángela vive en el **quinto primera**.*
[= quinto piso, primera puerta]

Antes de un sustantivo masculino, **primero** y **tercero** se convierten en **primer** y **tercer**, respectivamente.

● *Marcos es tu **tercer** hijo, ¿verdad?*
○ *Sí, pero el **primer** niño, las dos primeras son niñas.*

Si se representan en cifras, se escribe el número seguido del signo º para los masculinos y ª para los femeninos (**5.º / 5.ª**).

Atención: a partir del número 11, los ordinales se usan menos. En su lugar se usan los cardinales.

*El 23.º congreso= El **vigésimo tercer** congreso o el **veintitrés** congreso.*

5 LOS ÉXITOS DEL AÑO A1

030 Al final de cada año, el programa Radio Pop hace una lista con los músicos más populares del año. Escucha y completa las frases con el ordinal correspondiente, en letras y en números. Pon atención en la concordancia.

4.º "Me muero", de La Quinta Estación, está en la cuarta posición.

.... "La lengua popular", de Andrés Calamaro, está en la .... posición.

.... "Fin de un viaje infinito", de Deluxe, tiene el .... lugar.

.... "Te lo agradezco pero no", de Alejandro Sanz y Shakira, está en .... posición.

.... "Me enamora", de Juanes, tiene el .... puesto.

.... "Morena mía", de Miguel Bosé y Julieta Venegas, está en el .... lugar.

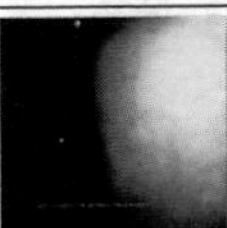

.... "La leyenda del espacio", de Los Planetas, es el ....

.... Facto Delafé y las Flores Azules, con "Luz de la mañana", está en la .... posición.

.... "Adelante Bonaparte", de Standstill, tiene el puesto ....

.... "A propósito de Garfunkel", de The New Raemon, está en la .... posición.

Nombres propios y nombres comunes

- Con los nombres o sustantivos designamos a personas, animales, objetos, conceptos y entidades. Existen dos clases de nombres: los nombres propios y los nombres comunes.

- Los nombres propios designan un único referente que puede ser una persona, una entidad o un lugar determinado. Se escriben con mayúscula.

__P__edro, __C__hile, __E__bro, __U__niversidad de __S__alamanca

- Nombres de persona. Dentro de este grupo están el nombre (**María**), el apellido (**Sánchez**), los diminutivos (**Mari**) y las formas de tratamiento (**doña María, señora Sánchez**).

Los nombres y los apellidos no llevan artículo. Solo se usa el artículo para referirse a una persona mediante la fórmula **señor/señora** + apellido, pero no para dirigirse directamente a esa persona.

*La nueva directora de se llama ø **María**.*

*ø **Rodríguez** es un futbolista estupendo.*

*ø **Sr. Velasco**, le presento a la **Sra. Linde**. ø **Sra. Linde**, este es el **Sr. Velasco**.*

¿Qué es esto, Martínez?
No sé, Sr. Pérez, ¿un recibo de teléfono?

- Nombres de lugar: países, ciudades, accidentes geográficos, etc.

Los nombres de países no suelen llevar artículo, pero algunos países pueden llevarlo, de manera optativa.

(la) Argentina, (el) Perú, (el) Ecuador, (la) China, (el) Congo, (la) India, (el) Brasil, etc.

Tampoco llevan artículo los nombres de regiones, islas o ciudades.

Aragón, Zaragoza, Mallorca

Los nombres de lugar con una denominación plural o compuesta suelen llevar artículo:

los Países Bajos, los Estados Unidos de América, las Islas Baleares, la República Dominicana

Existen algunos nombres de lugar cuyo artículo forma parte del nombre.

El Salvador, La Habana, La Haya, La Meca, etc.

En estos casos, el artículo es obligatorio y se escribe también con mayúscula.

- Son nombres propios los nombres de instituciones, empresas, entidades, organismos, etc.

Instituto Cervantes, Centro de lenguas Ruiz, Médicos sin fronteras

- También son nombres propios los títulos y nombres de obras hechas por el hombre (obras de arte, científicas, etc.).

Cien años de soledad, *el Partenón*

Atención: hay una serie de nombres que, sin tener un referente único, se usan con mayúscula. Entre ellos, los nombres de festividades (**Navidad, Pascua**), de cargos (**Director de arte**), de disciplinas científicas o académicas (**Física, Filología**) y de épocas históricas (**el Renacimiento**).

- Los nombres comunes designan a todas las personas, animales o cosas (concretas o abstractas) que pertenecen a una clase o especie (es decir, que no son únicos). Los nombres comunes se escriben con minúscula y pueden llevar un artículo u otro determinante:

el río, una niña, mi clase, este año, un accidente

Atención: los nombres de periodos temporales (días de la semana, meses del año…) y los adjetivos de procedencia y nombres de pueblos se consideran nombres comunes y se escriben con minúscula:

enero, lunes, argentino, esquimal

1 TU TABLA A2

A. Completa la siguiente tabla con sustantivos que tú conoces.

Nombres propios		
personas	lugares	otros
Javier	Tajo	la Giralda

Nombres comunes		
noche		

031 **B.** Ahora vas a escuchar varios sustantivos. Completa las letras que faltan. Después, añádelos a la tabla de la actividad anterior.

1. m_s_o

2. _a_a_u_y

3. p_l_c_l_

4. di_c_o_a_i_

5. _a_l_

6. _e_e_u_l_

7. _o_e_a

8. e_c_r_i_n

9. a_t_s_n_a

El género de los sustantivos (I)

Los sustantivos pueden ser masculinos o femeninos. Es importante saber el género de un sustantivo (masculino o femenino), porque todos los elementos que lo acompañan (artículos, adjetivos, demostrativos, etc.) deben tener el mismo género, es decir, concordar.

Los sustantivos referidos a cosas tienen un género determinado; o son masculinos o femeninos.

En general, son masculinos los siguientes sustantivos.

Los sustantivos acabados en **-o**:

*el puebl**o**, el muse**o**, el perr**o***
Excepciones: *la mano*

Los sustantivos acabados en **-aje**, **-ón** y **-or**:

*el pais**aje**, el coraz**ón**, el profes**or***

Los sustantivos de origen griego que terminan en **-ema** y **-oma**:

*el sist**ema**, el probl**ema**, el dipl**oma***

Por lo general, son femeninos los siguientes grupos de sustantivos.

Los sustantivos acabados en **-a**:

*la cart**a**, la películ**a***
Excepciones: *el dí**a**, el map**a***

Los nombres de los colores son siempre masculinos aunque tengan la terminación **-a**:

*el (color) naranj**a**, el (color) ros**a***

Los sustantivos acabados en **-ción**, **-sión**, **-dad**, **-tad** y **-ez**:

*la ac**ción**, la ten**sión**, la liber**tad**, la madur**ez***

Atención: para no encadenar dos **aes** seguidas, antes de las palabras femeninas que empiezan por **a-** o **ha-** tónica se usan, en singular, los artículos masculinos **el** o **un**:

*el **agua**, un **aula**, el **hambre***

Pero los adjetivos que las acompañan son femeninos

*el **agua** fría*

2 UN RÍO MUY LARGO A2

Completa estas frases con el artículo indefinido (**un/una**) correspondiente y el final de las palabras.

1. El Amazonas: .... río muy larg.............. y muy anch.............. .
2. El Titicaca: .... lago muy alt.............. .
3. Astigarraga: .... pueblo pequeñ.............. cercan.............. a San Sebastián.
4. San Telmo: .... barrio muy bonit.............. de Buenos Aires.
5. El MIM: .... museo interactiv.............. muy modern.............. de Santiago de Chile.
6. El 6 de diciembre: .... día festivo en España.
7. Las Bárdenas: .... paisaje desértic.............. muy bell.............. .
8. La Panamericana .... carretera larguísim.............. que atraviesa América.
9. Los otros: .... película muy existos.............. de Alejandro Amenábar.
10. Caracas: .... ciudad muy atractiv.............. llen.............. de sorpresas.

El español, una lengua que hablan millones de personas. ¿Queréis ser una de ellas?

El género de los sustantivos (II)

Pueden ser masculinos o femeninos los siguientes grupos de sustantivos.

Los sustantivos acabados en **-e**:

el hombre, el mueble, la nube, la calle

Los sustantivos terminados en otras consonantes:

*el currícul**um**, la pie**l**, la mie**l***

Los sustantivos que se refieren a personas y algunos referidos a animales suelen tener dos formas: una para el masculino y otra para el femenino:

*alumn**o**/alumn**a**, prim**o**/prim**a**, perr**o**/perr**a***

Muchos sustantivos que terminan en **-o** forman el femenino correspondiente terminado en **-a**:

*novi**o**/novi**a**, chic**o**/chic**a***

Si la forma del masculino termina en **-r**, el femenino se forma añadiendo una **-a**:

*seño**r**/seño**ra**, profeso**r**/profeso**ra***

En algunos casos existe una palabra diferente para cada sexo:

el hombre/la mujer, el padre/la madre, el caballo/la yegua

Los sustantivos que terminan en **-a** (incluyendo los que terminan en **-ista**) y, en general, los que terminan en **-e**, (incluyendo los que terminan en **-ante** y **-ente**), tienen una sola forma para ambos géneros:

*el/la atlet**a**, el/la guí**a**, el/la periodist**a**, el/la artist**a**; el/la intérpret**e**, el/la estudiant**e**, el/la cantant**e**, el/la pacient**e***

Atención: algunos sustantivos que terminan en **-e** tienen un femenino terminado en **-a**:

*jef**e**/jef**a**; president**e**/president**a**, client**e**/client**a***

En algunos casos el género diferente se expresa por una terminación diferente:

el actor/la actriz, el príncipe/la princesa, el alcalde/la alcaldesa

3 PARA APRENDER ESPAÑOL A1

A. Ordena las sílabas de estas palabras. Todas están relacionadas con tu aprendizaje del español.

1. cia-pro-ción-nun:
2. bir-es-cri:
3. ca-rio-vo-bu-la:
4. ti-gra-ca-má:
5. tra-cir-du:
6. lí-pe-cu-las:
7. ra-cul-tu:
8. ver-sar-con:

B. Ahora escribe al lado de cada sustantivo del apartado **A** una **(F)** si se trata de una palabra femenina o una **(M)** si es una palabra masculina.

C. ¿Cuáles de estas cosas te parecen más interesantes o divertidas cuando aprendes español? En clase, coméntalo con otros compañeros y explica por qué.

Para mí, lo más interesante es aprender cosas sobre la cultura española.
¡No digas esas cosas en un cuaderno de gramática!

4 ¿DE QUÉ TRABAJAN? A1

032
036

A. Escucha a estas personas hablando de las profesiones de sus amigos. ¿Qué hace cada una?

1. Adela es ....
2. Enrique es ....
3. Manu es ....
4. Silvia es ....
5. Gabriela es ....

B. Escribe ahora las profesiones del apartado **A**, con artículo, en la columna correspondiente de esta tabla.

-o	-a	-e	-ista

-aje	-ción/sión	-tad/-dad	-r

-ema/-oma	-ón	-ez	-ente/-ante

C. ¿Qué otros sustantivos conoces con estas terminaciones? Escribe dos o tres para cada categoría.

D. Escribe en tu cuaderno una frase con un sustantivo de cada categoría.

5 CARÁCTER A2

A. Todos los sustantivos que aparecen a continuación indican cualidades de carácter. Complétalos con el artículo (**el**/**la**) correspondiente y colócalos en el cuadro.

...... impaciencia	...... egoísmo
...... sinceridad	...... timidez
...... alegría	...... pereza
...... tristeza	...... amabilidad
...... sensibilidad	...... inteligencia
...... estupidez	...... rapidez
...... pesimismo	...... madurez
...... simpatía	...... paciencia

-ismo	-dad	-eza
M/F	M/F	M/F

-cia	-ez	otros en -a
M/F	M/F	M/F

B. Ahora marca si los sustantivos de cada columna son masculinos **(M)** o femeninos **(F)**.

C. ¿Cuáles son las características que hacen a algunas personas "perfectas"? Busca en el diccionario las que no sabes en español.

1. Las características del médico perfecto: ....
la amabilidad, ...
....
....

2. Las características del profesor perfecto: ....
....
....
....

3. Las características del padre perfecto: ....
....
....
....

4. Las características del alumno perfecto: ....
....
....
....

ESTRATEGIA

Clasificar y sistematizar las palabras en cuadros y tablas te ayuda a aprenderlas mejor. Como no puedes aprender todo el vocabulario nuevo, decide cuál te parece más importante y quieres aprender. Recuerda que puedes ampliar la tabla durante el curso.

El plural de los sustantivos

Los sustantivos tienen formas diferentes para el singular y para el plural.

Los sustantivos que terminan en vocal forman el plural añadiendo una **-s**:

*tesoro/tesoro**s**, amiga/amiga**s***

Los sustantivos que terminan en consonante forman el plural añadiendo **-es**:

*árbol/árbol**es**, canción/cancion**es***

Atención: si la palabra termina en **-z**, el plural se escribe con **-ces**:

*lápiz/lápi**ces***

Los sustantivos que terminan en **-s** y tienen como sílaba tónica la última y los monosílabos que terminan en **-s** forman el plural añadiendo **-es**:

*autobús/autobus**es**, país/país**es**, mes/mes**es**, tos/tos**es***

Los demás sustantivos que terminan en **-s** no cambian en el plural:

*el/los mart**es**, el/los cumplea**ños***

Algunos sustantivos se utilizan normalmente en plural, pero designan un solo objeto:

*los pantalon**es**, las gaf**as**, las tijer**as***

Todas las palabras que acompañan al sustantivo, concuerdan con él en género y número:

*un**a** montañ**a** alt**a**, un**os** país**es** interesant**es***

6 AQUÍ HAY MÁS DE UNO A1

A. ¿Qué son estas cosas? Escríbelo, con artículo, bajo cada imagen.

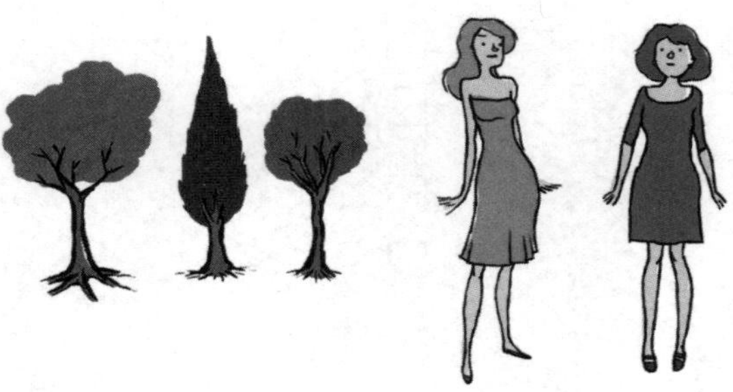

1. .... **2.** ....

3. ....

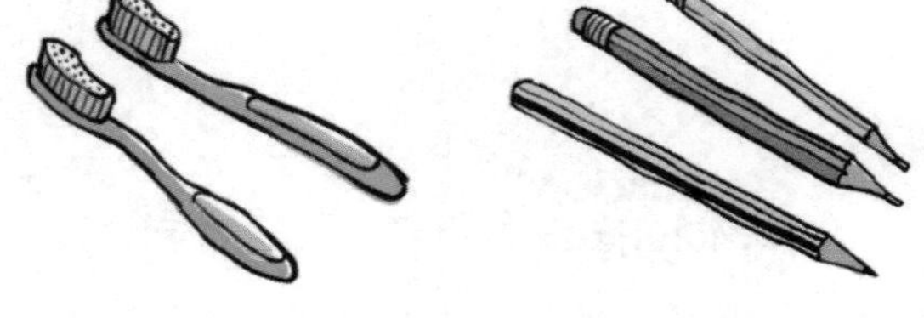

4. .... **5.** ....

6. ....

B. Ahora piensa en cuatro objetos en plural y busca imágenes para representarlos o dibújalos tú mismo. Tu compañero debe decir qué son.

7 ¿UNA PELÍCULA O UNAS FOTOGRAFÍAS? A1

¿De qué están hablando estas personas?

037
040

diálogo **1**	☐ una película de cine ☐ unas fotografías
diálogo **2**	☐ un restaurante ☐ unos bares
diálogo **3**	☐ unas botas ☐ un sombrero
diálogo **4**	☐ unos edificios ☐ una montaña

8 MAPA DE PALABRAS A1

A. ¿Puedes completar los mapas de estos sustantivos?

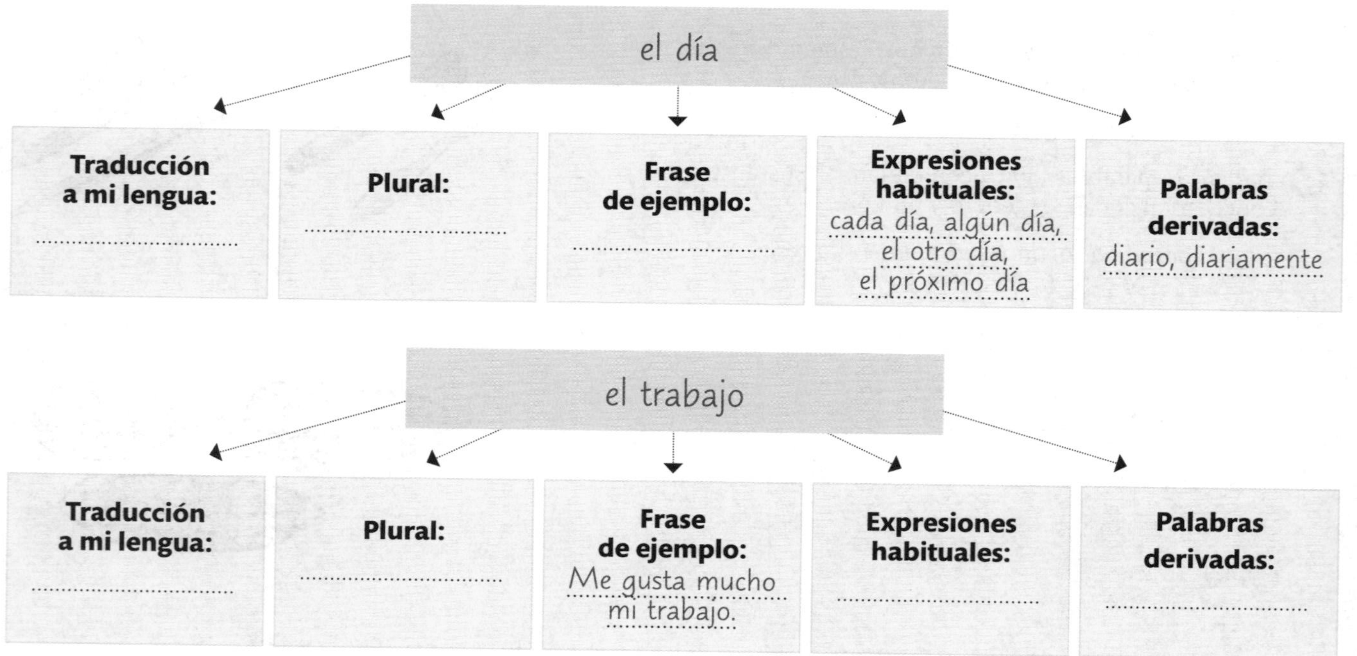

B. Ahora escoge tres sustantivos más y completa un cuadro como estos en tu cuaderno.

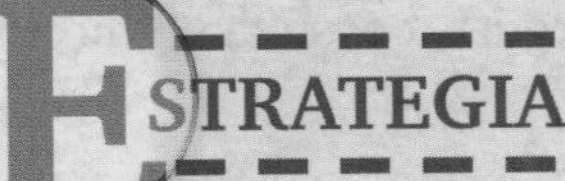

Recuerda que aprender una palabra no es solo aprender su traducción o su forma gramatical. Conocer las expresiones en las que se utiliza, su significado, el contexto, etc., te ayudará a aprenderla y a saber utilizarla mejor.

9 ¿UNA VEZ O DOS VECES? A2

A. Escribe el plural de estos sustantivos.

1. mano:

2. mina:

3. emoción:

4. beso:

5. base:

6. mes

7. vez:

8. as:

9. túnel:

10. pelo:

11. lavavajillas:

12. pez:

13. sillón:

14. señal:

15. tambor:

16. bombón:

B. Coloca ahora las palabras anteriores en el lugar que les corresponde. Completa el cuadro con otras palabras que conozcas, puedes consultar tu libro de texto o un diccionario.

plural con -s	plural con -es	-z/ces	singular = plural

¿Qué prefieres, un regalo o dos regalos?
¿Tú qué crees?

ESTRATEGIA

Una técnica para recordar el vocabulario y para conocerlo mejor es hacer mapas como este. Escribir frases utilizando la palabra en cuestión, elaborar un diccionario propio con términos nuevos, agrupar las palabras por campos temáticos o categoría gramatical te puede servir para apropiarte mejor del vocabulario.

Los adjetivos

- Los adjetivos son palabras que dan información sobre las características de cosas o personas (que se expresan, normalmente, mediante un sustantivo). Los adjetivos concuerdan con ese sustantivo en género (masculino o femenino) y en número (singular o plural).
- La posición normal de los adjetivos es después del sustantivo al que acompañan.

una calle ***oscura***
un piso ***enorme***
unas cajas ***vacías***
unos hombres ***simpáticos***

- Los adjetivos pueden llevar cuantificadores para graduar la intensidad de las características que expresan.

un regalo ***muy especial***
una casa ***bastante vieja***
unas botas ***demasiado caras***

Los adjetivos también pueden ir introducidos por los verbos **ser**, **estar** y **parecer**.

Belén es ***alta***.
Álvaro está ***contento***.
Su padre es ***genial***.
Julia parece ***agradable***.

1 ¿GENIAL ES UN ADJETIVO? A2

A. ¿Cuáles de estas palabras son adjetivos? Márcalos.

bonita	genial	sueco
bañera	dónde	delgado
hola	terraza	caluroso
hablo	examen	inteligente
cerveza	cuaderno	correctamente
andaluza	harta	

B. Ahora piensa en seis adjetivos más y escríbelos aquí. Si no estás seguro, consulta un diccionario.

....

....

....

C. Escoge seis de los adjetivos de los apartados **A** y **B** y escribe una frase con cada uno.

....

....

....

....

....

....

Yo creo que los dos somos muy guapos, ¿y tú?

ESTRATEGIA

En muchos diccionarios puedes encontrar, junto a la definición de una palabra, la abreviatura **a.** o **adj.** que indica que se trata de un adjetivo.

2 COCHES A2

041–044 Observa este anuncio de una empresa de alquiler de coches. Vas a escuchar a cuatro personas que llaman para alquilar un vehículo. Anota las características específicas de los coches que quieren. ¿Cuál recomendarías a cada uno?

1. Coche: ....
2. Coche: ....
3. Coche: ....
4. Coche: ....

3 UNA TARDE IDEAL A2

Completa cada frase (1, 2 y 3) con las formas adecuadas de uno de los siguientes adjetivos: **grande**, **bueno** y **malo**.

1. Para mí una tarde ideal es tomar un .... café y tener una .... conversación con mis amigos.

2. ¡Qué horror! Hoy he tenido muy .... día: en el trabajo, en las clases y con mi novio. Creo que ha sido .... idea levantarme de la cama por la mañana.

3. Suiza es un país pequeño pero muy importante. Tiene una .... industria relojera, ... empresas de alimentación y un sector financiero muy .... y poderoso.

4 PARES DE ADJETIVOS B1

En ciertos contextos, algunos adjetivos funcionan en pares. A veces son antónimos, a veces son las dos opciones posibles y a veces forman un par "típico". Completa las frases con el adjetivo correspondiente, haciéndolos concordar en género y número.

entero	minúsculo	simple	rubio
negro	fuerte	cristalino	impar
salvo	moreno	famoso	maduro
flaco	largo	blanco	usado

a. ¿El portal donde vive es un número par o ....?

b. ¿Este tabaco es negro o ....?

c. ¿Lo escribo en letras mayúsculas o ....?

d. ¿Qué hombres te atraen más: los rubios o los ....?

e. ¿Qué leche compras: .... o desnatada?

f. ¿Qué me pongo: manga corta o manga ....?

g. De la fuente salía un agua limpia y ....

h. Es un gran amigo, está siempre a mi lado: a las duras y a las ....

i. Esa es la pura y .... verdad: nos hemos quedado sin dinero.

j. Este programa es una idiotez: solo hablan de la gente rica y ....

k. Han encontrado a los montañistas sanos y ....

l. Las cosas no son o blancas o ....: hay matices.

m. Para tener un cabello sano y .... es necesario alimentarse bien.

n. Tras un tiempo de vacas gordas viene uno de vacas ....

o. Vendemos coches nuevos y ....

p. ¿Prefieres jugar con las fichas .... o con las negras?

El género de los adjetivos

La mayoría de los adjetivos tiene dos terminaciones: una para el masculino y otra para el femenino.

Los adjetivos con la forma masculina singular terminada en **-o**, construyen sus formas femeninas correspondientes cambiando la **-o** por una **-a**:

rápido/rápida

Los adjetivos con la forma masculina singular terminada en **-or** y en vocal tónica + **n**, construyen sus formas femeninas correspondientes añadiendo una **-a**:

hablador/habladora; dormilón/dormilona

Los adjetivos de procedencia con forma masculina singular terminada en consonante, construyen sus formas femeninas correspondientes añadiendo una **-a**:

español/española; alemán/alemana; inglés/inglesa

Hay otro grupo de adjetivos que tiene una sola forma para el masculino y el femenino. Son los adjetivos terminados en **-e**, en **-ista** y **-l**, **-n**, **-r**, **-z**.

un hombre/una mujer ***elegante***
un pensamiento/una organización ***pacifista***
un mapa/una guía ***útil***
un lugar/una idea ***común***
un asunto/una reunión ***familiar***
un día/una familia ***feliz***

También, los adjetivos de procedencia terminados **-a, -ense, -í** y **-ú.**

un pueblo/una ciudad ***belga***
un ciudadano/una ciudadana ***estadounidense***
un escritor/una película ***iraní***
un palacio/una tradición ***hindú***

5 ¿MASCULINO O FEMENINO? A1

A. Marca con **(F)** los adjetivos que son femeninos, con **(M)** los masculinos y con **(?)** los que pueden ser de ambos géneros.

☐ famoso	☐ pesimista
☐ tropical	☐ típico
☐ increíble	☐ normal
☐ trabajadora	☐ marroquí
☐ caro	☐ bonita
☐ pequeña	☐ grande

B. Escribe ahora el femenino de las formas masculinas **(M)** y el masculino de las femeninas **(F)**.

famosa ....

....

....

....

....

....

....

....

....

....

....

ESTRATEGIA

¿Conoces algún diccionario online? Hay muchos, pero nosotros te recomendamos, por ejemplo, los Wordreference:

www.wordreference.com/es

6 EL NOVIO PERFECTO TIENE QUE SER... A1

En tu opinión, ¿cómo tienen que ser estas cosas o personas? Si quieres, puedes utilizar el diccionario.

1. Un profesor perfecto/una profesora perfecta: ......
amable ....
2. Un novio perfecto/una novia perfecta: ....
....
....
3. Un lugar ideal para ir de vacaciones: ....
....
....

7 SHAKESPEARE ERA UN ESCRITOR INGLÉS A1

A. ¿Qué procedencia indican estos adjetivos?

1. inglés ....
2. japonés ....
3. argentino ....
4. español ....
5. marroquí ....
6. alemán ....
7. italiano ....
8. mexicano ....
9. brasileño ....
10. indio ....
11. francés ....

B. ¿De dónde son las cosas y personas siguientes? Escríbelo y añade alguna información más si la sabes decir en español.

Shakespeare era...	*un escritor inglés. Es el autor de Hamlet.*
El mate es...	
El champán es...	
El guacamole es...	
El Taj Mahal es...	
El sake es...	
Javier Bardem es...	
Casablanca es....	
El lambrusco es...	
El Oktoberfest es...	
Río de Janeiro es...	

C. Piensa dos lugares, personas u objetos y haz una descripción como las anteriores, sin decir su nombre. En clase, léelas para tus compañeros, que deben intentar adivinar qué o quién es.

1. ....
....
....
....

2. ....
....
....
....

8 ¿CÓMO SE DICE...? A1

045–050

A. Escucha la descripción que hacen estas personas de sus amigos o familiares. ¿Puedes definirlos tú con un solo adjetivo?

1. *Julián es generoso...*
2. ....
3. ....
4. ....
5. ....
6. ....

B. Ahora busca cuatro adjetivos y explica su significado utilizando otras palabras. Léelos en voz alta. Tus compañeros deben intentar adivinar qué adjetivos son.

9 CARTELERA DE CINE A2

A. Lee las fichas de dos películas en español y responde a las siguientes preguntas.

1. ¿Cuál tiene más contenido social? ....

....

2. ¿Cuál es la más fantástica? ....

....

3. ¿Cuál te parece apropiada para todo tipo de público?...

....

LAS MUJERES DE VERDAD TIENEN CURVAS (2002)

Nacionalidad
Estadounidense

Género
Drama/comedia

Directora
Patricia Cardoso

Argumento
Ana es una chica **hispana** de 18 años, un poco **gordita** y muy **inteligente**. Ana vive en Los Ángeles con su familia en una zona **pobre** de la ciudad. Aunque Ana tiene la oportunidad de ser la primera persona de su familia que puede ir a la universidad, su madre no está de acuerdo. Dice que Ana tiene que ser una chica **latina normal**: tener un trabajo no **especializado**, un **buen** novio y, sobre todo, ser **delgada**.

[● REC]

Nacionalidad: española
Género: terror/misterio
Directores: Jaume Balagueró y Paco Plaza

Argumento:
Una noche, Ángela, una **joven** periodista de una cadena de televisión **local**, sigue con su cámara a los bomberos de la ciudad mientras estos intentan ayudar a una mujer **anciana** con una enfermedad muy **extraña**. Dentro del viejo edificio donde vive la señora pasa algo **inexplicable** y Ángela va a grabar el reportaje **televisivo** más **sorprendente** y **terrorífico** de su vida: una epidemia de zombies.

B. Ahora observa los adjetivos destacados en negrita y clasifícalos en la siguiente tabla.

masculino	femenino	Una única terminación: masculino y femenino
	hispana	

El número de los adjetivos

Los adjetivos tienen una forma para el singular y otra para el plural.

Los adjetivos que en singular terminan en vocal, construyen las formas plurales correspondientes añadiendo una **-s**.

*un río **largo**/unos ríos **largos***
*una novela **corta**/unas novelas **cortas***

Los adjetivos que en singular terminan en consonante, construyen sus formas plurales correspondientes añadiendo **-es**.

*un día **normal**/unos días **normales***
*un hombre **trabajador**/unos hombres **trabajadores***

Los adjetivos de procedencia singulares que terminan en **-í** o **-ú**, construyen sus formas plurales añadiendo **-s** o **-es**.

*un mercado **marroquí**/unos mercados **marroquís*** [o marroquíes]

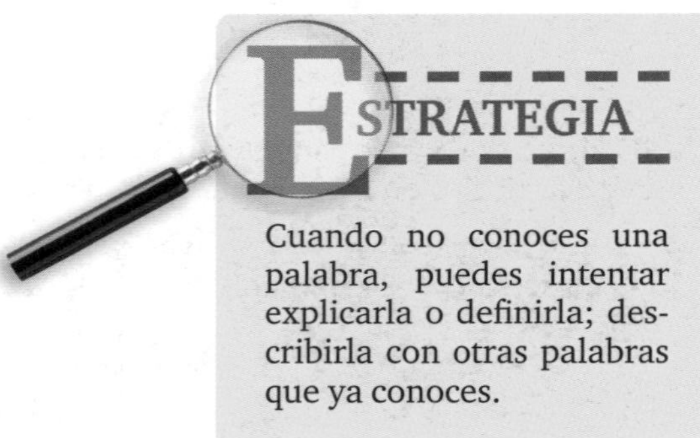

ESTRATEGIA

Cuando no conoces una palabra, puedes intentar explicarla o definirla; describirla con otras palabras que ya conoces.

10 YO SIEMPRE MÁS A2

Alonso siempre quiere ser más que los demás. Completa las siguientes frases con los adjetivos que les corresponda.

1. El invierno aquí es **frío**, pero los inviernos de mi pueblo son mucho más ....
2. Tu chaqueta es **nueva**, pero mis pantalones son mucho más ....
3. Tu novio es **trabajador**, pero mis hermanas son mucho más ....
4. Este cuarto es **acogedor**, pero las habitaciones de mi casa son mucho más ....
5. Tú eres **dormilona**, pero mis primos son mucho más..............................
6. Este perro es muy **feroz**, pero las perras de la granja de mis padres son mucho más ....
7. Tú conoces a un chico **israelí**, pero yo conozco a muchas chicas ....

Tú eres fuerte, pero yo soy el más fuerte.

11 TE RECOMIENDO ESTA NOVELA A1

051–056 ¿De qué están hablando estas personas? Pon el número de cada diálogo debajo de la imagen correspondiente.

12 CONTRARIOS A2

A. Relaciona cada adjetivo con su antónimo de abajo.

1. antipático
2. responsable
3. cortés
4. generoso
5. impuntual
6. optimista
7. tímido
8. trabajador
9. natural
10. normal
11. capaz
12. joven
13. paciente
14. final

☐ egoísta
☐ abierto
☐ puntual
☐ artificial
☐ amable
☐ pesimista
☐ impaciente
☐ irresponsable
☐ vago
☐ raro
☐ viejo
☐ incapaz
☐ descortés
☐ inicial

B. Ahora, escribe los adjetivos del apartado **A** en su lugar correspondiente de la tabla y complétala.

	Masculino singular	Masculino plural	Femenino singular	Femenino plural
-o				
-e				
-ista				
-l, -n, -s, -r, -z				
vocal tónica +n, -or				

13 ¿QUÉ ES? A2

A. Lee las cinco descripciones y relaciónalas con los cinco alimentos.

1. Es líquido, negro, amargo y se toma caliente.
2. Es francés, dulce, suave y se puede comer con mermelada.
3. Es redondo, blanco por fuera y se puede comer frito, revuelto o cocido.
4. Es amarillo y ácido pero muy refrescante.
5. Puede ser amarilla o marrón, es muy dulce y bastante pegajosa.

- ☐ a. un huevo
- ☐ b. un limón
- ☐ c. un cruasán
- ☐ d. la miel
- ☐ e. el café

B. Escribe las definiciones 2, 3 y 4 en plural (recuerda que los adjetivos no son las únicas palabras que cambian en plural).

....

....

....

....

....

....

....

C. Ahora intenta pensar en, al menos, cinco alimentos e intenta describirlos tú con la máxima cantidad de adjetivos posible. Si estás en clase, tus compañeros tienen que adivinar de qué se trata.

1. ....
2. ....
3. ....
4. ....
5. ....

Adjetivos que van siempre después del sustantivo

Siempre se colocan después del sustantivo los adjetivos de clase; es decir, aquellos que concretan el significado del sustantivo precisando la clase de sustantivo a la que se refieren (como **familiar**, **telefónico**, **mundial**, **periodístico**, **personal**, **eléctrico**, etc.).

Por favor, durante el vuelo mantengan apagados sus teléfonos ***móviles*** *y cualquier otro tipo de aparato* ***electrónico****.*

- *Aquí dice que el uniforme es de uso* ***personal****. ¿Y eso qué significa?*
- *Pues que solo lo puedes usar tú, ¿no?*

Atención: este valor de clase es incompatible con los cuantificadores (**muy, bastante, poco...**), con las estructuras comparativas y, en general, después de verbos como **estar**.

~~*Este vehículo es muy eléctrico.*~~

También se colocan siempre después del sustantivo los adjetivos de origen o procedencia.

- *El Gaucho es un restaurante de* *comida* ***argentina****, ¿no?*
- *No, sirven* *especialidades* ***uruguayas*** *y también algunos* *platos* *.*

Los adjetivos de color y forma, como **azul, gris, anaranjado, cuadrado, circular, recto**, etc.

Para ir en metro hasta el centro puedes coger la línea ***verde*** *o la* ***azul****.*

Fabricamos balones ***esféricos*** *para fútbol y baloncesto y pelotas* ***ovaladas*** *de rugby.*

Los participios con valor de adjetivo, como **terminado, cerrado, abierto, desconectado, escrito, casado, roto**, etc. También los adjetivos de estado como resultado de un proceso (como **contento, enfermo, lleno, vacío**, etc.).

Anoche tuve una pesadilla: soñé que estaba en una casa ***vacía*** *con la puerta* ***cerrada****.*

Con la epidemia de gripe hay muchas personas ***enfermas*** *y varios servicios de urgencias* ***colapsados****.*

14 SÍ, PERO B1

A. Completa las frases con el adjetivo más lógico, haciéndolo concordar en género y número.

público	abierto	fijo	soltero
azul	oriental	agrícola	familiar
roto	español	frito	solar
eléctrico	olímpico	armado	

1. Aquí hay escuelas privadas muy buenas, pero también hay escuelas .... excelentes.
2. Has cerrado las puertas, pero has dejado las ventanas ....
3. Me has dado tu teléfono ...., pero yo quería el móvil.
4. Entre mis amigos hay muchas mujeres casadas, pero muchos hombres ...., es extraño, ¿no?
5. Conozco bien el País Vasco francés, pero muy poco el País Vasco ....
6. Muchas personas llevaban pistola, me sorprendió ver tanta gente ....
7. Ha hecho muchos días grises últimamente, pero hoy tenemos un precioso cielo ....
8. Se puede decir que hay dos grandes variedades del habla andaluza: el andaluz .... y el occidental.
9. El edificio está diseñado para aprovechar la luz .... y gastar muy poca energía ....
10. Cuando entré en la habitación, había cristales .... en el suelo, por eso me corté.
11. En las olimpiadas ganó la medalla de oro; o sea que es campeona ....
12. Paula nunca viene a casa de mi madre, no le gustan las reuniones ....
13. Aquí cultivamos la viña y el olivo, es una región ....
14. Me gustan más las patatas .... que las cocidas, pero claro, tienen mucho aceite.

B. ¿Qué otras colocaciones te parecen "típicas" para esos mismos sustantivos?

1. escuela pública, privada, primaria, secundaria, infantil...
2. teléfono ....
3. cielo ....
4. luz ....
5. energía ....
6. campeón ....
7. reunión ....
8. región ....
9. patata ....

Eres un caradura.
Eso no me lo dices a la cara.
¡Acabo de hacerlo!

15 CLASES Y GÉNEROS B1

Completa las definiciones con el adjetivo adecuado, haciéndolo concordar en género y número.

diario | **gratuito** | **rosa** | **económico** | **escrito**

La prensa .... es aquella que se publica impresa.
.... es la que informa sobre las celebridades y su vida.
.... es la que se interesa por la Economía.
.... es la que se publica todos los días.
.... es que aquella se distribuye gratuitamente.

rosa | **satírico** | **histórico** | **autobiográfico** | **negro**

La novela .... se centra en las aventuras, normalmente muy convencionales, de dos enamorados.
.... relata la vida del propio autor.
.... es un tipo de novela humorística.
.... es la que trata del mundo del crimen.
.... es la que tiene como objetivo reflejar un cierto período de la Historia.

Adjetivos que pueden ir antes o después del sustantivo

- Los adjetivos de valoración, que usamos para expresar opiniones y valoraciones de los sustantivos que acompañan (como **bueno, estupendo, feo, divertido, misterioso, magnífico,** etc.), pueden ir delante o después de dicho sustantivo.

Te voy a dejar una novela ***estupenda*** *de Almudena Grandes.*
Vamos a hablarles de una ***estupenda*** *novela de Almudena Grandes.*

- También pueden ir delante o después del sustantivo los adjetivos de descripción física (excepto los de color y forma), como **ancho, bajo, fuerte, corto, joven, frío, pequeño, duro,** etc.

Hay una ***pequeña*** *sala para reuniones en el segundo piso.*
Tenemos dos salas ***pequeñas*** *y una grande.*

- Cuando colocamos el adjetivo después del sustantivo, estamos limitando la cantidad posible de objetos a la que se puede referir ese sustantivo.

La ciudad está bien, pero los barrios ***viejos*** *están bastante sucios y mal cuidados.*
[el adjetivo aquí indica que nos referimos en particular a los barrios viejos en oposición a los que no lo son]

- Cuando colocamos el adjetivo antes del sustantivo, destacamos una característica de dicho sustantivo. Este uso se encuentra sobre todo en la lengua escrita; en la lengua oral es frecuente solo en situaciones formales, pero no en la lengua oral espontánea.

Visite los ***entrañables*** *cafés de la plaza Mayor y pruebe las* ***deliciosas*** *especialidades de las pastelerías.*
[los adjetivos aquí permiten destacar cómo son los cafés y las especialidades a las que nos referimos]

16 LECTORES EXIGENTES Y EXIGENTES LECTORES B1

Los siguientes pares de frases son titulares de prensa. Decide cuál es la continuación o la explicación (entre paréntesis) más adecuada para cada una de ellas.

Tecnología

1. El Estado dará apoyo económico a los **jóvenes** investigadores que desarrollan proyectos sobre energías alternativas. ◯
2. El Estado dará apoyo económico a los investigadores **jóvenes** que desarrollan proyectos sobre energías alternativas. ◯

a. Solamente recibirán ayudas los investigadores menores de 28 años.
b. Solamente han pedido ayudas investigadores menores de 28 años.

Espectáculos

3. El público que asistió al Concierto Solidario aplaudió las **reivindicativas** canciones de Pepe Morando. ◯
4. El público que asistió al Concierto Solidario aplaudió las canciones **reivindicativas** de Pepe Morando. ◯

c. Los espectadores vibraron con todas las canciones del cantautor.
d. Los espectadores vibraron sobre todo con las canciones protesta.

Cultura

5. El escritor declaró: "Creo que esta novela será muy apreciada por mis **exigentes** lectores.» ◯
6. El escritor declaró: "Creo que esta novela será muy apreciada por mis lectores **exigentes**.» ◯

e. (Ha pensado satisfacer a todos sus lectores.)
f. (En esta ocasión, ha pensado en una parte de sus lectores habituales.)

Arte

7. La exposición mostrará las pinturas **desconocidas** del poeta Roque Guasch. ◯
8. La exposición mostrará las **desconocidas** pinturas del poeta Roque Guasch. ◯

g. Roque Guasch no es conocido como pintor.
h. Una parte de las pinturas de Roque Guasch no se ha expuesto nunca.

Adjetivos que cambian de significado cuando van antes del sustantivo

Hay algunos adjetivos (como **viejo, grande, bueno, simple, cierto, diferente, medio, solo, único,** etc.) que pueden tomar un significado diferente del habitual cuando van antepuestos.

un país ***pobre*** [sin recursos económicos] ≠ *un* ***pobre*** *país* [secundario, desafortunado]

un padre ***bueno*/malo**** [bondadoso/malvado como persona] ≠ *un* ***buen/mal*** *padre* [competente/incompetente como padre]

una amiga ***vieja*** [anciana] ≠ *una* ***vieja*** *amiga* [de hace tiempo]

una pregunta ***simple*** [sencilla] ≠ *una* ***simple*** *pregunta* [nada más que una pregunta]

una persona ***sola*** [sin compañía] ≠ *una* ***sola*** *persona* [solamente una persona]

un día ***único*** [irrepetible, extraordinario] ≠ *un* ***único*** *día* [solo uno]

Los adjetivos **grande** y **pequeño** cuando van antes de un sustantivo pueden indicar el tamaño pero en algunas ocasiones pueden significar **grande** y **pequeño** en importancia.

un restaurante ***pequeño*** [físicamente pequeño] = *un* ***pequeño*** *restaurante* [físicamente pequeño]

un hombre ***grande*** [físicamente grande] ≠ *un* ***gran*** *hombre* [grande en importancia]

Atención: en las formas del masculino singular, bueno y malo pierden la **–o** final ante sustantivos masculinos (**buen amigo, mal día**) y grande se convierte en **gran** delante de sustantivos tanto masculinos como femeninos:

un ***gran*** *amigo y una* ***gran*** *persona.*

17 RUMORES, RUMORES B1

A. Lee los siguientes fragmentos de prensa y marca la combinación de adjetivo y sustantivo que mejor expresa su contenido.

1. **Los actores Javier Calvo y la Gala Cruz niegan los rumores sobre su posible relación amorosa**

   ☐ Ciertos rumores ☐ Rumores ciertos

2. **La editorial Libros Extra publica las obras completas de Pérez y Pérez en un único volumen de 4000 páginas**

   ☐ Un gran libro ☐ Un libro grande

3. **Un profesor de literatura de la UJK suspende a todos sus alumnos por incluir en sus trabajos finales textos copiados directamente de internet.**

   ☐ Un buen profesor ☐ Un profesor bueno

4. **El precio de un piso de segunda mano en San Sebastián ronda los 300 000 euros**

   ☐ Precio medio ☐ Medio precio

B. Busca en internet ejemplos de dos o tres adjetivos que cambian de significado. Usa las comillas (" "); teclea, por ejemplo, "un caso único" y "un único caso". Lee con atención los resultados, ¿qué observas?

ESTRATEGIA

Para aprender cómo funciona la lengua puede resultarte muy útil observar ejemplos de usos reales en los periódicos, la televisión, las novelas. En internet, por ejemplo, puedes encontrar de manera rápida miles de ejemplos.

18 EN EL CENTRO COMERCIAL B1

Completa colocando el adjetivo haciéndolo concordar en género y número. ¿En qué posición debe ir: delante del sustantivo, después de este o puede ir en ambas?

1. ● No me gustan las .... películas .... , me aburren. (romántico)
   ○ Pues a mí tampoco me gusta el .... cine .... , pero vi contigo *Salvar al soldado Ryan.* (bélico)
2. Tenemos muchos tipos de .... cámaras .... ; tenemos .... máquinas .... reflex, profesionales... (fotográfico, compacto)
3. Tienes que leer esta novela de Pamuk, el .... escritor .... , es buenísima. (turco)
4. Los vendedores que llevan el .... uniforme .... son los de la sección de informática. (azul)
5. Atención señores clientes: Hoy es el .... día .... para efectuar la reserva del iPep. (único)
6. ¿Para un niño de 8 años? Le puedo recomendar este .... libro .... Seguro que le encanta. (precioso)
7. Tenemos clientes de todas las edades, pero la .... edad .... es de 33 años. (media)
8. Le recomiendo este ordenador portátil: potente, ligero (pesa menos de 1 kilo) y muy rápido: una .... máquina .... (grande)

Los artículos de primera mención o indeterminados

	masculino	femenino
singular	**un** hombre	**una** mujer
plural	**unos** hombres	**unas** mujeres

Usamos los artículos indeterminados para introducir un elemento que se menciona por primera vez y se presenta como algo no conocido.

*Hay **una** señora esperándote en la recepción.*

*Tengo **una** cosa para ti.*

*Van a venir a comer **unos** amigos de Paula.*

También se utiliza para hacer referencia a un elemento cualquiera de una cierta categoría.

*¿Me dejas **un** bolígrafo?* [No importa qué bolígrafo: uno cualquiera]

El artículo indeterminado puede utilizarse sin sustantivo, de forma parecida a un pronombre, para hacer referencia a un elemento de la misma categoría que otro ya mencionado. En este caso no se usa **un**, sino **uno**.

*¿Tienes cámara de fotos? Quiero comprarme **una** y necesito consejo.* [=una cámara de fotos]

*Tengo dos diccionarios de inglés y **uno** de francés.* [=un diccionario de francés]

Atención: cuando el artículo indeterminado va seguido de un sustantivo femenino que empieza por una **a** tónica, para facilitar la pronunciación normalmente usamos **un** en lugar de **una**.

*Es **un** aula demasiado pequeña.*

Tengo una cosa para ti.
Yo también.

1 LA VACA ES UN ANIMAL... A1

Completa estas frases con el artículo indeterminado correspondiente. Si no conoces algunas palabras, búscalas en el diccionario.

a. Necesito .... mapa de la ciudad.

b. Muriel, en la puerta hay....................chicas. Creo que son tus amigas.

c. La guitarra es....................instrumento de cuerda.

d. El viernes no puedo ir a clase. Voy a.................... boda en Santander.

e. ¿Tienes....................billete de 10 euros?

f. Hoy ponen....................película muy buena en la tele.

2 EN EL ZOO A2

Dos amigos están de vacaciones en una ciudad y van al zoo. Completa las frases con el artículo adecuado: **un (uno), una, unos, unas.**

1. • Es curioso: esta es .... ciudad muy pequeña, pero tiene .... zoo muy grande.

2. ○ Y parece muy moderno. Además tiene .... área especial de insectos muy interesante.

3. • También hay varios tipos de osos: ahí hay .... oso gris y, en el otro lado, ... osos polares.

4. ○ Y mira: ahí hay .... águila.

5. • Tengo mucha sed, necesito .... fuente.

6. ○ He visto .... en la entrada, ¿vamos?

7. • Uy, ¡qué lejos! Entonces mejor compramos .... botella de agua.

8. • Mira, he hecho .... fotos buenísimas de los elefantes.

Artículos de segunda mención o determinados

	masculino	femenino
singular	**el** día	**la** noche
plural	**los** días	**las** noches

Se utilizan delante de los sustantivos, en distintas situaciones comunicativas.

- Para hablar de algo que ya está en el contexto de la comunicación, porque se ha mencionado antes o porque se conoce o se supone su existencia.

*Esta noche llegan **los** amigos de Lara.*
[Sabemos de qué amigos se trata porque hemos hablado de ellos antes.]

*Julio trabaja en **el** ayuntamiento.*
[Se supone que en todas las ciudades y pueblos hay un ayuntamiento.]

- Cuando se sabe o se supone que un elemento es único.

*Este es **el** padre de Paola.* [Paola solo tiene un padre.]

- Para identificar un elemento dentro de un grupo. En este caso, puede no aparecer el sustantivo.

● *¿Qué botas prefieres?*
○ ***Las** marrones.*

- Para referirnos a una categoría o especie en general.

***El** vino de Rioja es famoso en todo el mundo.*

***Los** osos son mamíferos.*

- Para informar sobre las horas y los días de la semana.

Si nos referimos a un día concreto, utilizamos el artículo en singular.

***El** lunes empieza el curso.* [= este lunes]

Si nos referimos a **todos los martes**, por ejemplo, utilizamos el artículo en plural.

***Los** martes voy a nadar.* [= todos los martes]

Para informar sobre la hora utilizamos siempre el artículo en plural, excepto en el caso de **la una**.

*Salgo de trabajar a **las 5.***

*Normalmente me voy a dormir a **la una.***

Atención: cuando hablamos de intervalos de horas, podemos suprimir el artículo.

*Trabajo de **Ø** 9 a **Ø** 6.* = *Trabajo de **las** 9 a **las** 6.*

Atención: cuando el artículo **el** sigue a la preposición **a** o **de**, forman una sola palabra, excepto si el artículo forma parte del nombre propio:

*Esta tarde quiero ir **al** cine.* [a + el]

*Hoy salgo tarde **del** trabajo.* [de + el]

*Soy **de** El Salvador.*

3 CHARLANDO EN UN BAR A1

Escucha estas frases que Nacho le dice a Berta y decide a qué situación corresponden.

057

1.
- [ ] **a.** Nacho y Berta no hablan por primera vez sobre las camisetas.
- [ ] **b.** Nacho habla de las camisetas por primera vez.

2.
- [ ] **a.** Berta sabe de qué libro habla Nacho.
- [ ] **b.** Berta no sabe de qué libro habla Nacho.

3.
- [ ] **a.** Berta no sabe qué examen tiene Nacho.
- [ ] **b.** Berta sabe qué examen tiene Nacho.

4 ...COMO TODOS LOS SÁBADOS A1

Une cada pregunta con su respuesta y completa con **el/la/los/las:**

1. ¿Qué día te vas a Australia?
2. ¿Qué camiseta prefieres?
3. ¿Qué haces .... sábado?
4. ¿A qué hora empieza .... película?
5. ¿Cómo se llama .... padre de Víctor?
6. ¿Quieres venir a .... teatro esta tarde?

- ☐ **a.** Creo que Felipe.
- ☐ **b.** .... martes próximo.
- ☐ **c.** Gracias, pero no me gusta mucho .... teatro.
- ☐ **d.** A .... ocho y media.
- ☐ **e.** .... blanca.
- ☐ **f.** Voy a casa de mi abuela, como todos sábados.

5 LOS NUEVOS O LOS VIEJOS A2

Completa estas preguntas de un test con el artículo determinado correspondiente: **el, la, los, las.**

1. ¿Qué pan prefieres? ¿ .... blanco o .... integral?
2. ¿Qué prefieres? ¿ .... té o .... café?
3. ¿Qué eliges? ¿ .... libertad o .... amor?
4. ¿Qué te gusta más? ¿ .... casas o .... pisos?
5. ¿Qué usas más? ¿ .... móvil o .... teléfono fijo?
6. ¿Qué te gusta más? ¿ .... rosas o .... tulipanes?
7. Para moverte: ¿ .... metro o .... bus?
8. Para viajar: ¿ .... tren o .... avión?

6 EN CASA A2

En casa de los Urrutia las mañanas son muy movidas. Todos hacen preguntas y se dan órdenes. Completa las conversaciones siguientes con el artículo determinado correspondiente **el, la, los, las** o las contracciones **al, del**.

1. ● Celia, ¿a qué hora sales hoy .... trabajo? ¿Puedes ir tú a buscar a .... niños .... cole?

   ○ Vale, pero ya sabes que .... coche está en .... garaje. Tomaremos..................... tren de las seis.

2. ● Aitor, lávate..................... manos antes de salir de casa.
3. ● Idoia, no te olvides .... mochila y mete .... libro de ciencias.
4. ● Mamá, ¿qué pantalones me pongo? ¿..................... rojos o..................... verdes?

   ○ Mejor ponte .... falda nueva, está limpia.

5. ● Aitor: tómate ya .... zumo de naranja: .... vitamina C es muy buena para no ponerse enfermo.

   ○ No me gusta .... zumo. Hoy solo me bebo .... leche, ¿vale?

6. ● Celia, me duele muchísimo .... cabeza. ¿Dónde están .... aspirinas?

   ○ En .... lugar de siempre: en .... armario del cuarto de baño.

7. ● ¡Marcos! ¿Dónde están .... niños? ¿Están viendo .... tele otra vez?

   ○ No. Están en .... jardín, jugando con .... perro.

Cuándo usar el artículo y cuál escoger

En español no es necesario utilizar siempre los artículos: según lo que queremos decir utilizamos el artículo indeterminado, el determinado o hablamos sin artículo.

Las formas del artículo indeterminado singular **un/una** no se utilizan con verbos como **tener** o **haber** cuando hablamos de elementos de los que pensamos que lo normal es tener uno o que haya uno.

Álvaro no tiene Ø móvil.

¿Tú tienes Ø coche, Óscar?

Hay Ø cafetera en tu oficina?

En mi casa hay Ø ascensor.

Para hablar de una categoría de cosas o personas, indeterminadas y sin resaltar su individualidad, en general no usamos artículo. Por eso, es frecuente no usar artículos en frases interrogativas y negativas, en las que no podemos referirnos a un solo elemento.

Vendemos Ø pisos con vistas al mar.

Marta siempre usa Ø camisas, nunca camisetas.

¿Visitasteis Ø playas bonitas en Gran Canaria?

Nunca compramos Ø galletas ni bebidas con gas.

Normalmente, no utilizamos artículos con sustantivos que no se pueden contar, como **aceite, agua, sal**, etc., cuando queremos expresar una cantidad no determinada de ese sustantivo.

Nos falta Ø pan, Ø aceite y Ø agua; ¿puedes comprar, por favor?

Este postre se hace con Ø harina y Ø mantequilla, pero sin Ø leche.

Pero sí usamos artículo cuando nos referimos a algo de lo que se ha hablado antes. En este caso utilizamos el artículo definido:

*¿Traes **el** pan, **el** aceite y **el** agua?*

*Primero, calentamos **la** mantequilla...*

En general, no se utiliza ningún artículo antes de nombres de personas, continentes, países y ciudades, excepto cuando los artículos forman parte del nombre: **La Haya, El Cairo, El Salvador.** Con algunos países, el uso es opcional: **(La) China, (El) Perú.** Se usa el artículo determinado delante de los accidentes geográficos.

***El** Everest es la montaña más alta del mundo.*
~~*Ø Everest es la montaña más alta del mundo.*~~

Atención: nunca utilizamos los artículos indefinidos antes de **otro/otra/otros/otras**, pero sí los definidos.

*¿Pedimos **Ø otra** botella de vino?*
~~*¿Pedimos una otra botella de vino?*~~

*Tengo dos hermanos: **uno** es rubio como yo y el **otro** es moreno.*

Con **unos/unas** hablamos de varios elementos, que nosotros conocemos o que identificamos, por primera vez.

*En mi país hay **unas** playas preciosas.*

*Antonia tiene **unos** hermanos muy simpáticos.*

¿Qué prefieres, los bombones o las flores?

7 ¿CON O SIN ARTÍCULO? A1

Escoge entre **un/una/unos/unas, el/la/los/las** o **Ø** (si no hay artículo).

1. .... agua es fundamental para la vida.
2. ¿Tienes tú .... libro de Hortensia? Ella no lo tiene.
3. .... capital de Japón es Tokio.
4. Para preparar la salsa bechamel necesitas..................... harina,.....................leche y .... mantequilla.
5. ¿Quieres .... otra cerveza?

No se usan los artículos con los posesivos que van antes del sustantivo, pero sí se usan los indeterminados –con su valor habitual– cuando el posesivo aparece después del sustantivo.

~~*la mi hermana*~~
~~*una mi prima*~~
***una** prima mía* [=una prima de las que tengo]

Los artículos indeterminados **unos/unas** se utilizan con los numerales con el valor de "aproximadamente". Los determinados se utilizan con su valor habitual.

*Es muy barato, vale **unos** 20 euros.* [aproximadamente]

8 ¿CUÁL ES TU COLOR FAVORITO? A1

Contesta a estas preguntas con información personal. ¿Qué tipo de artículos necesitas?

1. ¿Cuál es tu **color** favorito? El...............................
....
2. ¿Cuál es tu **ciudad** o **país** favorito? ....
....
3. ¿Cuál es tu **día de la semana** favorito? ....
....
4. ¿Cuál es tu **estación del año** favorita? ....
....
5. ¿**A qué hora** ponen tu programa de televisión favorito? ....
....
6. ¿**Qué día** es tu cumpleaños?...............................
....

9 ¡TOMA GALLETA! A2

A este artículo, aparecido en una revista local, le faltan algunos artículos. Ponlos allá donde sean necesarios: **el/la/los/las/un/una/unos/unas.** Atención: no siempre son necesarios.

La ciudad *y sus gentes*

Enriqueta es .... (1) amiga mía que tiene .... (2) tienda muy especial. Seguramente la conocéis: es .... (3) tienda de galletas de la Avenida de la Libertad número 5 que se llama ¡Toma galleta! .... (4) galletas de Enriqueta están hechas exclusivamente con .... (5) leche, ... (6) harina integral, ... (7) huevos de una granja ecológica, ... (8) azúcar moreno y .... (9) frutos secos de cultivo ecológico. Enriqueta compra .... (10) estos productos directamente a .... (11) productores, excepto .... (12) azúcar, que lo compra a .... (13) ONG de comercio justo que trabaja con .... (14) granjeros del sur de Brasil y .... (15) leche, ¡que es de .... (16) su propia granja! En .... (17) su tienda no solo vende .... (18) galletas, sino también .... (19) bombones de chocolate de Guatemala, ... (20) muesli, ... (21) y miel. Todo realmente delicioso.

Los nombres comunes en función de sujeto siempre van determinados (con artículo u otros determinantes), lo que incluye al verbo **gustar** y similares.

Los gatos son animales domésticos.
~~*Gatos son animales domésticos.*~~

*Le gustan **las** películas de acción.*
~~*Le gustan películas de acción.*~~

10 ¡TOMA GALLETA! (2) A2

A. Esta es la segunda parte del artículo. Aquí también faltan algunos artículos. Ponlos allá donde sean necesarios: **el/la/los/las/un/una/unos/unas.** Atención: no siempre son necesarios.

Enriqueta es .... (1) persona muy especial. No tiene .... (2) móvil ni .... (3) coche, y en la tienda no hay .... (4) caja registradora ni se aceptan .... (5) tarjetas de crédito. Pero es .... (6) mujer muy emprendedora y .... (7) granjera con visión de futuro. Además de .... (8) tienda de .... (9) Avenida de la Libertad, tiene .... (10) otra tienda en .... (11) Barcelona. .... (12) dos tiendas tienen .... (13) mismo nombre, y es propietaria de .... (14) granja dedicada a .... (15) producción de leche en .... (16) sierra de Aralar.

B. Ahora escribe tú un texto similar al de los ejercicios 9 y 10 hablando de alguien de tu ciudad o de un personaje de ficción.

11 ¿QUIÉN ES ILDEFONSO F.? A2

Relaciona cada pregunta con la respuesta correspondiente y completa después las frases con los artículos necesarios. Algunas de las frases no necesitan artículo.

a. ¿A ti cuál te gusta más?
b. He visto a .... madre de Pedro esta mañana.
c. ¿Has traído bocadillos?
d. ¿Te gustan ....viajes organizados?
e. ¿Quién es esta chica?
f. ¿Dónde nos encontramos?
g. ¿A qué se dedica Rosa?
h. ¿Quién es Ildefonso Falcones?
i. ¿Tienes .... coche?
j. ¿Me trae .... cuenta por favor?

☐ **1.** Sí, ahora mismo.
☐ **2.** No, me parecen aburridísimos.
☒ A **3.** ...El...... rojo, ..el.... otro es feísimo.
☐ **4.** Sí, tengo..................... de chorizo y .... de queso. ¿Cuál prefieres?
☐ **5.** ¿Sí? ¿Y qué te ha dicho?
☐ **6.**..................... amiga mía que vive en Valencia.
☐ **7.** Es .... profesora, trabaja en una escuela de idiomas.
☐ **8.** Sí, ... Volkswagen Polo.
☐ **9.** .... autor de la novela que estoy leyendo.
☐ **10.** En .... bar que está al lado del cine.

12 TENGO QUE CONTARTE UN SECRETO B1

Selecciona la forma adecuada del artículo según el contexto en el que aparece.

1. ● Tengo que contarte .... cosa.
   ○ ¿Qué pasa?
   ● Nada, que ya sabemos .... sexo del bebé: ¡es .... niño!
2. ● Me han dado .... nota del examen de árabe. He sacado .... 10.
   ○ Lógico, eres .... mejor alumna de .... clase.
3. ● ¿Tienes .... momento para hablar conmigo? Tengo .... problema.
4. ● Hay .... niño en tu jardín.
   ○ Sí, es .... hijo pequeño de mi hermana.
5. ● ¿Dónde está .... coche?
   ○ En el taller de .... tío Luis. Tenía .... golpe en .... carrocería.
6. ● ¿Qué tal su familia? ¿........... niños están bien?
   ○ Sí, ahora justamente voy a .... colegio a buscarlos.
7. ● ¿Sabes .... nombre de la nueva profe de francés?
   ○ Laura; dicen que es .... profesora buenísima.
8. ● ¿Quién es .... responsable de .... relaciones internacionales?
   ○ .... señor Ramoneda.
9. ● ¿Cómo son .... amigos de Leo?
   ○ Geniales, tiene .... amigos simpatiquísmos.
10. ● ¿Sabes dónde vive .... abuela de Juan?
    ○ Solo sé que vive en .... piso pequeño.

13 PASTELES B1

Escribe los artículos necesarios o marca su ausencia con ø. En algunos casos existen varias posibilidades.

1. Marcos ha traído a clase .... pasteles; debe de ser su cumpleaños.
2. Marcos ha traído a clase .... pasteles que compró ayer por la tarde.
3. ● ¿A qué se dedica Carina?
   ○ Es .... pediatra. Hizo la especialidad en .... clínica muy buena.
4. ● ¿Quién es esa mujer?
   ○ Es .... pediatra de mis hijos, es un encanto.
5. ● ¿Qué es .... ojo de buey?
   ○ .... ventana redonda, como las de ...... barcos.
6. ● ¿Estáis haciendo obras en .... tejado de casa?
   ○ Sí, vamos a poner .... ojo de buey.

7. Este invierno .... tomates están carísimos.
8. ¿Tenemos .... tomates en casa? Quiero hacer .... ensalada griega.
9. En la oficina tenemos .... aire condicionado, afortunadamente.
10. ¿Has puesto .... aire condicionado? Hace mucho calor aquí.
11. ¿Cómo prefieres .... carne?
12. Mi madre hoy ha hecho .... carne buenísima.

14 ¿ME DEJAS EL ROJO? B1

Tacha los sustantivos que no sean necesarios. Puedes modificar algunas palabras.

1. La carpeta que trajiste es demasiado grande. ¿No había una carpeta más pequeña?
2. ¡Cuidado! ¡La silla de la derecha está medio rota! Siéntate mejor en la silla negra, la silla de plástico.
3. El jersey que llevas es muy ligero para este frío... Ponte mejor un jersey más grueso.

4. ¿Cuál de estos bolsos es el tuyo? ¿El bolso negro o el bolso verde pequeño?
5. Los vasos de cristal son peligrosos para los niños: a ellos dales unos vasos de plástico.
6. ● ¿Trajiste las revistas?
   ○ Sí, he traído unas revistas de arquitectura y una revista de música...
7. Otra vez olvidé el paraguas en la oficina y tuve que comprarme un paraguas por ahí...
8. ¿Cuál es la casa de Silvia? ¿La casa que tiene jardín o la casa blanca que está enfrente?

El artículo determinado neutro lo

La construcción **lo + adjetivo.** Equivale a decir **la(s) cosa(s)** + adjetivo, **el aspecto** + adjetivo.

*Es **lo** mejor que me ha pasado en la vida* (=la mejor cosa)

*Hay que recoger **lo** sucio y dejar **lo** limpio* (=las cosas sucias; las cosas limpias)

***Lo** extraño es que nadie me ha llamado* (=el aspecto extraño)

La construcción **lo que** + verbo equivale a decir **la(s) cosa(s) que** + verbo.

*¿Sabes **lo que** me ha dicho Paca?* (=la cosa/las cosas)

La construcción **lo de** + sustantivo equivale a **el asunto relacionado con**.

● *¿Ya sabes lo de Gustavo?*
○ *Sí, pero eso no es nada comparado con lo de mis primos.*

Atención: lo + adjetivo, **lo** + adverbio y **lo que** + verbo son a menudo maneras de enfatizar cantidad o intensidad, sobre todo en frases exclamativas y en frases interrogativas.

*¡**Lo** guapo que está tu marido! ¿Qué se ha hecho?*

*No sabes **lo** mal que lo pasamos el otro día.*

Lo que hemos comido... ¡Estoy llenísimo!

15 EL / LO / LA B1

058 **A.** Escucha los siguientes comienzos de frase y anota qué artículo oyes.

1. ¿........ (el / lo / la) mejor de mi clase?
   - [ ] Pedro.
   - [ ] El ambiente.
2. .... (el / lo / la) que nos preocupa es...
   - [ ] Sara.
   - [ ] los problemas financieros.
3. .... (el / lo / la) que tiene más años aquí es...
   - [ ] la alfombra.
   - [ ] Arturo.
4. Para mí, ... (el / lo / la) más difícil es........
   - [ ] las matemáticas.
   - [ ] el segundo ejercicio.
5. ¿Y........ (el / lo / la) de la izquierda?
   - [ ] ● Es mi cuñada.
   - [ ] ○ Es un regalo.
6. ¿Sabes........ (el / lo / la) de Pedro?
   - [ ] ● Sí, me lo han contado hoy.
   - [ ] ○ Sí, es el 677 888 888.
7. .... (el / lo / la) que debe mejorar es...
   - [ ] Lucía, se esfuerza poco.
   - [ ] nuestro rendimiento.

B. Ahora, elige de las dos opciones planteadas para cada frase, la continuación o la respuesta más adecuada.

MUNDO PLURILINGÜE

Traduce a tu lengua o a otra que conozcas las frases siguientes. ¿Cómo funcionan los artículos en cada lengua? ¿Es igual? ¿En todos los casos? ¿Qué diferencias hay?

Torcuato es ingeniero. Estudió en la Universidad Politécnica.

¿El hotel tiene piscina? Me gusta darme un baño por las mañanas.

No puedo comer fresas, soy alérgico.

Desde que Martín tiene novia, está más simpático.

Por favor, ponte la camisa.

ESTRATEGIA

Muchos de nuestros errores se deben a que traducimos, palabra a palabra, lo que decimos en nuestra lengua materna (o en otra lengua extranjera que manejamos mejor). Observar las diferencias en ejemplos concretos te ayudará a comprender los mecanismos del español.

6 Los demostrativos

Uso de los demostrativos

En español se utilizan los demostrativos para referirse a algo o a alguien, indicando su cercanía o su lejanía respecto a las personas que hablan, tanto en el espacio como en el tiempo.

cerca de quien habla	
masc. sing.	este
fem. sing.	esta
masc. plur.	estos
fem. plur.	estas

cerca de quien escucha	
masc. sing.	ese
fem. sing.	esa
masc. plur.	esos
fem. plur.	esas

lejos de ambos	
masc. sing.	ese/aquel
fem. sing.	esa/aquella
masc. plur.	esos/aquellos
fem. plur.	esas/aquellas

Atención: en la mayoría de los casos se puede utilizar **ese/esa/esos/esas** para referirse a algo o a alguien que está lejos tanto del hablante como del oyente. **Aquel/aquella/aquellos/aquellas** se utiliza para referirse a algo lejano en el espacio o en el tiempo, sobre todo en un registro culto oral o escrito, o bien para distinguir un objeto de otro.

__Esta__ guitarra, ¿es de Marcos?

¿Me das __ese__ libro que está sobre la toalla, por favor?

¿Ves __aquella__ montaña? Es el Aconcagua. = ¿Ves __esa__ montaña? Es el Aconcagua.

Cuando quien habla y quien escucha están en espacios diferentes, quien habla puede indicar cosas dentro de su espacio (**este, esta, estos, estas**) y dentro del espacio de quien escucha (**ese, esa, esos, esas**).

Cuando quien habla y quien escucha tienen un espacio común, pueden indicar cosas que se encuentran dentro de su espacio (**este, esta, estos, estas**) y fuera de su espacio (**ese, esa, esos, esas**).

En ambos casos, a veces, puede ser necesario distinguir un tercer espacio más lejano (**aquel, aquella, aquellos, aquellas**).

1 ESTA ES MI MALETA A1

¿Puedes relacionar cada diálogo con una imagen?

1. ☐ ● Perdón, pero esta es mi maleta.
❍ ¿Está usted seguro?

2. ☐ ● Aquella maleta roja, ¿no es la de Óscar?
❍ ¡Ay, sí!

3. ☐ ● ¿Es suya esa maleta?
❍ Pues... sí.

Con sustantivo o sin sustantivo

Cuando los demostrativos acompañan a un sustantivo, solemos decir que actúan como adjetivos y normalmente se sitúan antes de dicho sustantivo. Pero cuando ya está claro cuál es el sustantivo que están indicando, pueden ir solos y se dice que actúan como pronombres.

Los demostrativos concuerdan en género y en número con el sustantivo al que se refieren.

● ***Estos** platos están sucios, hay que lavarlos.*
❍ *¿Y **esos**?*
● ***Esos** están limpios, y **estas** tazas también.*

Todos estos demostrativos pueden ir delante de numerales y de **otro/a/os/as**. También pueden ir detrás de **todo/a/os/as**.

***Estas** <u>dos</u> actividades son correctas. Pero **esas** <u>otras</u>, no.*

*<u>Todos</u> **estos** ordenadores funcionan mal.*

Atención: cuando no acompañan a un sustantivo, los demostrativos pueden escribirse con acento gráfico (**éste/ése/aquél...**). Solo es necesario escribirlo en los casos en los que es posible confundirlos con un demostrativo actuando como adjetivo, lo que no ocurre casi nunca.

Atención: construcciones como **el jersey este/ese** se utilizan cuando el hablante se distancia del objeto, bien por rechazo o por desconocimiento:

*El hombre **ese** es un idiota.* [rechazo]

*¿Cómo se llama el software **ese** para descargar videos de internet?* [desconocimiento]

Los demostrativos y los adverbios de lugar

Los demostrativos están en relación con los adverbios de lugar **aquí, ahí** y **allí**.

aquí	ahí	allí
este chico	**ese** chico	**ese/aquel** chico
esta chica	**esa** chica	**esa/aquella** chica
estos amigos	**esos** amigos	**esos/aquellos** amigos
estas amigas	**esas** amigas	**esas/aquellas** amigas
esto	**eso**	**eso/aquello**

Fíjate en que, en una conversación, un mismo objeto puede estar designado por diferentes demostrativos según quién los utilice y dónde se encuentre el hablante. Los adverbios de lugar ayudan a aclarar a qué nos referimos con el demostrativo.

¿Me pasas esa camiseta de ahí?
¿Cuál, esta de aquí?
No, la de al lado.

Sí, esa.

Atención: acá y **allá** son formas equivalentes de **aquí** y **allí** y su uso es más frecuente en Hispanoamérica, pero son de uso general en algunas expresiones lexicalizadas, como **más (para) allá** y **más (para) acá**.

● *¿Ponemos **aquí** el armario?*
○ *No, mejor un poco **más allá.***

2 GEMA Y PAZ A2

Los demostrativos pueden expresar si algo está en el espacio del hablante o de la persona que lo escucha. Completa las explicaciones de cada diálogo.

Paz: Esa blusa me encanta. ¿De dónde es?

Gema: Del mismo sitio que ese jersey. ¡Los compramos el mismo día!

1. Paz lleva ....

   Gema lleva ....

Paz: Esta carne tiene un aspecto buenísimo.

Gema: Pues sí, y esas patatas también tienen buena pinta.

2. La carne está en el plato de ....

   Las patatas están en el plato de ....

Paz: Ese libro me encanta. Lo he leído 3 veces.

Gema: Mmm... pues yo me estoy aburriendo.

3. El libro lo tiene ....

Paz: ¿Para qué es este dinero?

Gema: Para pagar ese café.

4. ....

   está tocando el dinero.

5. El café está al lado de ....

3 ¿ESTE, ESTA ESTOS O ESTAS? A1

¿Puedes completar estas frases con las terminaciones que faltan?

1. ● No sé qué pantalones llevarme. ¿Qué crees tú?
   ○ ¿Cuáles son más elegantes, est...... o est......?
   Hombre, los negros, ¿no?
2. ● Est...... fin de semana me voy a Barcelona.
   ○ ¡¿Est...... ?! ¿Y mi fiesta de cumpleaños?
3. ● (Mirando una fotografía.) ¿Quién es tu madre, est...... ?
   ○ No, est...... que está con Pablo.

¡Qué guapa es tu madre!
No te pareces nada a ella.

4. ● Me llevo las gafas de sol.
   ○ ¿Cuáles, est...... ?
   ● No, est...... , las de Paco Pavanne.
5. ● Mira est...... botas. Son preciosas.
   ○ Sí, y muy caras.
6. ● Me interesa mucho est...... curso de teatro.
   ○ Sí, los profesores son muy buenos.

4 UNA FLAUTA, UN MARIACHI Y UNOS ZAPATOS A1

Lee estas ocho conversaciones. ¿Sabes a qué elementos de las cajas se refieren?

una falda	una camiseta	unas botas
unos zapatos	el son	un mariachi
un plato típico	un piano	un juego
un foro	un cuaderno	una flauta
	un diccionario	

1. ● Este es muy bueno, ¿no?
   ○ Sí, pero yo prefiero leer las definiciones solo en español.
   Hablan de ....
2. ● ¿Qué tal le queda esa?
   ○ Mmmm, no, no me gusta. Me llevo solo esta de manga corta.
   Hablan de ....
3. ● ¿Qué te gusta más con el vestido verde? ¿Estos o las sandalias?
   ○ Mujer, esos. Mucho más.
   Hablan de ....
4. ● A mí me gusta esta. Tiene un sonido estupendo.
   Hablan de ....
5. ● Ah, sí, ese es un ritmo cubano, ¿no?
   ○ Sí, es la base de la salsa.
   Hablan de ....
6. ● ¿Jugamos a ese de preguntas y respuestas?
   ○ Sí, vale.
   Hablan de ....

7. ● Yo escribo en uno de viajes y es increíble: la gente sabe mucho y contesta a todas mis preguntas.
   ○ ¿Ese que se llama "viajes.dif" o algo así?
   Hablan de ....

8. ● Prefiero utilizar el de las hojas blancas.
   Hablan de ....

¿Este te gusta?
Sí, pero, ¿qué es?

5 ¿ESTA O ESTÁ? A2

A. Observa cada grupo de frases y léelas en voz alta. Imagina un contexto posible para cada una.

1. a. Esta gris.
   b. Está gris.
2. a. ¿Estas? ¡Genial!
   b. ¡Estás genial!
3. a. Sí, esta.
   b. Sí está.

059–061 **B.** Ahora vas a escuchar una conversación relacionada con cada par de frases del apartado **A**. Indica cuál es el fragmento que falta (**a** o **b**) en cada una de ellas.

☐ 1.
☐ 2.
☐ 3.

6 MI ESPACIO O TU ESPACIO A2

Completa estas frases con los demostrativos más adecuados.

1. ● Mira, ... es mi compañera de piso, Magda, y .... es un compañero de la facultad, Juan Jorge.
   ○ Hola, ¿qué tal?
2. ● ¿Ves a .... chica que está a la derecha de mi padre?
   ○ ¿La que está hablando con Javier?
   ● Exacto. Pues .... es mi hermana.
   ○ Y .... que está al otro lado de Javier?
3. ● Señoras y señores: .... pieza que tengo en mis manos es una obra de arte única.
4. ● Tere, ¿por qué llevas .... gafas? No te quedan bien.
   ○ ¿Tú crees? Pues a mi .... gafas me encantan.
5. Ella: ● Oye, ¿qué quiere decir .... señal?
   Él: ○ Pues que en .... museo no se pueden hacer fotos.

Los demostrativos neutros

Además de las formas de masculino y femenino (en singular y plural), existen formas neutras. Estas formas son invariables.

	cerca de quien habla	cerca de quien escucha	lejos de ambos
neutro	esto	eso	eso/aquello

Los demostrativos neutros actúan siempre como pronombres, es decir, no acompañan a un sustantivo, sino que lo sustituyen. Sirven para referirse a:

Algo que no queremos o que no es necesario nombrar (una o varias cosas, un lugar, una situación, etc.):

● *Entonces dos kilos de tomates, ¿algo más?*
❍ *No, **eso** es todo.*

***Eso** que dices no tiene mucho sentido.*

*¡**Esto** es increíble: voy al desierto y llueve!*

Algo que no podemos nombrar:

*¿Cómo se llama **eso**?*

*¿Qué es **aquello/eso** de allí? Parece un animal, ¿no?*

***Esto** es un bolígrafo.*

También usamos los demostrativos neutros para indicar situaciones y partes del discurso.

*El avión ha salido tarde, las maletas se han perdido y nadie sabe nada. ¡**Esto** es un caos!*

● *¿Sabes que Marta va a tener un hijo?*
❍ *¿De verdad? ¡**Eso** es una gran noticia!*

Los demostrativos neutros no se utilizan para hablar de personas.

~~*Esto es Felipe.*~~
***Este** es Felipe.*

Atención: los demostrativos neutros no tienen plural.

***eso** de ahí es un museo → **eso** de ahí son unos museos*

***ese** es Jorge → **esos** son Jorge y Diego* [plural de ese = esos]

7 ¿CÓMO SE LLAMA ESTO? A1

Relaciona cada diálogo con la imagen correspondiente y completa con las palabras que faltan.

1. ● Pierre: ¿Cómo se llama eso en español?
❍ Adriana: ¿Esto? Ah, sí, se dice ....

2. ● Pierre: ¿Y eso? ¿Cómo se llama?
❍ Adriana: Eso son unas ....

3. ❍ Adriana: Eso sí sabes cómo se llama. ¿Es internacional, ¿no?
● Pierre: ¿Esto? Creo que ....

8 ... ¿Y ESO? A2

Completa estos diálogos con los demostrativos neutros que faltan (**esto, eso, aquello**).

1. ● ¿Cómo se llama en español .... que tienes en la mano?

○ ¿ .... ? Se llama grifo.

2. ● Los Martínez se van a vivir a Zaragoza.

○ Sí, ... me han dicho.

3. ● Oye, acabo de llegar a casa y he visto una cosa muy rara en la esquina de la calle. ¿Tú sabes qué es .... que han colocado ahí?

4. ● Me han dicho que te vas mañana.

○ ¿Ah, sí? ¿Y quién te ha dicho .... ?

5. ● ¿Recuerdas .... que te dije en 1999?

○ Mmm, pues no, la verdad.

6. ● ¿Qué es .... que llevas puesto? Pareces un extraterrestre.

○ .... es un abrigo especial para la nieve y está muy de moda este año.

7. ● Este año estoy estudiando helicicultura.

○ ¿Y qué es .... ?

8. ● Hoy no puedo ir a clase.

○ ¿Y .... por qué?

9. ● .... es muy aburrido, ¿nos vamos?

○ Sí, esta es la fiesta menos divertida del siglo.

Me han dicho que estás estudiando chino. ¿Es cierto?
Eso es mentira, estoy estudiando inglés.

9 UN POCO DE TEATRO A1

Escribe un diálogo como los del ejercicio 8 utilizando demostrativos y, después, represéntalo con un compañero en clase. El resto debe adivinar a qué objeto os referís.

....

....

....

....

....

10 ¡ESTO ESTÁ MAL ESCRITO! A1

Este es el tablón de anuncios de una residencia de estudiantes extranjeros que aún no dominan el español. ¿Puedes corregir los demostrativos?

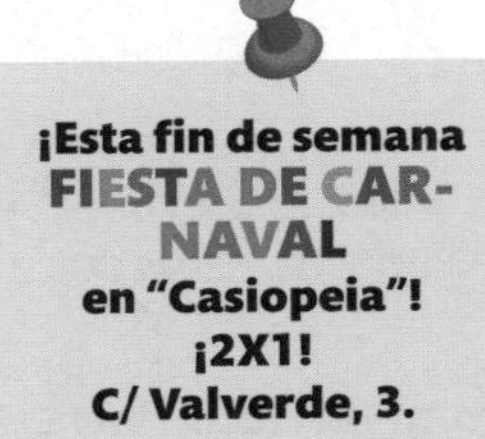

¡Esta fin de semana
FIESTA DE CARNAVAL
en "Casiopeia"!
¡2X1!
C/ Valverde, 3.

Busco a esto gato.
Se llama
MISSI
Tel.: 916574327

Vendo estos sillas
y este mesa por
50 euros,
¿os interesan?
Mi teléfono es el
915673422.

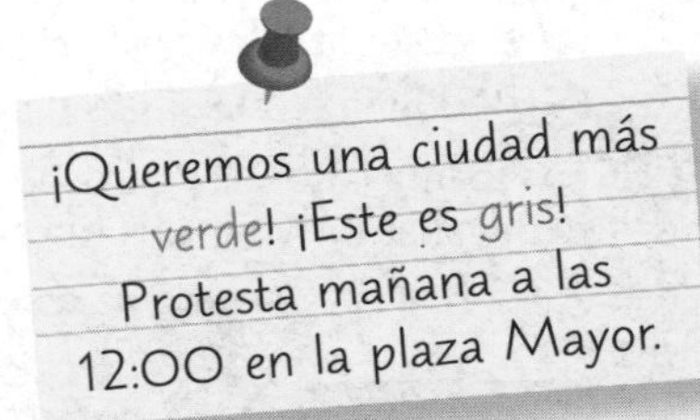

¡Queremos una ciudad más
verde! ¡Este es gris!
Protesta mañana a las
12:00 en la plaza Mayor.

Demostrativos en expresiones temporales y de modo

- Los demostrativos **este/a/os/as + año(s), mes(es), semana(s)**... sirven para referirse a períodos temporales que no han terminado o a períodos temporales pasados y futuros muy cercanos al momento presente.

Atención: cuando nos referimos al pasado solemos usar el pretérito perfecto.

***Esta** semana estamos estudiando los demostrativos.* [presente]

***Este** invierno ha hecho mucho frío, suerte que ya estamos en primavera.* [pasado]

***Esta** tarde voy a salir antes del trabajo, tengo dentista.* [futuro]

- Para referirnos a períodos temporales pasados y futuros que ya se han mencionado en el contexto, usamos **ese/a/os/as + año(s), mes(es), semana(s)...**
- Para remarcar la lejanía de momentos pasados ya mencionados, usamos **aquel/aquella/os/as + año(s), mes(es), semana(s)...**
- El adverbio **entonces** puede significar **en ese momento** o **en aquel momento.** Lo usamos para hablar de un momento pasado o futuro que ya se ha mencionado.

● *Abuelo, ¿tú también tenías videojuegos cuando eras pequeño?*
○ *¡Uy, no! **Entonces** no existían esas cosas.*

11 PASADO, PRESENTE Y FUTURO A2

¿Qué demostrativo se adecua más a cada frase?

1. Estamos en la segunda quincena de julio. En mi pueblo .... semanas son las más calurosas del año.
2. Me casé con José Juan en febrero de 1999 .... mismo mes, se divorció mi hermana.
3. El 5 de agosto vamos a ir a Madrid, pero .... misma semana también tenemos que ir a París.
4. .... primavera va a ser preciosa, ha llovido mucho y el campo va a estar muy verde.
5. En los años 60 la economía creció en casi toda Europa, ... años estuvieron llenos de cambios y de progreso.
6. ¡Qué frío ha hecho .... semana! Hemos tenido la calefacción encendida todo el día.
7. Cuando estudiaba Medicina, iba poco a ver a mi familia. En .... época, ellos vivían en Santander y yo estudiaba en Barcelona.
8. .... mes tenemos jornada intensiva en el trabajo: por eso, hoy salgo a las 15.00 h.
9. En 2016 mi hijo acabará sus estudios y yo, ... año, dejaré de trabajar.

Posesivos antes del sustantivo: formas átonas

Los posesivos se utilizan para identificar algo o a alguien refiriéndose a su poseedor. La relación de posesión no siempre es literal; es decir, puede entenderse como una relación de posesión, de parentesco, pertenencia a un grupo, etc.

Las formas átonas de los posesivos se colocan delante del sustantivo y varían según el poseedor.

	singular	plural
	masculino/ femenino	masculino/ femenino
(yo)	**mi** amigo/amiga	**mis** amigos/ amigas
(tú)	**tu** amigo/amiga	**tus** amigos/ amigas
(él/ella/ usted)	**su** amigo/amiga	**sus** amigos/ amigas
(nosotros/ nosotras)	**nuestro** amigo/ **nuestra** amiga	**nuestros** amigos/ **nuestras** amigas
(vosotros/ vosotras)	**vuestro** amigo/ **vuestra** amiga	**vuestros** amigos/ **vuestras** amigas
(ellos/ellas/ ustedes)	**su** amigo/amiga	**sus** amigos/ amigas

Los posesivos **su/sus** se pueden referir a diferentes personas: **él, ella, usted, ellos, ellas** o **ustedes**.

● *Esos son Julián y* ***su*** *padre.* [su = de él]
○ *Y esos, Marina y* ***su*** *padre, ¿no?* [su = de ella]

Señores Bertelo, este es ***su*** *coche, ¿verdad?* [sus = de ustedes]

Lupe y Eli no han recogido ***sus*** *entradas para el concierto.* [sus = de ellas]

Los posesivos correspondientes a **nosotros** y a **vosotros** concuerdan en género y en número con el sustantivo. Los demás, solo en número.

Atención: al contrario que en otras lenguas, las formas átonas de los posesivos no pueden ir acompañadas de un artículo.

~~*una mi prima.*~~

Atención: para diferenciar los posesivos **mi** y **tu** de los pronombres personales **mí** y **tú**, estos dos últimos llevan una tilde.

Esta noche hago una fiesta en ***mi*** *casa. ¿Vienes?*

¿Cómo se llama ***tu*** *hermano?*

● *Me encanta Tarantino.*
○ *Uy, a* ***mí*** *no me gusta nada.*

*Oye, ¿****tú*** *no eres Carla, la prima de Isabel?*

Vuestra amiga es mi vecina, ¡qué casualidad!

1 MIS AMIGOS SON TUS AMIGOS A1

¿Cómo expresas estos conceptos con un posesivo?

1. La ciudad donde vivo o de donde soy: ....
....
2. La silla que uso normalmente en la clase de español: ....
3. Otro hijo de mis padres: ....
4. Los pantalones que compra y paga Juan: ....
....
5. La comida que más me gusta: ....
.... preferida.
6. La madre de Juanjo y Leire: ....
7. Las personas con las que tenemos amistad: ....
....

2 ESTA ES MI FAMILIA A1

062 Mónica habla de su familia. Escúchala y completa su árbol genealógico.

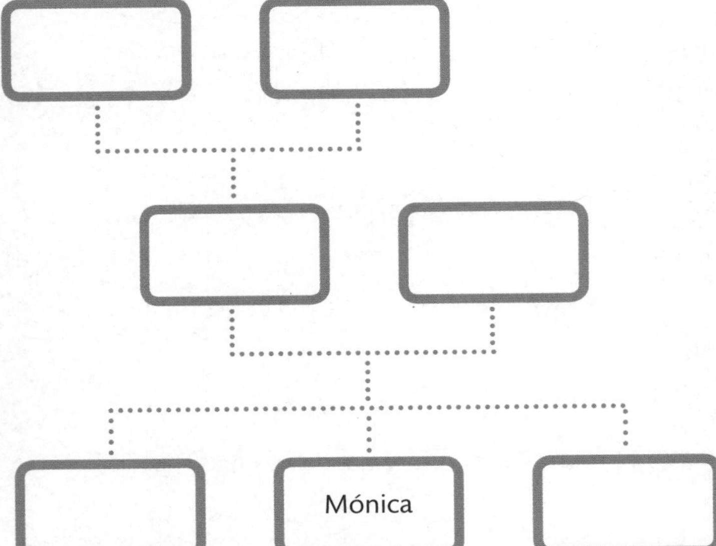

3 ¿TÚ CONOCES ASIA? A1

A. Fíjate en la imagen y contesta: ¿dónde están estas personas? ¿De qué crees que hablan?

063 **B.** Ahora escucha la grabación y comprueba tus respuestas del apartado anterior.

C. Completa las frases con **tu/tú** y **mi/mí**, y comprueba el resultado con la transcripción que tienes en la web.

- ● Algún día quiero ir a China. ¿ ....conoces Asia?
- ○ Sí... bueno, solo Japón.
- ● Pues a...................me gustaría viajar a Shanghai;...................hermana dice que es la ciudad más interesante de Asia en este momento.
- ○ Claro,...................hermana viaja mucho a China, ¿no?, ¿Y por qué no viajas con ella?
- ● Es que ella va siempre por su trabajo y está solo uno o dos días. Para..................., viajar significa estar por lo menos dos semanas en un lugar.
- ○ Ya, a...................me pasa lo mismo.

4 MI VIDA NO TIENE SENTIDO A1

Fíjate en estos personajes y relaciónalos con los textos que aparecen a continuación. Complétalos después con los posesivos que faltan.

1. Nosotros creemos en un estado social.................... interés es el interés de.................... sociedad; una sociedad moderna, dinámica y justa. Pueden ustedes creernos: para nosotros, ... preocupación más importante es cumplir .... deseos. El deseo de todos ustedes.

2. No sé quién soy ni para qué vivo, doctor. Siento que.................... vida no tiene sentido: no entiendo a.................... pareja, ni a.................... amigos.... .... trabajo es absurdo. Todos.................... valores,.................... identidad. ¿Cuál es .... problema? Todos me dicen que .... vida está bien, pero yo pienso que es peor que .... vidas, ¡mucho peor! ¿Usted qué piensa, doctor? ¿Cuál es .... opinión?

3. Es que es un egoísta. Siempre él, él, él:.................... trabajo,.................... amigos,.................... tiempo... ¿Y yo? ¿y.................... amigos y.................... tiempo? Yo también tengo una vida, pero parece que a veces no piensa en eso. Ese es .... problema como pareja.

4. Esto no son regalos para ti. Estas son .... flores y .... caja de bombones.

5 APRENDA ESPAÑOL CON NOSOTROS A2

A continuación tienes algunos anuncios de escuelas de idiomas en los que faltan los posesivos. Complétalos.

Español en línea

Aprende español sin salir de .... casa. Solamente tienes que utilizar .... ordenador y conectarte por internet a .... página web: www.españolenlinea.dif. Con Español en línea, tienes .... propio tutor, que te orienta, corrige .... ejercicios y habla contigo por videoconferencia siempre que lo necesitas.

¡Ahora puedes hacerlo! ¡Esta es .... oportunidad para aprender español sin estrés!

ESCUELA MODERNA

Viaje a Guatemala y aprenda español en Antigua.

Clases individuales para todos los niveles.¡Haga realidad .... sueño! Disfrute de.................. famosa hospitalidad. Aquí.................. profesor es también su anfitrión: usted se aloja en .... casa y aprende español rápidamente y sin esfuerzo.

Academia Mediterránea

Aprende español con nosotros y conoce también .... cultura: además de clases de español, te ofrecemos un programa variado de actividades (flamenco, cursos de cocina, de cine, etc.). .... escuela está situada en el centro de la ciudad. .... profesores son todos nativos y excelentes profesionales. Visita .... página web:

www.academia-mediterranea.med

Los posesivos tónicos (I)

Los posesivos tónicos pueden aparecer acompañando al sustantivo al que se refieren (siempre detrás de este) y también solos, respondiendo a preguntas sobre propiedad. Concuerdan en género y en número con el sustantivo.

*Este es Ramón, un amigo **mío**, y esta es Marcia, una colega **suya**.*

● *¿Esa chaqueta es **tuya**?*
○ *No, la **mía** es la que está al lado.*

poseedor	sustantivo singular		sustantivo plural	
	masc.	fem.	masc.	fem.
(yo)	mío	mía	míos	mías
(tú)	tuyo	tuya	tuyos	tuyas
(él/ella/usted)	suyo	suya	suyos	suyas
(nosotros/nosotras)	nuestro	nuestra	nuestros	nuestras
(vosotros/vosotras)	vuestro	vuestra	vuestros	vuestras
(ellos/ellas/ustedes)	suyo	suya	suyos	suyas

Cuando acompañan a un sustantivo, los posesivos tónicos se colocan siempre detrás de este y concuerda con él en género y número. Delante del sustantivo pueden aparecer diferentes determinantes: (1) un artículo, (2) un demostrativo, (3) un cuantificador, (4) un interrogativo, etc.

*Ha estado en casa de **un** colega **suyo**. (1)*

***Esa** amiga **suya** tan rara viene a cenar hoy. (2)*

*Me encontré con **tres** colegas **míos** en un bar. (3)*

*No sé a **qué** amigo **mío** te refieres. (4)*

6 QUÉ LÍO DE MUDANZA A2

Pablo y Paula viven con Julián, pero se están mudando a otro piso para vivir solos. Completa la conversación con los posesivos tónicos adecuados.

- Pablo: ¿De quién son estos libros?
- Paula: (de Paula) ....
- Pablo: ¿Y estas revistas de arquitectura?
- Paula: (de Paula) .... también. Oye, ¿y este jarrón es de Julián o (de nosotros) ....
- Pablo: (de nosotros) .... , creo.
- Pablo: ¿La frutera es (de Paula) .... ?
- Paula: Sí, claro que es (de Paula) .... ¿No te acuerdas? Me la regaló aquel compañero (de Paula) ....
- Pablo: Ah sí, es verdad.
- Julián: No os olvidéis de las sillas de la terraza, también son (de vosotros) ....
- Pablo: ¿Seguro que son (de nosotros) ....?
- Julián: Claro. La mesa es (de Julián) .... pero las sillas, (de vosotros) ....
- Pablo: ¿En el garaje hay alguna cosa (de nosotros) ....?
- Paula: Mmm, sí, hay algunas cosas (de Paula) .... y unos esquís (de Pablo) ....

7 LLEVANDO LA CONTRARIA B1

Alonso siempre lleva la contraria a su amigo Pelayo. Observa cómo lo hace y completa las frases.

Acabo de ver a un amigo tuyo en la tele.
¿Un amigo mío? ¡Imposible!

1. ● Bertrán está de viaje con una sobrina suya.
   ○ ¿Con una sobrina .... ? ¡No me lo creo!
2. ● Diego está en una casa suya de la costa.
   ○ No es ...., es de su hermano.
3. ● Blanca me dijo que tienes unos libros suyos.
   ○ ¿....................................? ¡Son míos!
4. ● Jimena me ha enseñado unas fotos tuyas, de cuando fuiste a visitarla a Covadonga.
   ○ ¿....................................? Imposible, nunca he estado en Covadonga.
5. ● Tengo una guía de viajes tuya.
   ○ ¿....................................? ¡Qué va!
6. ● ¿Te acuerdas de aquel jefe mío que vivía en Turín?
   ○ Pues no, no recuerdo a ningún jefe ....
7. ● Hemos encontrado en el cine a unas conocidas nuestras muy simpáticas.
   ○ ¿Conocidas .... muy simpáticas? ¡Vosotros no tenéis conocidas simpáticas!

Usos de los posesivos átonos y tónicos con un sustantivo

Los posesivos tónicos, cuando acompañan a un sustantivo, lo identifican como parte de un conjunto de objetos de la misma categoría.

He visto a ese amigo ***tuyo*** *tan guapo.* [El que he visto es uno de tus amigos]

Me refiero a una película ***suya*** *que ganó un Oscar.* [Ha dirigido varias películas]

Los posesivos átonos identifican el objeto poseído refiriéndose a una relación de pertenencia única, bien porque no existe otro objeto de la misma categoría que pertenezca a esa persona,

Mi *padre se llama José.* [Se trata de una relación única]

¿Me das ***tu*** *número de teléfono?* [Solamente tiene un número de teléfono]

bien porque se trata de una relación especial que identifica al objeto poseído entre otros de su misma categoría.

Mi *amiga me ha dicho que va a venir a buscarme.* [Es mi mejor amiga o la amiga de la que hemos hablado antes]

Uso de los posesivos tónicos sin sustantivo

Los posesivos tónicos pueden aparecer sin sustantivo cuando está claro a qué se refieren. El posesivo tónico se comporta en ese caso como un pronombre.

● *Mi chaqueta es la negra de cuero.*
○ *La* ***mía*** *es la de al lado* [= Mi chaqueta es la de al lado]

● *¿De quién son estas maletas?*
○ *Son* ***mías*** [= Son mis maletas]

Utilizamos los posesivos tónicos con el artículo determinado (**el mío, la mía, los míos, las mías**, etc.) para referimos a objetos de la misma categoría que pertenecen a distintas personas, normalmente para distinguirlos.

Su hija es dos años mayor que ***la mía.***

● *Esta es la cartera de Julia. ¿Verdad?*
○ *No,* ***la suya*** *es roja.*

Usamos los posesivos tónicos sin artículo para responder a la pregunta "¿de quién?"

● *¿De quién son estos libros?*
○ ***Míos.***

8 ¿SU MARIDO O UN MARIDO SUYO? A2

Escoge una de las dos opciones para completar cada frase.

1. María siempre va a París con ....
☐ a) su marido ☐ b) un marido suyo

2. Pedro es .... de trabajo, somos unos 30.
☐ a) mi compañero ☐ b) un compañero mío

3. He oído hablar de ese director, pero no he visto ninguna ....
☐ a) su película ☐ b) película suya

4. Escriba aquí .... por favor.
☐ a) sus apellidos ☐ b) unos apellidos suyos

5. Acabo de encontrarme a .... por la calle. ¿A qué no sabes a cuál?
☐ a) tu amigo ☐ b) un amigo tuyo

6. En la tele ha salido .... Elisenda. La han entrevistado en la calle.
☐ a) tu hermana ☐ b) una hermana tuya

7. Perdone, ¿es este .... ? Está aparcado en un lugar reservado.
☐ a) su coche ☐ b) un coche suyo

9 ¿DEL CHICO O DE LA CHICA? A2

064–067 Escucha la audición y completa la frase marcando la opción correcta.

1. Las gafas de buceo son	☐ del chico ☐ de la chica
2. Las gafas de sol son	☐ del chico ☐ de la chica
3. La agenda es	☐ del chico ☐ de la chica
4. El protector solar es	☐ del chico ☐ de la chica

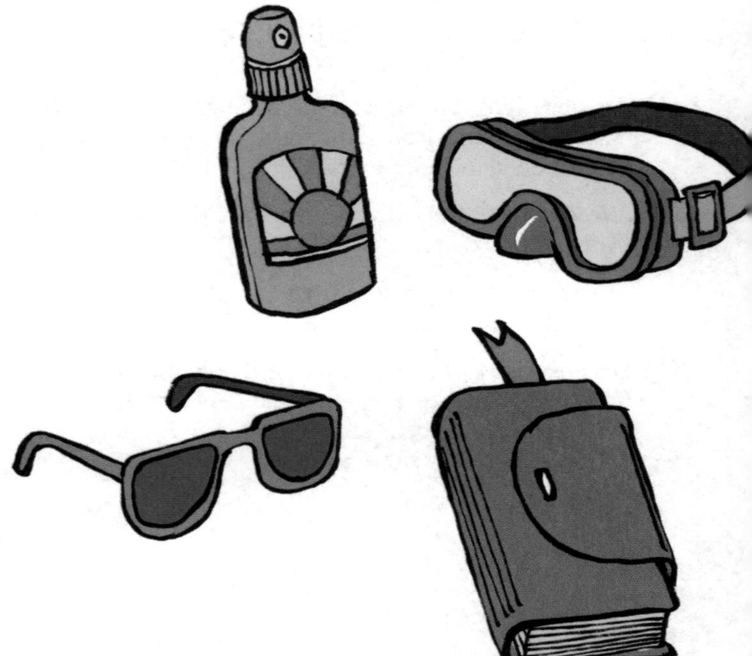

10 ¡MÍA! B1

068 Escucha y completa. Luego elige la respuesta correcta en cada caso.

1. ....

a. La nuestra también.

b. Tu hija también.

c. ¡Mía!

2. ....

a. Sí, son suyas.

b. Bueno, dos son suyos, los otros no.

c. No, no son unos discos suyos.

3. ....

a. Mis maletas son de piel.

b. ¡Nuestras!

c. No son las suyas.

4. ....

a. Sí, y mis hermanos.

b. Sí, y las mías también.

c. No, van a venir mis hermanas.

5. ....

a. Del mío.

b. Mía y de Pedro.

c. De esa amiga suya que vive en Grecia.

6. ....

a. Las tuyas están aquí.

b. Tuyas, aquí.

c. No sé. ¿Te dejo las mías?

Uso de los posesivos en español

En español, en general, no se usan los posesivos para hablar de partes del cuerpo, de ropa que estamos llevando o de otros objetos personales, sino los artículos determinados **el, la, los, las.** Esto es así cuando existe otro elemento de la frase (un verbo, o un pronombre) que informa de esa relación.

Llevas la camisa abierta.
~~*Llevas tu camisa abierta.*~~

Abra la boca, por favor.
~~*Abra su boca, por favor.*~~

Le dolía mucho la espalda.
~~*Le dolía mucho su espalda.*~~

¿Me has preparado el almuerzo?
~~*¿Me has preparado mi almuerzo?*~~

Abra la boca, por favor, y diga "Aaaaah"
Aaaaahhh.

Traduce a tu lengua o a otra que conozcas bien las siguientes oraciones. ¿Qué diferencias observas? ¿En tu lengua se utilizan los posesivos en alguno de estos casos?

Me he olvidado las gafas en casa.

Me duelen muchísimo los oídos.

Lávate las manos antes de comer.

¿Me has cosido el vestido para la fiesta?

¿Te preparo el desayuno?

Abra la boca, por favor.

您好！

¡Hola!

Graduar los sustantivos (I)

En general, los cuantificadores son adjetivos y adverbios que se usan para graduar la cantidad o la intensidad de distintos tipos de palabras: sustantivos, verbos, adjetivos y adverbios.

Cuando los cuantificadores gradúan sustantivos contables funcionan como adjetivos y concuerdan en género y en número con estos.

	con sustantivos masculinos	con sustantivos femeninos
+	**todos** los países	**todas** las tardes
	demasiados semáforos	**demasiadas** tonterías
	muchos pueblos	**muchas** ciudades
	bastantes mensajes	**bastantes** bicicletas
	algunos ingenieros	**algunas** ingenieras
	unos pocos euros	**unas** pocas libras
	pocos rascacielos	**pocas** casas
-	**(no ...)** **ningún** problema	**(no ...)** **ninguna** solución

Atención: bastantes tiene una única forma para el masculino y el femenino.

La forma **bastantes** puede tener dos sentidos: puede equivaler a una cantidad entre **algunos** y **muchos**, o bien puede tener el significado de **suficientes**.

*Camarero, no hay **bastantes** sillas para todos, ¿puede traer una más?* [=suficientes]

*Por aquí hay **bastantes** bares, seguro que encuentras uno.* [=cantidad entre algunos y muchos]

El sustantivo acompañado por **todos/as** siempre lleva algún tipo de determinante (artículos, posesivos o demostrativos):

***todos los** días, **todos mis** hijos, **todas estas** casas.*

Demasiado se usa para expresar un exceso.

La forma singular **algún/a** se usa sobre todo en preguntas y las formas **ningún/a** se usan sobre todo en singular.

*¿Conoces **algún** gimnasio por aquí? No he visto **ningún** lugar para hacer deporte.*

*Esta mañana he recibido **algunas** llamadas, pero **ningún** correo electrónico.*

Los cuantificadores también pueden funcionar como pronombres, es decir, pueden sustituir a un sustantivo que ya se ha mencionado o que está claro por el contexto. En este caso, **ningún** se convierte en **ninguno**.

- *¿Conoces **algún** hotel en Alicante?*
- *No, **ninguno**.*
- *Pues yo te puedo recomendar **bastantes**, conozco bien la ciudad.*

¡Camaradas! Unos pocos no creéis en que podemos cambiar el sistema, algunos pensáis que es muy difícil, porque hay muchos obstáculos, ¡pero vamos a cambiarlo! ¡Somos demasiadas personas que pensamos que algo tiene que cambiar! ¡Tenemos que luchar todos los días !

1 ¿CÓMO TERMINAN? A1

Escribe la terminación adecuada de los cuantificadores, si es necesario.

1. No quiero entrar en ese bar, hay demasiad......... gente y demasiad......... humo.
2. Mi hermana tiene much......... amigas, pero poc......... amigos.
3. ● ¿No tienes ningun......... diccionario en casa?
   ○ No, lo siento, no tengo nigun.........
4. ● No podemos dar la clase aquí, no hay bastante......... luz.
   ○ Sí, en esta aula hay bastante......... ventanas, pero es verdad: no entra much......... luz.
5. Tengo algun......... discos de Shakira, te los puedo dejar.
6. Yo veo poc.........cine español.

Tengo pocos amigos. Y tú eres el mejor de todos.
¿?

Graduar los sustantivos (II)

Con sustantivos no contables, los cuantificadores funcionan como adjetivos y concuerdan en género con ellos a excepción de **bastante**, **un poco de** y **nada de**, que tienen una única forma para el masculino y para el femenino.

	con sustantivos masculinos	con sustantivos femeninos
+	**todo** el oro	**toda** la limonada
	demasiado calor	**demasiada** luz
	mucho viento	**mucha** tranquilidad
	bastante pescado/carne	
	un poco de pan/sal o **algo de** pan/sal	
	poco tiempo	**poca** leche
-	**(no ...) nada** de dinero/paciencia	

*Hace **demasiado** calor, no se puede estar al sol.*

● *¡Mira, Óscar, hay sitio para aparcar delante de tu casa!*
○ *¡Sí, tenemos **mucha** suerte: es difícil aparcar en este barrio.*

*Tenemos **bastante** leche, no hace falta comprar más.*

*Es la primera vez que conduzco, tengo **un poco de** miedo.*

*Tenemos **poca** leche, hace falta comprar más.*

● *¿**No*** nos queda **nada** de pan?*
○ *No, ¿te puedes acercar a la panadería, por favor?*

Atención: el sustantivo al que acompañan los cuantificadores **todo/a** siempre lleva algún tipo de determinante (artículos, posesivos o demostrativos):

***toda** mi pasta de dientes, **todo** ese arroz.*

Estos cuantificadores también pueden funcionar como pronombres sustituyendo a un sustantivo ya mencionado o conocido por el contexto. En este caso **un poco de, algo de** y **nada de** se convierten en **un poco, algo** y **nada.**

● *¿De verdad no comes **nada de** carne?*
○ *Bueno, a veces como **un poco**. ¿Y tú?*
● *¡Buf! Yo como **demasiada**.*

2 ES UN ENCANTO A2

Fíjate en los cuantificadores de las frases 1-12. Te darán pistas sobre cuál es la continuación o la explicación más lógica en cada caso (a o b).

1. Marta compra **los** libros por internet,
2. Marta compra **demasiados** libros por internet,

☐ **a.** dice que es lo más práctico. ☐ **b.** se está gastando muchísimo dinero.

3. Papá me ha ayudado **demasiado** en este trabajo,
4. Papá me ha ayudado **mucho** en este trabajo,

☐ **a.** ha quedado muy bien. ☐ **b.** creo que mi profesor se va a dar cuenta.

5. Normalmente tomo **mucho** café,
6. Normalmente no tomo **nada de** café,

☐ **a.** pero hoy he tomado demasiado. ☐ **b.** pero hoy he tomado bastante.

7. ¿Hay **bastantes** sillas...
8. ¿Hay **muchas** sillas...

☐ **a.** o voy a buscar más? ☐ **b.** o pocas?

9. ¿Hay **bastantes** sillas?
10. ¿Hay **bastante** comida?

☐ **a.** Sí, sí, hay bastantes. ☐ **b.** Sí, sí, demasiada incluso.

11. En esta habitación hay **demasiada**...
12. En esta habitación hay **muchas**...

☐ **a.** ventanas. ☐ **b.** luz.

Hoy tengo pocas ganas de ir a clase.
Yo no tengo ninguna.

3 NO TENGO NADA DE SUEÑO A1

Completa con **ningún/a** o **nada de**.

1. No tenemos .... aceite, ¿les pides un poco a los vecinos, por favor?
2. En esta casa no hay .... libro. ¿Nadie lee?
3. Mamá, no tengo .... sueño. ¿Puedo quedarme a ver la tele?
4. No hay .... plato sin carne en este restaurante.
5. No nos queda .... diccionario de griego. Nos llegan mañana.
6. No conozco .... discoteca con buena música por aquí. ¿Y tú?

4 MUCHOS MUCHACHOS B1

Completa los cuantificadores que aparecen en las siguientes frases.

1. En este parque siempre hay much.......... niños.
2. Me gustan much.......... los niños.
3. Tengo much.......... ganas de verte.
4. No podemos ir al cine, están tod.......... las entradas vendidas.
5. Tod.......... mi familia vive en España.
6. He traído algun.......... libros nuevos.
7. Compro bastant.......... revistas de arte y cine.
8. Su cine es bastant.......... interesante.
9. Este cuarto es demasiad.......... frío.
10. He dormido demasiad.......... .
11. Tenemos poc.......... hambre, hemos comido much.......... .
12. Tenemos much.......... hambre, hemos comido poc.......... .
13. Hemos venido a este restaurante tod.......... las noches. ¡Qué aburrimiento!

5 LA MALETA DE SANDRA A1

Sandra va a pasar siete días de vacaciones en el Caribe. Esta es su maleta. ¿Lleva todo lo que necesita? ¿Lleva cosas de más? Escríbelo. Luego, coméntalo en clase con tus compañeros.

....

....

....

....

....

....

....

....

....

....

....

....

....

....

6 ¿NADA O NADA DE? A2

A. Escoge el cuantificador adecuado para acompañar al sustantivo y escríbelo.

algo/algo de + fiebre: ....

bastante/s + tomates: ....

demasiado/a/os/as + olas: ....

mucho/a/os/as + dinero: ....

nada/nada de + dinero: ....

nada/nada de + interés: ....

ningún/a + canción: ....

todo/a/os/as + mi zumo: ....

mucho/a/os/as + calor: ....

bastante/s + hoteles: ....

B. Completa ahora estas frases usando los elementos del apartado anterior.

1. Álex es un poco caradura. Se ha bebido .... y no me ha dejado .... para comprar más.
2. El mar está muy agitado, hay .... para bañarse. Sí, es una pena, porque hace ....
3. ● ¿Hay.................. para hacer el gazpacho o te traigo más?
   ❍ No, gracias. Hay suficientes.
4. No recuerdo .... de Julio Iglesias. ¿Tú recuerdas alguna?
5. Mi tío Alfredo ganó la lotería. Ahora tiene ....y es el propietario de .... y restaurantes en la costa.
6. ● ¿Va a venir Rosa a la conferencia?
   ❍ No lo creo. Me parece que no tiene .... en el tema.
7. No me encuentro bien, tengo .... , creo.

Graduar los verbos, los adjetivos y los adverbios

Cuando modifican a verbos, adjetivos y a adverbios, los cuantificadores funcionan como adverbios y no cambian de forma. Cuando modifican a adjetivos y a adverbios, se colocan siempre delante de estas palabras.

	con verbos	con adjetivos	con adverbios
+	duerme **demasiado**	**demasiado** tímido/a/os/as	**demasiado** deprisa
	trabaja **mucho**	**muy** rápido/a/os/as	**muy** lentamente
	viaja **bastante**	**bastante** guapo/a/os/as	**bastante** tarde
	me preocupa **un poco**	**un poco** o **algo** delgado/ a/os/as	**un poco** o **algo** pronto
	come **poco**	**poco** hablador/a/es/as	**poco** lejos
-	**no** cuenta **nada**	**no ... nada** simpático/a/os/as	**no ... nada** mal

*Trabaja **demasiado** y duerme **poco**.*

*Me río **mucho** con Lucía.*

*Mi abuelo camina **bastante**, está en forma.*

● *¡Uf! Estoy cansado...*
❍ *Anda, descansa **un poco**, ahora conduzco yo.*

*Hija, **no** comes **nada**. ¿Te pongo más arroz?*

*Esta camiseta es **demasiado** cara.*

*Habla **muy** bien ruso.*

*Llueve **bastante**, llévate el paraguas.*

*Es **un poco** tarde, nos tenemos que ir.*

*El chico es **poco** trabajador, pero puede cambiar.*

*El nuevo disco de los Princess **no** es **nada** bueno, me gusta más el anterior.*

7 COSTUMBRES A1

Escribe en tu cuaderno ocho frases con un elemento de cada caja, explicando tus costumbres. Puedes cambiar los elementos de la caja 1 si lo necesitas.

1

Dormir
Tener tiempo libre
Hacer deporte
Salir de noche
Estudiar
Comer
Ir al teatro / cine
Trabajar

2

Demasiado
Bastante
(Casi) nada
Poco

Un poco (de) / poco

Ya sea para graduar sustantivos, verbos, adjetivos o adverbios, usamos **poco** para señalar una ausencia o una insuficiencia, mientras que usamos **un poco (de)/poco** para indicar una presencia.

*¿Tienes **un poco de** azúcar? Es que no me gusta el café sin azúcar.* [pide azúcar]
*¿Tienes **poco** azúcar? Tranquila, tomaré el café sin azúcar.* [no hay suficiente azúcar]

*Esa pintura está **un poco** húmeda, ¿no?* [está algo húmeda]
*Esa pintura está **poco** húmeda, ¿no?* [no está suficientemente húmeda]

8 ¿CONOCES ALGÚN HOTEL POR AQUÍ? A1

069 Completa la descripción. Luego escucha y comprueba tus respuestas.

El Hotel Colón está muy bien. Es.......................... nuevo, está en el centro de la ciudad y tiene unas instalaciones.......................... modernas. Es un hotel.......................... conocido, por eso los precios están.......................... bien; no es.......................... caro.

muy	poco	nada

9 TENEMOS MUCHO TIEMPO A1

¿**Poco/a/os/as** o **un poco de**?

1. ¿Por qué no pones .... sal en el arroz? Está soso.
2. Yo siempre cocino con .... sal; el médico dice que no puedo tomar mucha.
3. Hay .... azúcar, necesito más para el pastel.
4. Tengo .... hambre, ¿tomamos algo?
5. Ahora tengo .... hambre; yo como más tarde.
6. No podemos ver el museo: tenemos .... tiempo.

10 MI NUEVA CIUDAD A2

A. Tomás vive en una nueva ciudad desde hace poco. Aquí tienes algunas frases que ha escrito a un amigo sobre su nueva ciudad. Usa en cada caso el cuantificador más adecuado.

1. Moverse en coche los días laborables es (1) .... práctico. El metro es mucho mejor: es (2) .... barato y rápido. Además, conducir no me gusta (3) ....

(1) un poco/poco

(2) poco/muy/demasiado

(3) poco/un poco/mucho

2. Encontrar un piso barato en el centro es .... difícil, pero todavía no es imposible.

nada **poco** **bastante**

3. La gente es (1) .... simpática, es fácil hacer amigos. Aquí salgo (2) .... y me lo paso genial.

(1) nada/poco/muy/demasiado

(2) poco/nada/bastante

4. El clima es lo que menos me gusta. En invierno hace (1) .... frío y no puedes salir de casa, y la primavera pasa (2) .... rápido: en junio ya hace muchísimo calor. Lo bueno es que voy (3) .... a la playa.

(1) nada de/poco/un poco de/demasiado

(2) nada/poco/bastante/muy

(3) demasiado/mucho

5. Si vienes, podemos ir a la Sierra, está (1) .... lejos, pero vale la pena y por la autopista no se tarda (2) ....

(1) un poco/poco

(2) poco/un poco/bastante/demasiado

B. Continúa las frases de una manera lógica. Fíjate especialmente en la información que te proporciona el cuantificador.

1. Uy, este bar está demasiado lleno, ...
....

2. Oye, esta sopa está un poco fría, ...
....

3. Mi profe de mates es poco paciente, ...
....

4. Mi casa es bastante grande, ...
....

5. Marcela conduce demasiado rápido, ...
....

6. Esta película es un poco lenta, ...
....

Este cielo es un poco triste.

11 MUCHA GENTE, PERO NO DEMASIADA B1

Relaciona cada frase de la izquierda con su continuación o explicación más lógica, a la derecha.

1. Aquí siempre hay mucha gente... **2.** Aquí siempre hay demasiada gente...	**a.** es un sitio agobiante. **b.** es un sitio muy animado.
3. Tenemos bastante comida, **4.** Tenemos mucha comida,	**c.** no hace falta más. **d.** pero no sé si será bastante.
5. ¿Tienes un poco de mantequilla? **6.** ¿Tienes poca mantequilla?	**e.** ¿Bajo y te compro más? **f.** Quiero hacer unas creps.
7. Esta pared está un poco blanca, **8.** Esta pared está poco blanca,	**g.** necesita otra mano de pintura verde. **h.** necesita otra mano de pintura.
9. Es una novela muy interesante, pero... **10.** Es una novela muy interesante, y...	**i.** un poco difícil de leer. **j.** poco difícil de leer.
11. Tengo un poco de sueño, **12.** Tengo poco sueño,	**k.** quiero ir a dormir. **l.** no quiero ir a dormir.
13. Tengo muchos amigos; **14.** Tengo demasiados amigos;	**m.** eso me hace muy feliz. **ñ.** eso complica mi vida.

12 UN VAGO ES... A1

Completa con **poco**, **mucho** o **nada**.

1. Un dormilón es una persona que duerme ....
2. Un vago es una persona que trabaja ....
3. Una persona trabajadora es la que trabaja ....
4. Una persona graciosa es la que hace reír ....a los demás.
5. Una persona deportista es una persona a la que le gusta ....hacer deporte.
6. Un egoísta es una persona que no se preocupa ....por los demás.
7. Una persona con estrés es una persona que descansa ....

Alguien, algo, nadie, nada, todo

Usamos **algo**, **alguien** y **todo** para referirnos a cosas y a personas cuando no podemos o no queremos especificar quién o qué son. Para indicar la ausencia de cosas y personas usamos **nada** y **nadie**. Estas cuatro formas funcionan como pronombres, es decir, realizan la función de un sustantivo.

	con personas	con cosas
presencia	alguien	algo
ausencia	(no ...) nadie	(no ...) nada

***Alguien** llama.* [Suena el teléfono]

*¡Qué pronto es! No hay **nadie** en clase.*

● *Voy a la calle, ¿te compro **algo**?*
○ *No, **no** quiero **nada**, gracias.*

En función de Objeto Directo, **alguien** y **nadie** van precedidas de la preposición **a**.

● *¿Ves a alguien?*
○ *No, a nadie.*

Atención: estos cuantificadores son invariables en género y número.

Atención: cuando cualquier forma negativa **–nada (de), nadie, ningún/a–** está situada detrás del verbo de la frase, se debe colocar **no** delante de ese verbo.

***Ninguna** dieta me funciona. = **No** me funciona **ninguna** dieta.*

***No** bebo **nada** de alcohol cuando tengo que conducir.*

***Nadie** sabe la verdad = La verdad **no** la sabe **nadie**.*

13 ¿ES ALGO O ALGUIEN? A2

Algo, alguien, nada o **nadie**. Completa las frases con la palabra adecuada.

1. ● ¿Alguien quiere beber .... ?
   ○ Yo quiero .... fresco, ¿qué tienes?
2. ● ¿ .... tiene un bolígrafo?
   ○ Un boli no, pero creo que tengo .... para escribir.
3. ● Este helado tiene .... extraño.
   ○ Mmm, sí, ... le ha echado .... salado.
4. ● A Noelia le gusta .... de su clase, un chico nuevo.
   ○ Ah ¿sí? Pues no me ha dicho ....
5. ● No me voy a comprar .... aquí, es todo muy feo.
   ○ Espera, aquí hay .... que te va a gustar.
6. ● ¿Has traído .... para comer?
   ○ No, ... Luego bajo y compro ....
7. ● ¡ .... ha dormido en mi cama! Está deshecha.
   ○ Es imposible, aquí no ha entrado ....
8. ● ¿ .... sabe dónde está Pedro?
   ○ No, hoy no lo ha visto ....

14 ¿TODO O TODOS? B1

Relaciona cada frase de la izquierda con su réplica más lógica, a la derecha.

1. ¿Dónde has conseguido todos estos tapices? ¿En tus viajes? **2.** Especias, aceite de sésamo, algas chinas... has recorrido media ciudad, ¿eh?	**a.** ¡Qué va! Lo he comprado todo aquí, en una tienda del barrio. **b.** ¡Qué va! Los compré todos aquí, en una tienda del barrio.
3. Todos están preparados. **4.** Todo está preparado.	**c.** ¿No hace falta nada más? **d.** ¿Seguro? ¿No falta nadie?
5. Necesito sobres grandes para guardar estos papeles... **6.** No tengo con qué abrir esta botella...	**e.** Aquí tengo algo que puede servir. **f.** Aquí tengo algunos que pueden servir.
7. Por favor, trae lo que está en la entrada. **8.** Por favor, trae las bolsas que están en la entrada.	**g.** No queda nada. **h.** No queda ninguna.

15 NO ME GUSTA NADA EL CHOCOLATE A1

Coloca el adverbio negativo **no**, si es necesario.

1. Me gusta nada su vestido.
2. Nada es mejor para la salud que caminar todos los días 30 minutos.
3. ● Este es el jersey de Marta.
   ○ ¿De Marta? ¡Marta tiene ningún jersey de ese color!
4. Ese chico es nada simpático.
5. Ningún alumno quiere repetir curso, es normal.
6. Tengo nada de dinero: puedo comprar nada.
7. ● Ninguna comida española es más conocida que la paella.
   ○ No es cierto, ¡la tortilla es más famosa!
8. Quiero comprar nada en este sitio, nada tiene buen aspecto.
9. Nadie quiere trabajar en esta casa, ¡aquí puedes pedir ayuda a nadie!
10. Quiero casarme con nadie, estoy muy bien soltero.
11. Le he dicho a nadie tu secreto, puedes estar tranquilo.
12. Nada me gusta más que pasar un día de playa con mis hijos.
13. Hay nada para cenar, tenemos que ir a cenar fuera.
14. Ningún amigo mío te cae bien, eres muy intolerante.
15. Te llevas bien con ningún amigo mío, eres terrible.

16 SIEMPRE NEGATIVO *B1*

Aldana y Fernando son compañeros de trabajo. Ella es una persona optimista, en cambio Fernando lo ve todo negativo y nada le parece bien. Completa sus diálogos con las palabras de las cajitas.

- FERNANDO: Cuánta gente.
- ALDANA: ¡Sí! ¡Es un éxito! ¡Ha venido .... gente!
- FERNANDO: Yo diría que .... gente, no puede uno ni moverse aquí...

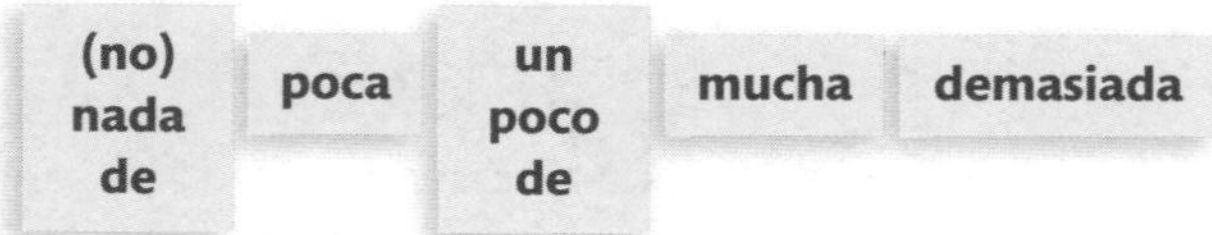

- ALDANA: Mira, aquí hay .... café.
- FERNANDO: Pero es .... para los dos... Tómatelo tú.

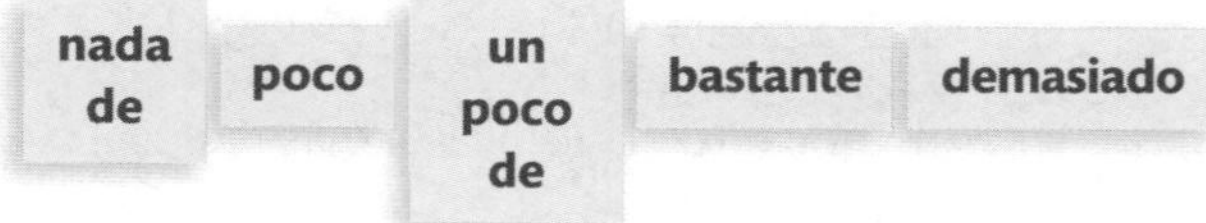

- ALDANA: Diego es .... sociable, ¡me encanta!
- FERNANDO: Pues en mi opinión es .... sociable. Acaba por resultar pesado.

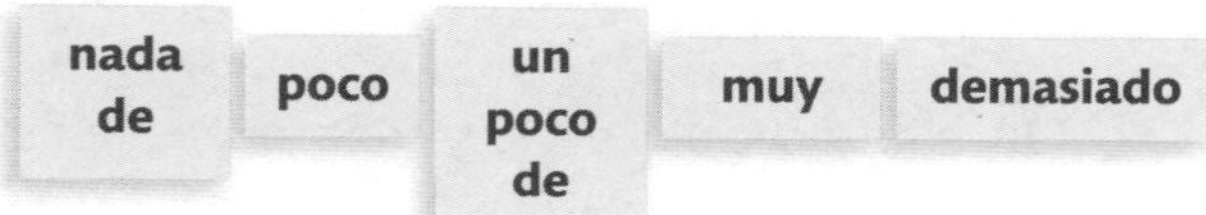

- FERNANDO: Aldana, queda .... tinta en la impresora. ¡Así no se puede trabajar!
- ALDANA: Tranquilo, todavía hay .... si imprimimos en modo borrador, seguro que llega hasta que traigan más.

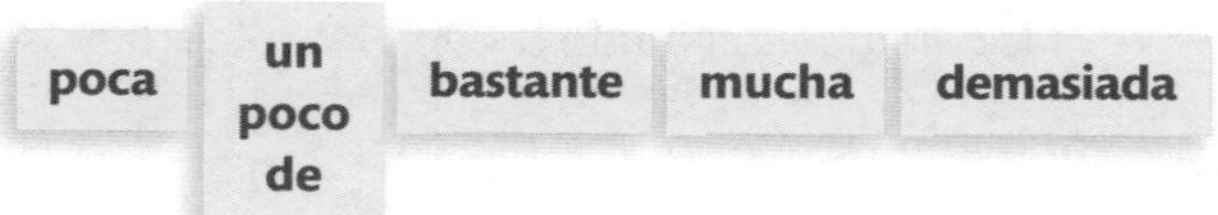

17 ALGO ES ALGO *B1*

Relaciona cada frase con una de las imágenes.

1. ¿Quién ha ordenado esto?
   - ☐ Alguien, supongo.
   - ☐ Nadie, supongo.

A B

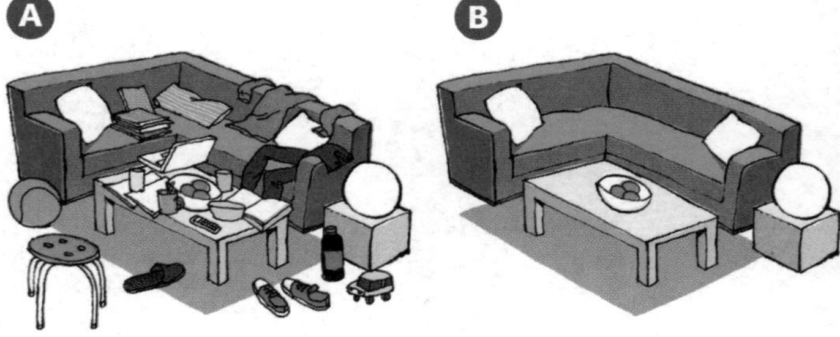

2. Adriana...
   - ☐ Adriana trae algo.
   - ☐ Adriana trae a alguien.

C D

3. ¿A quién ves?
   - ☐ A nadie famoso.
   - ☐ A alguien famoso, pero no sé en qué película sale.

 F

4. ¿Quién viene?
   - [ ] Nadie.
   - [ ] Alguien.
   - [ ] Rodrigo.

5. ¿Qué tienes ahí?
   - [ ] Algo.
   - [ ] Nada.

18 UN MONTÓN DE EXPRESIONES B1

070–075

Existen otras expresiones para cuantificar, como las de este cuadro. Escucha las siguientes conversaciones, detecta las expresiones utilizadas y busca un equivalente entre las que ya hemos visto.

- **un pelín** + adjetivo
- **un pelín de** + nombre
- **un pelín**
- **un tanto** + adjetivo / adverbio
- **super-** + adjetivo / adverbio
- **re-** + adjetivo / adverbio
- **realmente** + adjetivo / adverbio
- **un montón de** + nombre
- **un montón**
- **la mar de** + adjetivo / adverbio / nombre

rebueno = muy bueno, ...

....

....

....

....

....

....

....

....

ESTRATEGIA

Las posibilidades de expresar intensidad o cantidad son muchas. Cuando hablas con nativos o escuchas sus conversaciones pueden aparecer expresiones que desconoces, pero podrás comprenderlas por el contexto, la entonación y la gestualidad.

Los pronombres personales en función de sujeto

Los pronombres personales son palabras que designan a la persona que habla (**yo, nosotros**), a la que escucha (**tú, vosotros, usted, ustedes**), y a la persona, cosa o idea de la que se habla (**él, ella, ellos/as**). Los pronombres personales concuerdan en género y en número con la persona o cosa a la que se refieren y tienen distintas formas dependiendo de su función en la frase (sujeto, Objeto Directo, Objeto Indirecto...), de si aparecen después de una preposición o de si van con verbos pronominales.

● *Oye, María, ¿**tú** también vas al concierto de Juanes esta noche?* [función de sujeto]
○ *Qué va, **a mis amigas** no **les** apetece, aunque a **mí** la verdad es que me encanta.* [función de OI]

	masculino	femenino	
1.ª pers. sing.	yo		***Yo** tengo un blog de música, ¿quieres participar?*
2.ª pers. sing.	tú		*¡Oye! **Tú** te pareces mucho a un amigo mío.*
2.ª pers. sing.	usted		*¿De qué país es **usted**?*
3.ª pers. sing.	él	ella	***Ella** es periodista y **él**, traductor.*
1.ª pers. plur.	nosotros	nosotras	***Nosotros** tenemos familia en Venezuela.*
2.ª pers. plur.	vosotros	vosotras	*¿**Vosotras** estáis también en este curso?*
2.ª pers. plur.	ustedes		*¿**Ustedes** no se quedan a cenar?*
3.ª pers. plur.	ellos	ellas	***Ellos** hablan árabe.*

Atención: las formas femeninas del plural (**nosotras, vosotras** y **ellas**) solo se usan cuando se habla de un grupo de mujeres. Si en un grupo hay al menos un hombre, se usan las formas del masculino.

Usted y **ustedes** son las formas del tratamiento de respeto. Se usan en relaciones jerárquicas, con desconocidos de una cierta edad o con personas mayores en general. Son formas de segunda persona, pero tanto el verbo como los pronombres van en tercera persona.

*¿Es **usted** la señora Serra?*

*¿Están **ustedes** cansados?*

En Hispanoamérica y en las islas Canarias no se usa la forma **vosotros**: la única forma de segunda persona del plural es **ustedes** y el grado de formalidad se expresa con otros recursos. En algunas zonas de Hispanoamérica, existe también **vos** como pronombre de 2.ª persona del singular.

***Vos** y yo tenemos que hablar.*

● *¿**Ustedes** también son colombianos?*
○ *Pues sí, de Bogotá.*

En español, cuando sabemos quién es el sujeto por la forma del verbo, no es necesario utilizar los pronombres personales con función de sujeto. Solo se utilizan cuando queremos resaltar una persona por oposición a otras o cuando su ausencia podría llevar a confusión.

Buenos días. Ø Me llamo Javier y Ø soy vuestro guía.

● ***Nosotras** somos madrileñas... ¿y **vosotros**?*
○ ***Yo** soy gallego, y **ellas**, andaluzas.*

1 CONVERSACIÓN EN EL BAR A1

Raúl habla con Lucía, una buena amiga. ¿Qué pronombres usa para hablar de estas personas?

1. Raúl habla de Lucía: tú
2. Raúl habla de Lucía e Isabel: ....
3. Lucía habla de Antonio: ....
4. Lucía habla de Raúl, Sonia y Ana: ....
5. Raúl habla de Teresa: ....
6. Lucía habla de Lucía, Silvia y Pablo: ....
7. Lucía habla de Raúl: ....
8. Raúl habla de Teresa y Antonio: ....

2 ¿TÚ O USTED? A1

Decide qué pronombre usar con las siguientes personas. Luego completa los ejemplos con la forma adecuada del verbo entre paréntesis.

1. Con un compañero de curso.	☐ tú ☐ usted
¿(tener) .... televisor?	
2. Con el recepcionista de un hotel.	☐ tú ☐ usted
Perdón... ¿(hablar) .... inglés?	
3. Con una niña pequeña.	☐ tú ☐ usted
¿Cuántos años (tener) ....?	
4. Con un señor de 60 años que no conoces.	☐ tú ☐ usted
¿(tener) .... hora, por favor?	
5. Con una chica o un chico en un bar.	☐ tú ☐ usted
¿(estudiar) .... o (trabajar) ....?	

3 O TÚ O YO A2

Lee estas frases. Complétalas con el pronombre personal de sujeto adecuado si crees que debe aparecer obligatoriamente. Si crees que es optativo, escríbelo entre paréntesis **( )**. Si se trata de un verbo sin sujeto, escribe **–** .

a. ● ¿Vienen Chelo y Martín?
   ○ No vienen. .... tiene que cuidar a su hermana y .... está enfermo.

b. ¡Qué horror! .... he estado toda la cena con esa mancha en la camisa y .... no me he dado cuenta.

c. .... podéis quedaros en este sitio tan aburrido, pero .... me voy.

d. Esta mañana .... ha llovido pero ahora .... hace mucho sol.

e. .... siempre dejo una llave de mi casa debajo de la alfombrilla porque .... las pierdo muy a menudo.

f. .... eres su sobrina favorita.

g. ¿ .... son los señores Gutiérrez? ¿Cómo están? .... somos Marcela y Paco, sus nuevos vecinos.

h. Esther, Carmen y Jesús van a alquilar un piso juntos. .... han encontrado uno muy bonito.

i. .... Luisa es una chica muy sociable..............., en cambio, tengo pocos amigos.

j. ¿Esto es lo que .... y tu novia habéis traido para cenar? No sé si vamos a tener suficiente comida.

Pronombres combinados con preposición

Preposiciones: **a, ante, con, contra, de, en, entre, hacia, hasta, para, por, según, sin, sobre…**

	masculino	femenino	
1.ª pers. sing.	**mí**		*¡Tranquilo!, puedes confiar en **mí**.*
2.ª pers. sing.	**ti**		*No sé nada de **ti** desde hace meses.*
2.ª pers. sing.	**usted**		*Sra. Fuentes, sin **usted** las reuniones son muy aburridas.*
3.ª pers. sing.	**él**	**ella**	*Tengo una buena noticia para **ella** y una mala para **él**.*
1.ª pers. plur.	**nosotros**	**nosotras**	*Mira, viene un taxi hacia **nosotras**.*
2.ª pers. plur.	**vosotros**	**vosotras**	*¡Un momento! Voy con **vosotros**.*
2.ª pers. plur.	**ustedes**		*Van a publicar un artículo sobre **ustedes** en el periódico.*
3.ª pers. plur.	**ellos**	**ellas**	*A **ellos** también les preocupa la situación.*

Atención: con tiene una forma especial cuando se combina con **mí** y **ti**: **conmigo, contigo.**

Atención: entre, **según** y **hasta** (cuando significa **incluso**) se combinan con las formas del pronombre personal de sujeto **yo** y **tú**.

*Puedes poner el abrigo aquí, **entre tú** y **yo**.*

*No es ningún secreto que te gusta Carlos, **hasta yo** lo sé.*

Atención: el pronombre **mí** se acentúa para diferenciarlo del posesivo **mi**.

*¿Es para **mí**?*
*¿Es para **mi** gato?*

Te conozco de la unidad 4 y, la verdad, me caes muy bien. ¿Podemos quedar algún día?
Tú también me caes muy bien a mí... pero a mi novio no tanto.

4 CARADURA A2

A. ¿Sabes lo que significan los adjetivos de los cuadros? Lee las siguientes frases y complétalas con ellos en las líneas marcadas con color.

cabezota	sociable	caradura

1. Cuando salgo a cenar con mis amigos a veces digo que me he olvidado la cartera y siempre hay alguien que paga por mí, soy un poco ....
2. Siempre discuten entre ellos para decidir quién tiene razón. Son dos ....
3. Tengo un montón de amigos. Me encanta salir y hacer cosas con ellos. La verdad es que soy una persona bastante ....

B. Observa que en la actividad anterior se usan pronombres con preposición. Ahora completa tú las siguientes frases usando los pronombres correspondientes y un adjetivo adecuado. Atención: puede haber varios adjetivos que sirvan.

1. ¿Mis compañeros de trabajo? No me fío de ellos. Sospecho que todos están contra mí. Soy algo desconfiado, es verdad.
2. Cuando tengo problemas, Zoila siempre tiene un buen consejo para .... o un momento para estar con .... Si necesito algo, sé que puedo contar con .... Es la persona más .... que conozco.
3. Zacarías es muy .... No aguanta a su hermano porque siempre es el centro de atención. Cree que todo el mundo lo mira a .... , habla sobre .... y, lo que es peor, todas las chicas quieren salir con ....
4. Creo que, como amigo, soy bastante .... Soy muy alegre y mis amigos se ríen mucho con .... Y también me gusta cuando me hacen bromas a ....
5. ● Tengo que decirte una cosa. Siempre pienso en ...., incluso por las noches sueño con .... ¡Es que no puedo vivir sin .... ! Eres la luz de mi vida...

   ○ ¡Oh! ¡Qué .... eres!
6. Me gusta mucho Zoraida, pero cuando viene hacia .... y empieza a hablar con .... ¡no sé qué decirle! Soy demasiado ....
7. ● Todos compramos comida y la dejamos en el armario común, pero Zulema dice que sus cosas son solo para .... y que no va a compartirlas con ....

   ○ ¡Qué .... !
8. ● Siempre que voy a un lugar nuevo todos se fijan en .... y quieren hablar con .... ¡Es que soy súper especial!

   ○ ¡Dios mío! ¡Eres un .... !
9. Para ...., lo más importante de una persona es su sentido del humor. Todos mis amigos son divertidos. Sin ...., mi vida sería más ....

5 YO O A MÍ B1

Completa con las formas adecuadas del pronombre sujeto o del pronombre con la preposición **a**.

1. ¿No la conoces? .... me encanta esta canción.
2. A Juanjo le encanta Julio Iglesias, pero .... no lo soporto.
3. ¿ .... os gusta este tipo de música? .... la encuentro horrible.
4. .... nos encargamos de la bebida, ... os toca encargaros de los postres.
5. ¿............... te parece bien lo que ha dicho Lala? .... me he enfadado mucho.
6. ¿ .... no os interesa este viaje a Salamanca? .... ya nos hemos apuntado.
7. Aquel día .... te perdieron la maleta, es verdad, pero .... me tuve que quedar en tierra, sin poder viajar.
8. .... te quedan muy bien los sombreros, pero si .... me pongo uno, quedo ridícula.

ESTRATEGIA

Muchos verbos españoles funcionan como **gustar**, es decir: el sujeto gramatical no es la persona que recibe o siente la acción del verbo sino el elemento (persona, lugar, cosa o evento) que produce esa sensación. Para recordar qué verbos son estos puedes hacer listas de expresiones o frases que los contengan.

6 ESTO ES PARA TI B1

Completa estas oraciones con las preposiciones del recuadro y la forma adecuada del pronombre que aparece entre paréntesis.

~~a~~	con	de	entre	para	
para	por	sin	en	según	sobre

1. Pude acabar el informe a tiempo gracias a ti (tú).
2. .... los expertos, el calentamiento global es un problema muy serio.
3. ¿Julián? Salió tras .... (tú), te estaba buscando...
4. Puedes confiar .... (yo). No contaré a nadie tu secreto.
5. Te escribo porque sé que puedo contar .... (tú) para ayudarme.
6. Han traído esto .... (tú). No dice quién lo envía...
7. Por favor, ve a ver al médico, esos ronquidos me están volviendo loca. Sé bueno, hazlo .... (yo).
8. La mayoría de mis compañeros tienen problemas con la gramática. Sin embargo, ... (yo), lo más difícil es hablar con fluidez.
9. Ahora me dice que no puede vivir .... (yo), que me echa de menos, que quiere volver, ¡bla, bla, bla!
10. Prefiero no saber qué han dicho .... (yo), no me cuentes nada.
11. Que todo esto quede .... (tú) y .... (yo): es un secreto.

En función de Objeto Directo

El Objeto Directo es el elemento de la oración que recibe directamente la acción del sujeto.

Pierdo las llaves.

Llevo a Mario a casa.

El Objeto Directo (OD) es un elemento que completa el significado de algunos verbos y que expresa qué o quién recibe directamente la acción.

Los pronombres personales de OD se usan cuando este ya ha aparecido en el contexto y no es necesario repetirlo (1), cuando ya está claro para los hablantes, o bien cuando aparece en la misma frase pero antes del verbo (2).

(1)
● *¿Y las bebidas?*
○ *Tranquilo, **las** trae Andoni.*

(2)
Esta vez, la cena la pago yo.

Las formas de los pronombres personales en un complemento de Objeto Directo son:

1.ª persona singular	me	*¿**Me** llevas a casa?*
2.ª persona singular	te	***Te** quiero.*
3.ª persona singular	lo/la	*El pollo, **lo** como asado. La verdura, **la** como cruda.*
1.ª persona plural	nos	*Creo que **nos** siguen…*
2.ª persona plural	os	***Os** espero a las ocho.*
3.ª persona plural	los/ las	*¿Dónde están mis llaves? ¡Siempre **las** pierdo! ¿Dónde están mis documentos? ¡Siempre **los** pierdo!*

Atención: si el Objeto Directo corresponde a **usted/ustedes**, se usan las formas del pronombre de tercera persona (**lo/la/los/las**) de acuerdo con el género y el número del objeto.

*Señora Sanz, **la** espero aquí mañana a las 9.00 h.*

Los sustantivos con función de OD que se refieren a personas llevan normalmente la preposición **a**.

● *¿Ves **a** Laura? Hay demasiada gente aquí.*
○ *No **la** veo.*

● *¿Has encontrado ø tu cartera?*
○ *No, no **la** he encontrado.*

Estos pronombres se colocan delante del verbo. Solo van después, formando una sola palabra, cuando se combinan con el imperativo afirmativo, el infinitivo o el gerundio.

*¿Dónde está tu hermana? No puedo ver**la**.*

Existe también una forma neutra, **lo**, que usamos para referirnos a una parte del discurso que ha sido mencionada anteriormente o que está clara para los hablantes. También la usamos para sustituir a los pronombres neutros **esto, eso, aquello, algo.**

● *No entiendo ni una palabra de polaco.*
○ ***Lo** sé, por eso te he comprado un diccionario.*

Te quiero.... pero solo como amigo.

7 PONGO LAS GALLETAS EN EL ARMARIO A1

076
083

Coloca el número de la frase que has oído junto al objeto correspondiente. Los pronombres te ayudarán a comprender de qué hablan.

A las galletas ☐
C el pollo ☐
E las patatas ☐
G los huevos ☐
B la cerveza ☐
D los deberes ☐
F el periódico ☐
H la televisión ☐

8 CADA COSA EN UN SITIO A2

Esta mañana Marcelo ha hecho un montón de compras y gestiones, cada una en un sitio diferente. Construye frases explicando dónde ha hecho cada una de ellas.

- leche
- bistecs de ternera
- 1 bombilla
- vino
- aspirinas
- comida para el gato
- flores
- lentes de contacto
- (consultar) el correo electrónico
- (llevar) una chaqueta a lavar
- (sacar) 100 euros
- (poner) una denuncia

cibercafé	ferretería	bodega
carnicería	supermercado	óptica
tintorería	farmacia	floristería
cajero automático	tienda de animales	comisaría de policía

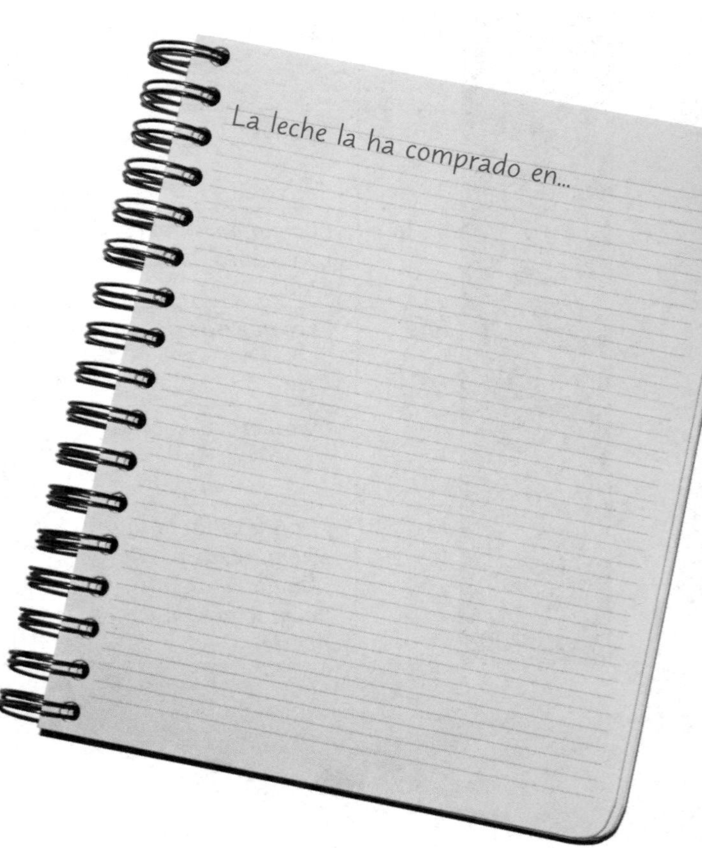

9 ¿DE QUÉ HABLAN? A2

084/088 Escucha las siguientes cinco conversaciones, ¿de qué están hablando en cada caso? Fíjate en los pronombres personales de OD utilizados porque te darán informaciones sobre el género y el número de los objetos directos.

1. ☐ a. Unas galletas
   ☐ b. Una tarta
   ☐ c. Unos caramelos
2. ☐ a. Un ordenador
   ☐ b. Una tele
   ☐ c. Unos auriculares
3. ☐ a. Un gato
   ☐ b. Unos peces
   ☐ c. Una tortuga
4. ☐ a. Unas flores
   ☐ b. Una planta
   ☐ c. Un bonsái
5. ☐ a. Un correo electrónico
   ☐ b. Una carta
   ☐ c. Unas postales

Posición de los pronombres

Cuando hay más de un pronombre, su orden es OI + OD. Con los verbos conjugados, los pronombres se colocan siempre delante del verbo y separados (excepto en el caso del imperativo afirmativo); con el imperativo afirmativo, el infinitivo y el gerundio, los pronombres van tras el verbo formando con este una única palabra.

Los pronombres de OI **le** y **les** se convierten en **se** cuando van delante de los pronombres de OD **lo, la, los, las.**

- *¿Ha leído usted la última novela de Vila-Matas? **Me la** ha regalado un amigo.*
- *Sí, es muy buena. **Se** la recomiendo.* ~~*(Le la recomiendo.)*~~

- *¿Qué vas a hacer con ese reloj?*
- *Dár**selo** a mi hermana.*

Atención: con los pronombres reflexivos, el orden es pronombre reflexivo + OD.

- *¿Y ese jersey? ¿**Te lo** pones mucho?*
- *No, **se lo** pone más Inés.*

Con perífrasis y con estructuras como **saber / poder / querer** + infinitivo, los pronombres pueden ir delante del verbo conjugado o detrás del infinitivo, pero nunca entre ambos.

*Tengo que llevar**le** esto a Pepe.*
***Le** tengo que llevar esto a Pepe.*
~~*Tengo que le llevar esto.*~~

*Quiero regalár**telo.***
***Te lo** quiero regalar.*
~~*Quiero te lo regalar.*~~

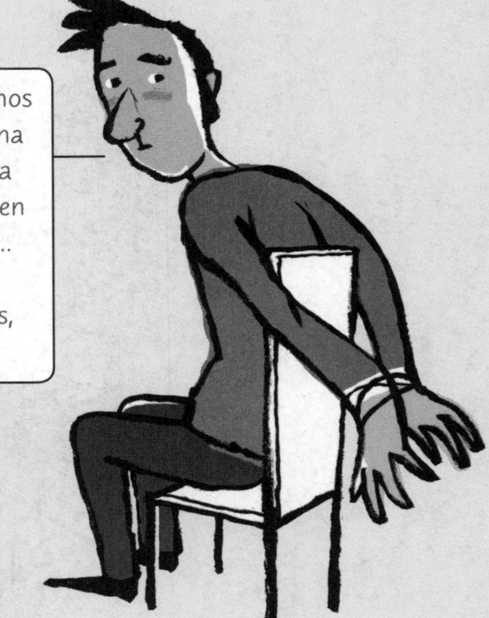

Tengo las manos atadas por una larga historia que no cabe en esta página... ¿Puedes desatármelas, por favor?

10 ME LA DIO MI ABUELA B1

Completa los espacios en blanco con los pronombres correspondientes. Pon acentos gráficos donde sea necesario y escribe claramente si forman parte de la palabra o van separados.

1. ● ¿Me has comprado las especias?
   ○ Sí, ... he dejado sobre la mesa de la cocina.
2. He conseguido las revistas que querías. .... he dado a tu secretario esta mañana.
3. ● ¿Qué hago con los documentos de Bruno?
   ○ No sé, deja .... encima de la mesa.
4. ● ¿Qué tienes en las manos?
   ○ No lo sé, me he ensuciado con algo, voy a lavar ....
5. ● ¿Os han entregado ya los formularios?
   ○ Sí, ... trajeron el lunes. Gracias.
6. Sr. Mendoza, ha llegado este paquete para usted. ¿Dónde .... dejo?

11 ¿DÓNDE LOS HAS PUESTO? B1

Germán ha hecho la compra, pero lo ha dejado todo mal colocado. Por eso su madre ahora no encuentra nada. Ayúdala y dile dónde ha puesto Germán las cosas.

1. Los yogures los ha dejado en el armario.
2. La lechuga ....
3. Las patatas ....
4. Los huevos ....
5. El arroz ....
6. Los refrescos ....
7. El queso ....
8. El salchichón ....
9. Las galletas ....

12 NO SE LO PERMITAS B1

Pon los pronombres adecuados en su sitio y los acentos gráficos necesarios. Puede haber más de una posibilidad y no hace falta rellenar todos los huecos.

1. Este paraguas es de Lourdes. ¿ .... puedes .... llevar .... cuando vayas a su casa?
2. El médico me ha recetado esta loción. Ha dicho que .... tengo que .... aplicar .... en el pelo dos veces al día.
3. ● ¿Qué hago con estas carpetas?
   ○ Ni idea .... pregunta .... a Miguel.
4. ● ¡La niña quiere hacerse un tatuaje!
   ○ ¡No .... permitas .... !
5. ¿Puedes responder tú? Yo .... estoy .... afeitando ....
6. ● No sé si llevarme el ordenador en las vacaciones.
   ○ No .... lleves .... ¡ .... Tienes que .... olvidar .... del trabajo!
7. ● ¿Qué hago? ¿Le cuento a Lucas lo de su novia?
   ○ Sí, ... di .... Creo que .... tiene que .... saber .... ¿no te parece?
8. ● Y al final, ¿qué pasó con aquella moto que te ibas a comprar?
   ○ Mira, ... quería .... comprar ...., pero el precio era excesivo... así que sigo buscando.
9. No sé cómo resolver esto: .... he estado .... analizando .... toda la tarde, pero no veo una solución.

Con verbos pronominales

En español existen una serie de verbos que se usan con los pronombres **me, te, se, nos, os, se.** Algunos de esos verbos tienen un significado reflexivo, es decir, el sujeto y el Objeto Directo del verbo son la misma persona (**lavarse, maquillarse**, etc.); otros no (**reírse, caerse, divertirse**).

Las formas de los pronombres con verbos pronominales son:

1.ª persona singular	**me**	***Me** llamo Alejandra.*
2.ª persona singular	**te**	*¿Cómo **te** vistes para ir a trabajar?*
3.ª persona singular	**se**	***Se** lava el pelo tres veces a la semana.*
1.ª persona plural	**nos**	***Nos** levantamos muy temprano.*
2.ª persona plural	**os**	*¿**Os** afeitáis todos los días?*
3.ª persona plural	**se**	*Los niños **se** divierten mucho en clase.*

Atención: con el infinitivo, los pronombres van detrás del verbo formando una sola palabra.

*llam**arse**, vest**irse***

Atención: si el infinitivo se combina con un verbo conjugado, el pronombre se coloca detrás de este verbo, formando una sola palabra; o bien antes del verbo conjugado (el principal).

*Suelo acostar**me** temprano.* [yo]
= ***Me** suelo acostar temprano.* [yo]

*¿Quieres cortar**te** el pelo?* [tú]
= *¿**Te** quieres cortar el pelo?* [tú]

13 ¿A QUÉ HORA TE LEVANTAS? A1

Completa las frases con la forma adecuada de los siguientes verbos.

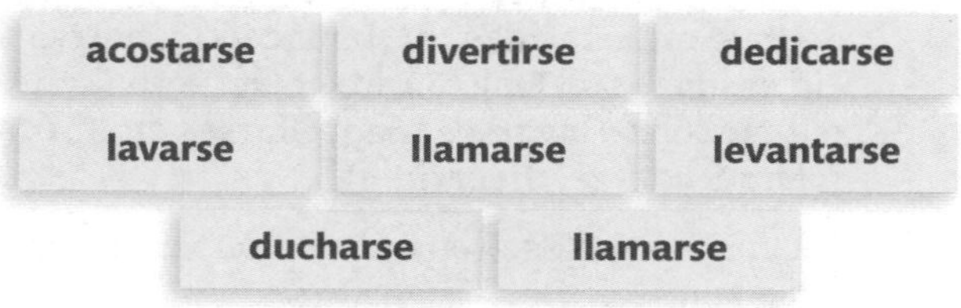

1. ¿A qué hora os levantáis vosotras por la mañana?
2. Luis quiere .... a la política.
3. ¿.............................. usted Carlota?
4. Mis hermanas .... Elisa y Marcia.
5. Necesitamos .... las manos. ¿Dónde está el baño?

Os las podéis lavar con el jabón que hay junto al grifo.

6. (Yo) .... por las mañanas con agua fría.
7. Este lugar es muy aburrido, nadie .... aquí.
8. Mi marido y yo .... siempre tarde, a las dos de la madrugada.

14 SEGURO QUE SE HA ESCONDIDO A2

Relaciona las frases de arriba (números) con las frases de abajo (letras).

1. El móvil de José Luis no funciona muy bien.
2. José Luis le ha roto el mp3 a Sara.

- ☐ **a.** Por eso le va a comprar uno nuevo.
- ☐ **b.** Por eso se va a comprar uno nuevo.

3. Los miércoles al mediodía estoy solo en casa.
4. Los jueves al mediodía llego a casa antes que Olga.

- ☐ **c.** Por eso me preparo yo la comida.
- ☐ **d.** Por eso le preparo yo la comida.

5. ● Oye, ¿dónde está Pepe? No lo veo por ninguna parte.
6. ● Oye, ¿tú sabes si Pepe tiene mi mochila?

- ☐ **e.** ❍ Seguro que la ha escondido para hacerte una broma.
- ☐ **f.** ❍ Seguro que se ha escondido para hacerte una broma.

¿Y mi lentilla? Llevo una hora buscándola y no la encuentro.

7. ● Oye, tú eres un poco presumido, ¿no?
8. ● Oye, esa chica te conoce de algo, ¿no?

- ☐ **g.** ❍ ¿Lo dices porque me mira todo el rato?
- ☐ **h.** ❍ ¿Lo dices porque me miro todo el rato?

Construcciones valorativas

Existe un gran grupo de verbos que expresan gustos, intereses y opiniones respecto de cosas, personas y actividades (**gustar, parecer, interesar,** etc.) y van acompañados siempre de estos pronombres.

1.ª persona singular	**me**	***Me** aburre estudiar.*
2.ª persona singular	**te/le**	*¿Qué **te** parece el nuevo profesor?*
3.ª persona singular	**le**	*A Manuel **le** gustan mucho los perros.*
1.ª persona plural	**nos**	*No **nos** interesan los deportes.*
2.ª persona plural	**os/les**	*¿**Os** apetece un café?*
3.ª persona plural	**les**	*A mis padres no **les** molesta el ruido.*

Estos verbos llevan casi siempre OI, y se conjugan normalmente en 3.ª persona del singular (si la cosa, persona o actividad es un nombre en singular o un infinitivo) o del plural (si la cosa, persona o actividad es un nombre en plural).

***Me** gusta cocinar.*

*¿**Te** gustan los gatos?*

*¿**Os** apetece un café?*

*¿**Les** apetecen unas galletas?*

15 ¡NOS GUSTA BAILAR! A1

A. Completa las frases siguientes con el pronombre adecuado (**me, te, le, nos, os, les**).

1. A nosotros no .... gusta mucho bailar.
2. ¿A ustedes .... interesa este tema?
3. A mis hijos .... encanta este parque.
4. ¿A Ana .... gusta el cine español?
5. ¿A vosotros .... gusta vivir aquí?
6. A ti no .... interesa la política, pero a mí sí.
7. ¿Tienes sed? ¿ .... apetece un refresco?
8. A mí no, pero al os niños sí .... apetece beber algo.

B. ¿Cómo van estos verbos, en tercera persona del singular o del plural? Señala la forma adecuada.

1. ¿A Malena le **gusta/gustan** las películas españolas?
2. ¿A ustedes les **interesa/interesan** la arquitectura?
3. Tengo sed, me **apetece/apetecen** un refresco.
4. Creo que a los niños sí les **apetece/apetecen** unos refrescos.
5. A mis hijos les **encanta/encantan** bailar.
6. A nosotros no nos **gusta/gustan** demasiado los dulces.
7. A ti no te **interesa/interesan** la ciencia, pero a mí, sí.
8. ¿A vosotros no os **gusta/gustan** las fiestas?

En función de Objeto Indirecto

- El Objeto Indirecto es un elemento que completa el significado de algunos verbos y que expresa quién o qué recibe indirectamente la acción expresada por el verbo.
- Los pronombres personales de OI se usan cuando este ya ha aparecido en el contexto y no es necesario repetirlo (1), cuando ya está claro para los hablantes, o bien cuando aparece en la misma frase pero antes del verbo (2). También es común y correcto usar estos pronombres en casos en los que el Objeto Indirecto aparece después del verbo (3).

(1)
● *¿Qué sabes de Paqui?*
❍ *Está feliz, finalmente* ***le*** *han dado la beca.*

(2)
A Mireia ***le*** *han robado la bici esta mañana.*

(3)
Le *han dado la beca a Paqui, está muy contenta.*

- Por lo tanto, en general los pronombres de COI aparecen siempre que la frase tiene un COI.

● *¿**Le** has pedido las llaves del piso a Eva?*
❍ *No, **se** las he pedido a Ruth.*

- Con las formas de 3.ª persona nos podemos referir tanto a personas como a cosas.

1.ª persona singular	**me**	*¿**Me** das un beso?*
2.ª persona singular	**te/le**	***Te*** *presto mi cámara de fotos.* ***Le*** *digo toda la verdad, señor juez.*
3.ª persona singular	**le (se*)**	*A Jordi* ***le*** *encanta el cine clásico.*
1.ª persona plural	**nos**	*Sonia siempre* ***nos*** *compra algo en sus viajes.*
2.ª persona plural	**os/les (se*)**	*¿**Os** cuento un secreto?* *¿**Les** traigo la cuenta, señores?*
3.ª persona plural	**les (se*)**	***Les*** *hemos preparado una fiesta sorpresa a Ana y a Berta*

- Con verbos conjugados, estos pronombres de OI (como los de OD) se sitúan delante del verbo. Con el imperativo afirmativo, el infinitivo y el gerundio van después, formando una sola palabra.

*No sé si prestar**le** la cámara. No me fío de él.*

Nos *aburre la televisión, pero* ***nos*** *encant**a** navegar por internet.*

Me *duel**en** las piernas.*

*¿**Les** apetece bailar?*

¿Te apetece un café?
Lo siento, pero no me gusta el café.

16 SE LO REGALAMOS A... A2

Es Navidad y Lucía y Paco han recibido muchos regalos de su familia y sus amigos. En las imágenes se ve qué les han regalado y quién se lo ha regalado. Obsérvalo y completa las frases.

Abel les ha regalado un cuadro a Paco y Lucía.

Javier y Marta ....

....

Javier y Marta ....

....

Carla ....

....

Daniel ....

....

Luisa ....

MUNDO PLURILINGÜE

A. En tu lengua, ¿varían los pronombres según su ubicación en la oración? Traduce estas frases a tu lengua o a otra que conozcas bien y compara los resultados.

您好！

¡Hola!

مرحبا

Yo siempre vengo a este sitio.	Me llamaron de otra empresa.
Esto es para mí.	Me trajeron estos libros.
Me ducho antes de ir a dormir.	Ella siempre viene a este sitio.
Esto es para ella.	La llamaron de otra empresa.

B. ¿Por qué no intentas hacer un cuadro de pronombres?

Tipos de oraciones

Oraciones declarativas: su intención básica es informar. En español tienen una entonación descendente.

Hola, soy Ramón, el nuevo vecino.

Oraciones interrogativas: su intención básica es obtener información. Tienen una entonación ascendente y se representa con los signos ¿ ?.

Disculpa, ¿necesitas ayuda?

Oraciones exclamativas: su intención básica es expresar una emoción o actitud ante algo: sorpresa, enfado, alegría, etc. O también influir sobre los demás. Tienen una entonación enfática pero descendente, y se representan con los signos ¡ !.

- *¿Sabes qué? Emilia va a tener un hijo.*
- *¿Ah sí? ¡Qué gran noticia es esa!*

- *¡Hable más bajo, por favor!*

Atención: en español, los signos ¿ y ¡ se usan para señalar, respectivamente, dónde empiezan las frases interrogativas y exclamativas.

¿He dormido muchas horas?
Pues sí, unas cuantas.

1 LO OYES, ¿LO OYES?, ¡LO OYES! A2

A. ¿Puedes pronunciar estas frases con la entonación adecuada?

1. Ya está aquí mi autobús.
2. ¿Te ha dado su teléfono?
3. ¡No sabe cómo llegar!
4. ¡Son los amigos de Jandro!
5. ¿Estudia muchas horas al día?
6. ¡Qué paella!
7. No me creo lo que dice la televisión.
8. ¿Sois los amigos de Marta?
9. Últimamente trabajo demasiado.
10. ¿He llegado tarde? ¡Lo siento! No tengo reloj.

089–096 **B.** Escucha la entonación de cada frase y complétalas con los signos (¿?), (¡!) o simplemente con un punto (.).

1. .... Llegas tarde al trabajo ....
2. .... Te ayudo con las bolsas ....
3. .... Tengo que llevar mi pasaporte ....
4. .... Os han visto juntos por la calle ....
5. .... Ese es el nuevo profesor de ciencias ....
6. .... Cuántos ejercicios has hecho hoy ....
7. .... Qué película hemos visto ....
8. .... Te van a dar el puesto de director ....

La interrogación

Son preguntas de interrogación total o preguntas de respuesta cerrada aquellas preguntas que esperan, básicamente, una respuesta **sí**, **no** o equivalente.

● *¿Te acuerdas de mí?*
○ ***No**, lo siento. Creo que me confundes.*

● *¿Venís con nosotros al cine? Vamos a ver* Los otros.
○ ***Vale**, ¿a las 5 o a las 7?*

Cuando queremos pedir confirmación de algo, podemos transformar una frase declarativa en una pregunta añadiendo al final **¿no?** o **¿verdad?**.

● *La casa de Alicia está por aquí, **¿no?***
○ ***Sí, sí**, aquí, cerca de la plaza.*

Son preguntas de interrogación parcial o preguntas de respuesta abierta las que preguntan por un elemento de la frase. Este elemento se indica con un interrogativo al inicio de la frase (a veces acompañado por una preposición).

● *¿**Dónde** has comprado esas naranjas?*
○ *En el mercado.*

● *¿**A quién** quieres invitar?*
○ *A todos mis amigos.*

Atención: el elemento interrogativo siempre lleva acento gráfico (tilde). En la interrogación parcial la entonación es menos marcada que en la total, porque es más fácil identificar que se trata de una pregunta por la presencia del interrogativo.

Oye, ¿has visto mis gafas?
¿Lo dices en serio?

Los interrogativos quién/es, qué, cuál/es

Con quién/quiénes preguntamos por personas. En las preguntas con valor general, usamos la forma singular. Pero cuando nos referimos a personas concretas, puede ser necesario marcar el número plural.

*¿**Quién** es ese chico?*

*¿**Quién** tiene la culpa de la crisis?*
PERO
*¿**Quiénes** son esos señores de negro?*

Con **qué** preguntamos por objetos y acciones. Su forma es invariable.

● *¿**Qué** hay en esa caja?*
○ *Bombones de chocolate. ¿Quieres uno?*

● *¿De **qué** está hecha esa camiseta?*
○ *De algodón.*

Qué tal es equivalente a **cómo** en preguntas que esperan como respuesta **bien/mal** o **bueno/malo.**

*¿**Qué tal** te lo has pasado?* = *¿**Cómo** te lo has pasado?*

*¿**Qué tal** estás?* = *¿**Cómo** estás?*

Qué + sustantivo pregunta por elementos de una categoría o por el grupo designado por el sustantivo.

*¿**Qué** profesor te gusta más?* [del conjunto de profesores]

*¿**Qué** platos me puedes recomendar?* [del conjunto de platos que conoces]

Si queremos restringir más aún los elementos a los que nos referimos, podemos usar **cuál/es de + los/las** (u otros determinantes) + sustantivo.

*¿**Cuál** de los candidatos te parece más apropiado?*

*¿**Cuál** de estos dos colchones crees que es más cómodo?*

Cuando por el contexto ya está claro a qué categoría de elementos nos referimos, usamos **cuál** o **cuáles**.

*¿**Cuál** te gusta más? ¿La mesa redonda o la cuadrada?*

*¿**Cuál** es tu talla de zapatos?*

Atención: la combinación **cuál** + sustantivo se usa sobre todo en el español de Hispanoamérica.

2 ¿ES PERIODISTA? A1

097 **A.** Escucha estas frases y fíjate en la entonación. ¿Cuáles son preguntas? Añade los signos de interrogación o los puntos finales necesarios.

1. Esto es Guatemala
2. Tiene 30 años
3. Esta es Marta Etura
4. Son griegos
5. Estudia informática
6. Es periodista
7. Marco vive en Bilbao
8. Ella estudia español para viajar
9. Trabaja en una escuela de idiomas

B. Aquí tienes las respuestas a las preguntas del apartado **A**. ¿A qué pregunta corresponden?

- ☐ No, esa es Leonor Watling.
- ☐ Sí, de Creta.
- ☐ No, estudia Matemáticas.
- ☐ Sí, en el centro de la ciudad.
- ☐ Sí, escribe en *El País*.

3 ¿QUÉ HACEMOS? A2

Completa las siguientes preguntas con **quién**, **qué** o **cuál**.

1. ● ¿ .... quieres hacer esta tarde?
   ○ La verdad, no sé. ¿Vamos al cine?
2. ● ¿ .... nos llevamos? ¿El sofá rojo o el azul?
3. ● Aquí hay muchas rutas para hacer a pie. ¿ .... prefieres?
   ○ No sé, la más corta. Estoy un poco cansado.
4. ● ¿ .... vestido te vas a poner esta noche?
5. ● ¿ .... quieres, dinero o un regalo?
6. ● ¿De .... color pintamos la habitación?
7. ● ¿ .... prefieres, comer un bocadillo o ir a un restaurante?
8. ● ¿..................... es esa chica que lleva la raqueta?
   ○ Es mi hermana Sonia.

9. ● ¿A .... le has dicho ya que cambias de trabajo?
   ○ Aún no se lo he dicho a nadie, no he tenido tiempo.
10. ● ¿ .... va a venir contigo, Jordi o Andrés?
11. ● Esta semana Vargas Llosa y García Márquez van a presentar sus nuevos libros.
    ○ .... de los dos te gusta más?
12. ● ¿ .... sabes de Marta?
    ○ Nada, hace mucho que no hablo con ella.
13. ● ¿Quieres comprarte un ordenador portátil y no sabes .... ? Mira en nuestro catálogo.

4 SER O NO SER A2

Todas estas preguntas llevan el verbo **ser**. Complétalas con **quién, qué** o **cuál.**

1. ● ¿ .... es tu segundo apellido?
2. ● ¿ .... es tu película favorita?
3. ● ¿ .... es «Tupelículafavorita.com»?
   ○ Es una página web donde puedes encontrar información sobre todas las pelis.
4. ● ¿ .... es "Lolo"?
   ○ Es un diminutivo familiar para hombres que se llaman Manuel.
5. ● ¿ .... es «el día del espectador»?
   ○ Es un día especial con descuentos para ir al cine. El día cambia según la ciudad o los cines: aquí, normalmente, es el lunes o el miércoles.
6. ● ¿ .... es Lolo?
   ○ En esta foto, es el que tiene el pelo largo y rizado.
7. ● ¿Ves esos dos profes de ahí? Pues uno es el que me da clases particulares a mí.
   ○ ¿Ah, sí? ¿ .... de ellos?
8. ● ¿ .... día es hoy?
   ○ Viernes, viernes 15.
9. ● ¿Y .... es el día del espectador en tu ciudad?
   ○ El miércoles.
10. ● ¿Sabes .... es el cajero más cercano?
    ○ El de la calle Zurbarán, creo.

Los interrogativos. cuánto/a/os/as, cómo, dónde, cuándo, por qué, para qué

Con **cuánto/a/os/as + sustantivo** preguntamos por la cantidad. Se usa en singular con sustantivos incontables y en plural, con sustantivos contables. Concuerda en masculino y femenino con el sustantivo al que se refiere.

*¿**Cuánto** tiempo necesitas?* [sustantivo incontable masculino]

*¿A **cuánta** gente le envías felicitaciones de Navidad?* [sustantivo incontable femenino]

*¿**Cuántos** años tienes?* [sustantivo contable]

Podemos usar **cuánto/a/os/as** sin sustantivo cuando, por el contexto, está claro a qué nos referimos.

*Sé que lleva muchos años aquí, ¿pero **cuántos** exactamente?*

Usamos **cuánto** sin nombre cuando preguntamos por la cantidad o la intensidad sin querer hacer referencia a ningún sustantivo.

*¿**Cuánto** mides?*

*¿**Cuánto** se tarda en llegar a Burgos en tren?*

Con **cómo** preguntamos por la manera de hacer algo.

● *¿**Cómo** se preparan las patatas riojanas?*
○ *Con cebolla, ajo y chorizo.*

Con **dónde** preguntamos por el lugar.

● *¿Dónde están mis llaves?*
○ *En la mesa del dormitorio.*

● *¿Por **dónde** se va al centro?*
○ *Por esa avenida de ahí.*

● *¿**Adónde*** vas?*
○ *A la piscina.*

* Con verbos de movimiento, que llevan la preposición **a**, es posible usar **adónde**.

Con **cuándo** preguntamos por el momento.

- *¿**Cuándo** termina el curso?*
- *La semana que viene.*

- *¿**Desde cuándo** está aquí?*
- *Desde las 12.30 h.*

Con **por qué** preguntamos por la causa o por la razón de algo.

- *¿**Por qué** hablas tan rápido?*
- *Porque estoy muy nerviosa.*

- *¿**Por qué** discuten tanto Ana y Pili?*
- *Por dinero, tienen un negocio juntas.*

Con **para qué** preguntamos por la finalidad o por el el objetivo de una acción o de un objeto.

- *¿**Para qué** compraste esas velas?*
- *Para ponerlas en la mesa.*

5 DIME, DIME, POR QUÉ... A2

Decide en cada caso qué interrogativo corresponde a las respuestas obtenidas.

1. ● ¿ .... has ido a la fiesta de Laila?
   ○ Andando, vive aquí al lado.
   ● ¿ .... has ido a la fiesta de Laila?
   ○ Más tarde que tú, a las 11:00 o así.
   ● ¿ .... has ido a la fiesta de Laila?
   ○ Para ver a sus hermanas, ya sabes que a ella no la aguanto.

2. ● ¿ .... ha dormido Javier?
   ○ 10 horas, una barbaridad.
   ● ¿ .... ha dormido Javier?
   ○ Muy bien, ha pasado una noche muy tranquila.
   ● ¿ .... ha dormido Javier?
   ○ En casa de Lolo.
   ● ¿ .... ha dormido Javier por la tarde?
   ○ Porque esta noche tiene guardia y tiene que trabajar.

3. ● ¿ .... compras las revistas de decoración?
   ○ Cerca de aquí, en un kiosco muy bueno.
   ● ¿ .... compras las revistas de decoración?
   ○ Mañana, no te preocupes.
   ● ¿ .... compras las revistas de decoración?
   ○ Para tener ideas para el piso de la playa.

4. ● ¿ .... habéis decidido ir de viaje?
   ○ Pues al final a Cuba.
   ● ¿ .... habéis decidido ir de viaje?
   ○ Pues es que tenemos días de fiesta y hay una oferta muy buena.
   ● ¿ .... habéis decidido ir de viaje?
   ○ Juanma, Pili, Chema y yo.
   ● ¿ .... habéis decidido ir de viaje?
   ○ Ayer por la tarde.

6 CONSULTA NUESTRO CATÁLOGO A2

Lee el texto con atención y completa los espacios con los pronombres interrogativos necesarios.

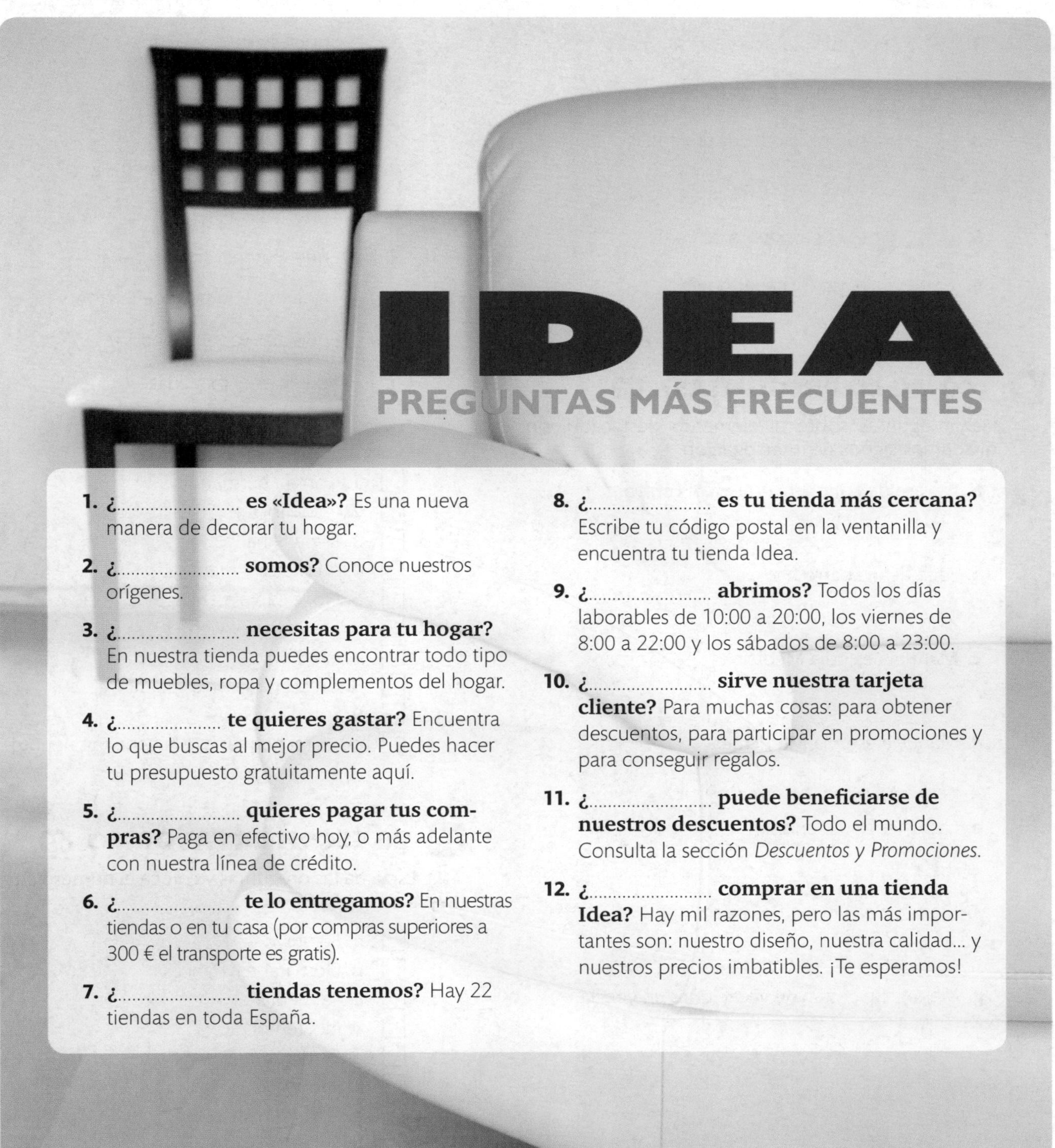

1. ¿.......................... **es «Idea»?** Es una nueva manera de decorar tu hogar.
2. ¿.......................... **somos?** Conoce nuestros orígenes.
3. ¿.......................... **necesitas para tu hogar?** En nuestra tienda puedes encontrar todo tipo de muebles, ropa y complementos del hogar.
4. ¿...................... **te quieres gastar?** Encuentra lo que buscas al mejor precio. Puedes hacer tu presupuesto gratuitamente aquí.
5. ¿.......................... **quieres pagar tus compras?** Paga en efectivo hoy, o más adelante con nuestra línea de crédito.
6. ¿.......................... **te lo entregamos?** En nuestras tiendas o en tu casa (por compras superiores a 300 € el transporte es gratis).
7. ¿.......................... **tiendas tenemos?** Hay 22 tiendas en toda España.
8. ¿.......................... **es tu tienda más cercana?** Escribe tu código postal en la ventanilla y encuentra tu tienda Idea.
9. ¿.......................... **abrimos?** Todos los días laborables de 10:00 a 20:00, los viernes de 8:00 a 22:00 y los sábados de 8:00 a 23:00.
10. ¿.......................... **sirve nuestra tarjeta cliente?** Para muchas cosas: para obtener descuentos, para participar en promociones y para conseguir regalos.
11. ¿.......................... **puede beneficiarse de nuestros descuentos?** Todo el mundo. Consulta la sección *Descuentos y Promociones*.
12. ¿.......................... **comprar en una tienda Idea?** Hay mil razones, pero las más importantes son: nuestro diseño, nuestra calidad... y nuestros precios imbatibles. ¡Te esperamos!

7 QUÉ, QUIÉN, CUÁL... A1

Completa las preguntas con **qué, quién/quiénes, cuál/cuáles.**

1. ¿ .... es tu color favorito?
2. ¿ .... idioma te gusta más?
3. ¿ .... son tus ciudades preferidas?
4. ¿ .... son esos señores?
5. ¿ .... es el presidente de Perú?
6. ¿ .... hay para cenar hoy?

8 ¿CÓMO LO PREGUNTAS? A1

Haz preguntas sobre el elemento destacado, sin olvidar los signos de interrogación.

a. La casa de Enriqueta está **en el centro.**

....

b. Paco tiene **cuatro** hijos.

....

c. **Manuela** estudia Medicina.

....

d. Manuela estudia **Medicina.**

....

e. Los chicos quieren **salir.**

....

f. Marta y Bea vienen **de Grecia.**

....

g. Marta y Bea están **de vacaciones** en Grecia.

....

9 ESTE BOLSO NO ES DE PIEL A1

Agrega la preposición si es necesario. Luego, une cada pregunta con la respuesta adecuada.

a. ¿ ...... qué es este bolso? ¿De piel?
b. ¿ ......quién llamas por teléfono?
c. ¿ ...... quién vives?
d. ¿ ...... cómo se dice lápiz en italiano?
e. ¿ ...... dónde eres?
f. ¿ ...... qué material son tus botas?
g. ¿ ...... cuál es tu número de teléfono?
h. ¿ ...... qué días vas al gimnasio?
i. ¿ ...... quién es el paraguas?
j. ¿ ...... qué hora es el examen?

- ☐ **1.** Con mi hermana.
- ☐ **2.** Colombiano, de Cali.
- ☐ **3.** Es de Nina.
- ☐ **4.** A las diez y media.
- ☐ **5.** No, es de plástico.
- ☐ **6.** Los martes y viernes.
- ☐ **7.** El 689 75 22 33.
- ☐ **8.** Creo que se dice «matita».
- ☐ **9.** Son de piel.
- ☐ **10.** A mi hermana, ella tiene mis apuntes.

10 TU ESCRITOR FAVORITO A1

098 Escucha las preguntas y coloca el número adecuado a cada respuesta.

- ☐ **a.** 80 euros.
- ☐ **b.** Dos: árabe y francés.
- ☐ **c.** La mediana.
- ☐ **d.** No, templado.
- ☐ **e.** Clark Gable.
- ☐ **f.** Leonor.
- ☐ **g.** Sí, de varios colores.
- ☐ **h.** Shakespeare.
- ☐ **i.** Voy al cine.

11 ¿DE QUÉ TRABAJAS? A1

Formula una pregunta adecuada para estas respuestas. En clase, compara tus preguntas con las de tus compañeros.

a. Yo soy periodista, y Emma, fotógrafa.
¿De qué trabajáis vosotros?

b. Cuatro: español, francés, árabe e italiano.
....

c. En una agencia de viajes.
....

d. Sí, dos: Verónica y Julián.
....

e. A una isla del Mediterráneo.
....

f. No, gracias.
....

g. La verde de manga corta.
....

h. Sí, es carolina@aula.dif.
....

12 PUNTUAR A1

099 ¿Las siguientes frases son declarativas o exclamativas? Escúchalas y coloca los signos de puntuación necesarios.

...... María ha estado en los Alpes ......
...... Marcial ha dejado los estudios ......
...... Macarena tiene más de 40 años ......
...... Manuel quiere irse a vivir a Sudáfrica ......
...... Melania vuelve a vivir con su madre ......
...... Quieren llevar a Marcos a un colegio privado ......
...... Mis hermanos no saben quién es Mónica ......
...... Tienes aquí el regalo de Miguel María ......
...... Nuestras madres están preocupadas por Minerva ....
...... Mi prima Marta tiene mis raquetas de tenis ......

La exclamación total

La exclamación total expresa nuestra actitud (sorpresa, enfado, alegría...) sobre el contenido global de una frase. No lleva elementos exclamativos.

¡Por fin has llegado!

¡Estás guapísima!

A menudo engloba verbos en imperativo o da un valor de imperativo a la oración.

¡Cállate!

¡Más despacio, por favor!

Exclamaciones parciales (I)

La exclamación parcial con **qué** expresa nuestra actitud sobre la intensidad de un adjetivo o de un adverbio. En estas frases, la partícula **qué** (a veces acompañada de una preposición) siempre lleva acento gráfico (tilde). El verbo, muchas veces, no aparece y se sobreentiende.

- *Este piso cuesta 350 euros al mes.*
○ *¡**Qué** barato (es)!* (adjetivo)

- *Llevan encerrados en el despacho del jefe desde las 10 de mañana.*
○ *¡**Qué** extraño (me parece eso)!* (adjetivo)

- *Vivo a 65 km de aquí.*
○ *¡**Qué** lejos!* (adverbio)

También llevan la partícula **qué** las frases con la estructura **qué** + sustantivo + **tan** / **más** + adjetivo. El verbo se puede elidir también en estas frases.

*¡**Qué** vacaciones más maravillosas (hemos pasado)!*

*¡**Qué** día tan horrible (hemos tenido)!*

Dependiendo del contexto, también se puede elidir la segunda parte de la expresión, pero puede ser difícil saber la intención del hablante.

*¡**Qué** vestido! (=¡Qué vestido tan feo / tan bonito...!)*

Atención: también se puede usar la estructura **vaya** + sustantivo + **más** + adjetivo.

*¡**Vaya** vaca **más** grande!*

13 REACCIONES PREVISIBLES B1

Completa los siguientes diálogos de la manera que te parezca más previsible.

chico	bonito	extraño	alto
caro	delgado	grande	aburrido

1. ● Mira el precio de este vestido: ¡2450 euros!
   ○ ¡Qué ....!
2. ● Tiene un piso de 340 metros cuadrados.
   ○ ¡Qué ....!
3. ●¡Qué vestido tan ....!
   ○ ¿Te gusta? Es nuevo.

4. ● ¡Qué .... estás, Lucio
   ○ No, no, estoy en mi peso de siempre: 60 kilos.
5. ●¡Qué mujer tan ....!
   ○ Sí, en su familia todo el mundo mide más de metro ochenta.
6. ●¿Qué tal el teatro?
   ○ ¡Horrible! ¡Qué obra más ....!
7. ● ¡Vaya plato más ....! Sardinas con mermelada de naranja...
   ○ Pues a mí no me ha desagradado...

Exclamaciones parciales (II)

La exclamación parcial con **cuánto/a/os/as** expresa nuestra actitud sobre una cantidad o intensidad. En estas frases, **cuánto/a/os/as** lleva siempre acento gráfico, y el verbo, muchas veces, no aparece porque se sobreentiende.

*¡**Cuánta** gente (hay)!*

*¡**Cuántas** bolsas (llevas)!*

Cuando la cantidad es referida a un sustantivo, **cuánto/a/os/as** concuerda en género y número con ese sustantivo. Cuando no se refiere a un sustantivo en concreto, se usa **cuánto**.

*¡**Cuánto** público (hay)! Esta obra es un éxito.*

*¡**Cuánta** arena (hay)! ¿Por qué no os limpiáis los pies cuando salís de la playa?*

*¡**Cuánto** habéis tardado! Lleváis tres horas fuera.*

¡Cuántos perros! ¿Vais a montar una perrera?

Con **qué + poco/a/os/as** (+ sustantivo) expresamos nuestra actitud sobre una cantidad o intensidad bajas.

*¡**Qué poco** dinero (queda)! No sé qué vamos a comprar con esta miseria.*

*¡**Qué poco** duerme este niño! Se va a poner enfermo.*

Con **cómo** + verbo llamamos la atención sobre la forma, la cantidad o la intensidad en la que alguien hace algo.

*¡**Cómo** se ríe ese hombre, parece una gallina!*

14 NUEVOS EN LA CIUDAD B1

Séverine y Phil acaban de llegar a la ciudad y buscan varias cosas en la prensa local. Relaciona los anuncios con sus comentarios.

A

Conferencia:
“Matemáticas y Trigonometría en la agricultura moderna”.
Auditorio municipal.
Viernes 20:00 h.
Entrada libre.

B

Se buscan RELACIONES PÚBLICAS para discoteca de moda.
Horario nocturno jueves, viernes y fines de semana, de 10 de la noche a 6 de la mañana.
www.ibizalanoche.dif

C

Vendo coche de 10 años.
130 000 km. 2000 €.
Llamar tardes. 690 690 005.

D

Cine Odeón.
Sesión de cine experimental con la película *Los siete elementos*. 180 min.

E

Regalo
8 cachorros de **Fox Terrier**.
Solo tienen dos semanas.
Más información en
bea@correitos.dif

F

Piso en alquiler
de 2 habitaciones. 45 m^2.
A 35 minutos del centro.
450 €/mes.
Referencia 43576

G

Se ALQUILA piso
de 4 habitaciones.
A dos minutos del centro.
1400 €/mes.

H

Se necesita
ayudante de biblioteca.
Tardes de 5 a 7.
400 € al mes.

1. ● ¡Qué lejos y qué pequeño!
   ❍ Ya, ¡pero qué precio tan bueno!
2. ● ¡Vaya, qué interesante!
   ❍ Sí, es verdad, pero ¡qué larga es!
3. ● ¡Qué trabajo tan chulo!
   ❍ ¡Pero que horario tan malo! ¡Y qué poco se duerme!
4. ● ¿Has visto el tema? ¡Vaya aburrimiento!
5. ● ¡Cuántos kilómetros tiene!
   ❍ Y qué viejo!
6. ● ¡Qué bien situado!¡Y cuántas habitaciones!
   ❍ Ya, ¡pero qué caro!
7. ● ¡Qué tranquilo este trabajo! ¡Y cuánto tiempo libre!
   ❍ Sí, pero ¡qué poco pagan!
8. ● ¡Qué pequeñitos!
   ❍ ¡Y cuántos son!

15 ¡VAYA COMPAÑERAS DE PISO! B1

Gema comparte piso con dos compañeras, pero tiene muchos problemas y se lo está contando a una amiga. Completa su conversación con **qué, cuánto/a/os/as, qué poco/a/os/as.**

1. ● Es que mi compañera Chelo pasa la aspiradora y quita el polvo tres veces al día.
   ❍ ¡Vaya! ¡ .... maniática de la limpieza! ¿no?
2. ● Y para comer solo toma una rebanada de pan y un zumo de naranja.
   ❍ ¿Solo eso? ¡ .... come!
3. ● Además, cada día necesita como mínimo una hora de silencio absoluto para poder leer.
   ❍ ¡ .... chica tan rara!
4. ● Pues mi otra compañera, Rocío, lo único que dice es "buenos días" y "hasta mañana".
   ❍ ¡Jo! ¡Pues .... se comunica!
5. ● Sí, pero lo peor son sus gatos. ¡Tiene tres!
   ❍ ¡ .... pelo debe de haber!
6. ● Sí, y además son unos gatos gordos y antipáticos.
   ❍ ¡Pues .... rollo!
7. ● Y necesita que todo sea como ella quiere, no aguanta nada las opiniones de los demás.
   ❍ ¡Pues .... tolerante!
8. ● No sé... ¿Tú crees que es normal un piso así?
   ❍ No, qué va ¡ .... compañeras tan raras tienes!

MUNDO PLURILINGÜE

Traduce las preguntas siguientes a tu lengua. ¿Aparecen los mismos elementos?

- ¿Óscar vive en Móstoles?
- ¡Qué larga es esta peli!
- ¿Dónde come Gema?
- ¿De dónde viene Pablo?
- ¡Qué casa tan bonita!
- ¿De qué estás hablando?

Usos de las preposiciones

- Las preposiciones son palabras que sirven para situar un elemento con relación a otro en el espacio o en el tiempo o para situar un elemento de manera abstracta.
- Una misma preposición puede tener diferentes usos y significados.

*Vamos **a** tu casa.* [lugar]
*Te espero **a** las ocho.* [tiempo]
*Hemos venido **a** pie.* [modo]

*Esta mesa es **de** madera.* [material]
*Esta mesa es **de** Miguel.* [pertenencia]

- Las preposiciones se pueden combinar con adverbios o sustantivos para formar locuciones preposicionales.

*Quiero terminar **antes de** las seis y media.*

*Mi casa está **cerca de** la catedral.*

- Uso de las preposiciones para hablar de localización y movimiento.

a	dirección del movimiento	*Vamos **a** Alicante.*
	distancia	*El pueblo está **a** 5 km.*
en	ubicación	*Chema está **en** la oficina.*
	medio de transporte	*Normalmente voy a trabajar **en** metro.* **PERO** ***a*** *pie*
entre	ubicación dentro de dos o más límites	*Raúl se sienta **entre** Lucía y Bárbara.*
de	prodecencia	*¿Venís **del** centro?*
	cerca + de	*¡Vives cerca **de** mi casa!*
desde	punto de partida	*Hemos venido a pie **desde** la estación.*
hasta	punto de llegada	*Tenemos que seguir por esta calle **hasta** la parada del autobús.*
por	movimiento dentro de o a través de un espacio	*Voy a dar un paseo **por** el bosque.*

1 GEOGRAFÍA HISPANA A2

A. Completa estas frases con el nombre adecuado, fijándote en las preposiciones y escribiendo **al** o **del** si es necesario. Puedes buscar la información en internet.

Colombia | **América** | **barco** | **Estados Unidos y Guatemala** | **las islas Canarias** | **el Lago Argentino** | **la Polinesia** | **avión** | **el Golfo de México** | **el Atlántico Norte**

1. Bogotá y Cali están en ....
2. Colón llegó a .... en 1492.
3. Cuba es una isla; solo se puede llegar a ella en .... o en ....
4. El pueblo rapanui llegó a la Isla de Pascua desde .... en el siglo IV d. C.
5. En su viaje a América, Colón pasó por ....
6. La Corriente del Golfo desplaza una gran masa de agua caliente de .... hacia ....
7. México está entre ....
8. En 1877 Francisco Moreno llegó hasta .... y descubrió el glaciar que actualmente lleva su nombre: Perito Moreno.

B. Escribe ahora ocho frases con las mismas preposiciones hablando de tu país o de otros lugares que conoces.

Las preposiciones

Uso de las preposiciones para hablar del tiempo.

a + hora (de la mañana/tarde/noche)	*El examen empieza* ***a*** *las cuatro menos cuarto.*
	El tren llegará ***a*** *las nueve de la mañana.*
de + día/noche	*En el desierto,* ***de*** *día hace mucho calor y* ***de*** *noche, mucho frío.*
desde inicio	*Está estudiando* ***desde*** *las seis de la tarde.*
en + meses, estaciones del año, año + periodo de tiempo: duración o plazo temporal	*El niño nacerá* ***en*** *primavera.*
	Su cumpleaños es ***en*** *mayo.*
	En *dos horas lo termino.*
entre tiempo en medio de dos momentos	*Pasa por mi despacho* ***entre*** *las dos y las tres.*
hasta final de una situación o proceso	*¿**Hasta** cuándo vas a quedarte aquí?*
por + la mañana/tarde/noche	*Llegamos a Barcelona mañana* ***por*** *la tarde.*

Otros usos de las preposiciones.

a	introduce el Objeto Directo de persona	*Acabo de ver* ***a*** *Pedro.*
	introduce el Objeto Indirecto	***A*** *María voy a regalarle un libro.*
	modo	*¿Estos tapices están hechos* ***a*** *mano?*
con	compañía o acompañamiento	*Fui* ***con*** *Paz a comer pollo* ***con*** *patatas.*
	instrumento	*Tienen que completar el examen* ***con*** *lápiz.*
	ingredientes	*Las tortillas se preparan* ***con*** *harina de maíz.*
de	material	*La tela vaquera es* ***de*** *algodón.*
	pertenencia	*¿**De** quién es esta chaqueta?*
	lugar de origen	*Estas uvas son* ***de*** *Italia.*
para	objetivo	*Estudia mucho* ***para*** *sacar buenas notas.*
	destinatario	*Esta carta es* ***para*** *usted.*
por	causa o motivo	*Carla ha perdido su trabajo* ***por*** *la crisis.*
	sustitución	*¿Puedes firmar* ***por*** *mí?* [en mi lugar]
sin	ausencia	*Mis padres comen* ***sin*** *sal.* *Se fue* ***sin*** *decir nada.*

2 ¿CÓMO LO PREFIERES? A1

A. Completa las preguntas con la preposición o locución preposicional adecuada y contesta con información personal.

a	de	con	sin	en	por
antes de		para		después de	

1. ¿El té lo tomas .... leche o .... limón?
2. Las zapatillas, ¿ .... tela o .... cuero?
3. Viajar, ¿solo, ...tu familia o .... tus amigos?
4. Los abrigos, ¿ .... lana o .... piel?
5. Las vacaciones, ... primavera, ... verano, ... otoño o .... invierno?
6. Nadar, ¿ .... el mar o .... una piscina?
7. Ducharse, ¿ .... ir a la cama o .... levantarte?
8. Casarse, ¿ .... amor o .... dinero?
9. Un viaje de 11 horas, ¿ .... día o .... noche?
10. Un viaje de 11 horas, ¿ .... autobús o .... tren?
11. Una fiesta de cumpleaños, ¿ .... tus padres o .... ellos?
12. Las patatas fritas, ¿ .... mayonesa o .... kétchup? ¿ .... las manos o .... tenedor?
13. Hacer deporte, ¿ .... la mañana o .... la noche?

B. Piensa cuatro preguntas más y, en clase, házselas a tus compañeros.

3 VIDAL Y VIRIDIANA A1

Vidal y Viridiana viven juntos pero tienen costumbres muy diferentes. Completa las frases con las palabras de las etiquetas. Si es necesario, escribe **del** o **al**, y tacha el artículo.

en	a	de	por
con	desde	hasta	para

1. Vidal es español, ...de..... Córdoba; Viridiana es colombiana, ... Medellín.
2. Vidal sale .... casa a las ocho; Viridiana a esa hora está .... la cama.
3. Vidal se ducha antes .... desayunar; Viridiana, después .... tomar un té.
4. .... la mañana, Vidal trabaja .... una librería; Viridiana estudia .... la universidad.
5. Vidal va .... el trabajo .... autobús; Viridiana va .... la universidad .... pie.
6. .... la tarde Vidal va .... la universidad. Viridiana normalmente va .... casa .... una amiga y estudian juntas.
7. .... ganar un poco de dinero, Viridiana trabaja los fines de semana .... un cine; Vidal aprovecha los fines de semana .... estudiar.
8. Cuando quiere hacer deporte, Vidal corre .... el parque; .... estar en forma, Viridiana va .... un gimnasio.
9. Pero, ¡un momento! Tienen una cosa en común: los dos usan camisetas .... sus nombres.

4 UN VIAJE POR LOS ANDES A1

Esta es la propuesta de una agencia de viajes para un recorrido por los Andes. Completa el texto con las preposiciones: **a/al, de/del, en, desde, hasta, para, por, con.**

RUTA DEL SOL

DÍA 1: LIMA

Traslado .... aeropuerto .... hotel. Paseo .... el centro histórico .... Lima. Ruta .... los barrios de Miraflores y San Isidro. Almuerzo .... el restaurante El rey del ceviche. .... la tarde, visita .... Museo del Oro .... descubrir la cultura incaica.

DÍA 2: CUSCO

Desayuno .... el hotel. Traslado .... aeropuerto. Vuelo .... Cusco. Mañana libre. .... la tarde, visita guiada .... conocer la ciudad.

DÍA 3: MACHU PICCHU

Viaje .... Machu Picchu .... tren. Desayuno .... el tren. Paseo .... pie .... la estación .... el sitio arqueológico de Machu Picchu. Almuerzo .... el complejo turístico .... m ediodía. Regreso .... Cusco.

DÍA 4: PUNO

Salida .... Cusco .... autobús. Llegada .... la tarde .... la ciudad de Puno, junto .... lago Titicaca, ... la frontera con Bolivia.

DÍA 5: TITICACA-SILLUSTANI

Visita .... lancha .... la isla .... los Uros, descendientes de uno de los más antiguos pueblos .... América. .... la tarde, recorrido .... la zona arqueológica de Sillustani, ... 34 km .... Puno, ... ver las chullpas, famosos monumentos funerarios de los Collas.

DÍA 6: LA PAZ

Salida .... hotel .... las 6.30 h (hora .... Perú).Viaje .... autobús .... Puno .... la ciudad de La Paz (Bolivia) .... un guía especializado. Paseo .... catamarán .... el lago Titicaca y excursión .... la Isla del Sol. Llegada .... hotel .... las 18.30 h (hora .... Bolivia). Noche libre.

DÍA 7: LA PAZ

.... la mañana, recorrido .... la ciudad y visita .... museo al aire libre de la cultura Tiwanaku. .... la tarde, excursión .... Valle de la Luna.

DÍA 8: LA PAZ-LIMA

Desayuno .... el hotel. Traslado .... aeropuerto.

¡VEN A LOS ANDES!

5 ¿QUÉ ES QUÉ? A2

Completa estas explicaciones sobre algunas palabras con la preposición correspondiente.

1. "Andar" es ir .... pie a algún sitio.
2. "Quitar" algo a alguien es dejarlo .... esa cosa.
3. "Regalar" es darle algo .... alguien.
4. "Acompañar" es ir .... alguien a algún sitio.
5. "Madrugar" es levantarse pronto .... la mañana.
6. "Florecer" es lo que hacen las flores .... primavera.
7. Alguien "puntual" es el que llega .... la hora acordada.
8. "Sustituir" es cambiar una cosa .... otra.
9. "Freír" es cocinar algo .... aceite caliente.
10. La "lona" es un tejido muy fuerte .... algodón.

6 ESTACIÓN DE TREN A1

Haz series con la preposición **de** como la del ejemplo.

Una estación de tren, de autobuses, ...

....

....

Una maleta de ....

....

....

....

Una camisa de ....

....

....

Una tarta de ....

....

....

Un programa de ....

....

....

MUNDO PLURILINGÜE

Observa cómo se dicen estas cosas en español: en todas usamos la preposición **de**. Tradúcelas a tu lengua. ¿Usas una preposición en todas? ¿Es la misma preposición?

- **Una estación de trenes**
- **Una maleta de piel**
- **Una camisa de rayas**
- **Una tarta de manzana**
- **Un programa de televisión**
- **F de Francia**

您好！

¡Hola!

مرحبا

Locuciones preposicionales y adverbiales

Existen expresiones formadas por una preposición o más y un adverbio o un nombre. Algunas de ellas tienen el valor de una preposición y otras funcionan como un adverbio. Estas expresiones se denominan locuciones preposicionales o locuciones adverbiales.

debajo (**de** + sustantivo)

encima (**de** + sustantivo)

detrás (**de** + sustantivo)

delante (**de** + sustantivo)

a la derecha (**de** + sustantivo)

a la izquierda (**de** + sustantivo)

al lado (**de** + sustantivo)

Para hablar de distancia: **lejos** (**de** + sustantivo), **cerca** (**de** + sustantivo).

*Guadalajara está bastante **cerca de** Madrid, a unos 60 kilómetros. Toledo está más **lejos**.*

7 DESAPARICIÓN EN EL ESTUDIO DEL ARTISTA A2

Ayer se produjo la desaparición de un conocido artista que hace dibujos y cómics. En este momento el inspector Puértolas está tomando nota de las pistas que encuentra en su estudio. Observa la imagen y completa el texto con las preposiciones o locuciones preposicionales o adverbiales adecuadas.

El estudio está muy desordenado. Lo primero que observo es que hay una nota clavada .... de una silla. .... de la otra silla alguien ha dejado una chaqueta y una corbata. Hay papeles por todos los sitios: .... de la papelera, ... de todos los escritorios, ... , ... del cenicero del fondo...

.... el escritorio del fondo hay pinturas y pinceles tirados .... el suelo. También hay varios ceniceros: uno .... el escritorio de la izquierda y otro .... el escritorio del fondo. Hay un teléfono móvil .... el escritorio de la izquierda y una lámpara encendida .... el escritorio de la derecha.

.... del ordenador de la izquierda hay unas gafas, seguramente son las del artista. .... el ordenador del fondo hay una taza de té; y .... de ese mismo ordenador, un bote con pinturas y pinceles...

8 ¿DÓNDE PONGO ESTO? A2

100/105 Marco se ha cambiado de piso y un amigo está ayudándole a colocar los muebles en su lugar. Escucha el audio y escribe el número de cada objeto en el lugar correspondiente del dibujo.

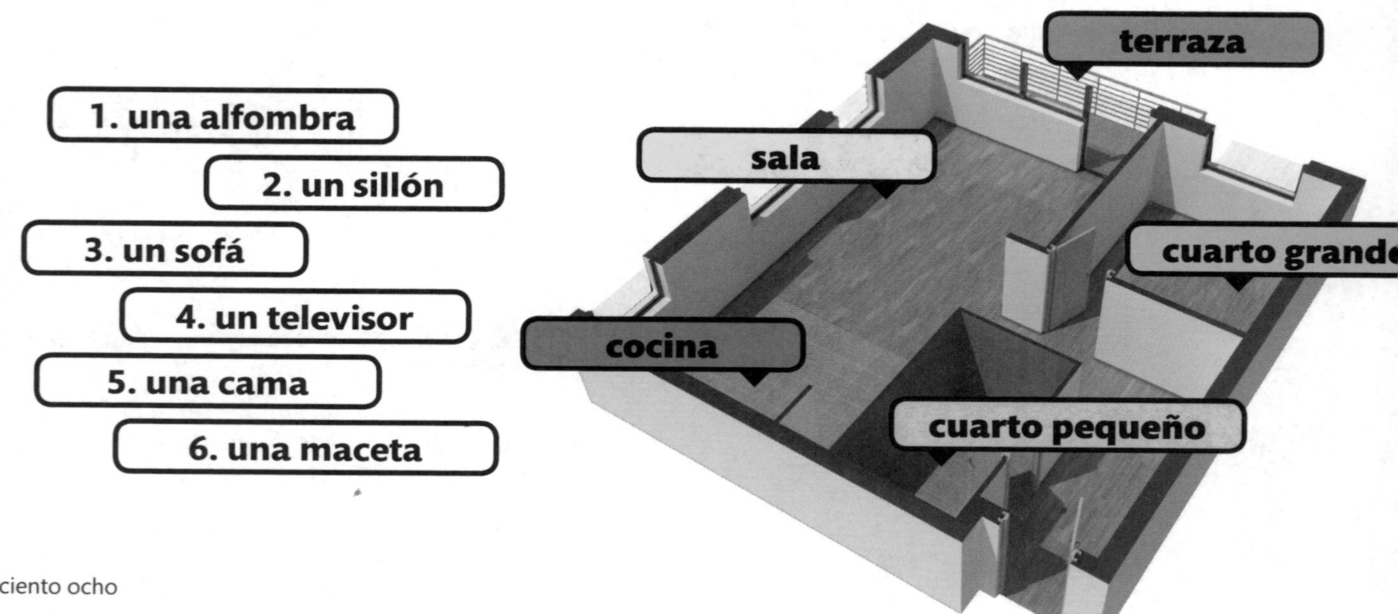

Elementos de un verbo

En un verbo se pueden distinguir tres elementos: la raíz (que resulta de quitar al infinitivo la terminación **-ar/-er/-ir**), la vocal temática (**a**, **e**, **i**) y la terminación.

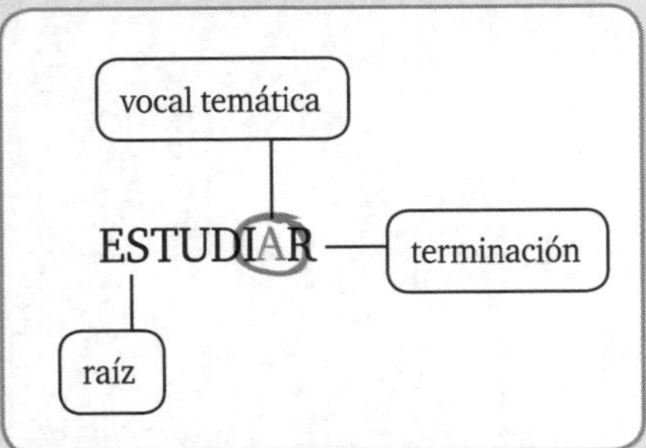

En español hay tres conjugaciones, que se distinguen por la vocal temática: **a**, para la primera conjugación (**cantar**); **e**, para la segunda (**beber**); e **i** para la tercera (**reír**). Las formas de los verbos de segunda y tercera conjugación son muy similares, y la mayoría de los verbos irregulares pertenece a estos grupos.

La terminación da la información referente al modo (indicativo, subjuntivo...), tiempo (presente, pretérito...), persona (primera, segunda o tercera) y número (singular o plural).

Presente de indicativo: formas regulares

	viajar	creer	escribir
(yo)	viaj**o**	cre**o**	escrib**o**
(tú)	viaj**as**	cre**es**	escrib**es**
(él/ella/usted)	viaj**a**	cre**e**	escrib**e**
(nosotros/nosotras)	viaj**amos**	cre**emos**	escrib**imos**
(vosotros/vosotras)	viaj**áis**	cre**éis**	escrib**ís**
(ellos/ellas/ustedes)	viaj**an**	cre**en**	escrib**en**

La 1.ª persona del singular es igual en las tres conjugaciones.

Atención: la 2.ª y la 3.ª conjugación solo varían en la 1.ª y la 2.ª persona del plural (**nosotros** y **vosotros**).

Atención: los verbos en presente de indicativo se pronuncian con el acento en la penúltima sílaba, excepto en la segunda persona del plural: **vosotros viajáis, creéis, escribís.**

1 SOY LUIS A1

A. Completa con las terminaciones adecuadas.

1. Me llam........ Luis y teng........23 años. Estudi........ marketing y trabaj........ como recepcionista en un hotel. Mi novia se llam........ Maite y tien........ 25 años. Es ingeniera y trabaj........ en una empresa multinacional. Los dos viv........ en Sevilla, pero somos de Madrid; nuestras familias viv........ allí.
2. Quito, la capital de Ecuador, es la segunda ciudad más poblada del país: más de dos millones de personas viv........ allí. Sus habitantes se llam........ quiteños. Quito se encuentr........ en un valle entre montañas y volcanes y solo tien........ dos estaciones: verano e invierno. En invierno llueve mucho. La línea del Ecuador pas .... muy cerca de la ciudad.
3. En mi casa todos nos levant........ muy temprano porque viv........ lejos del centro. Desayun........ juntos pero no sal........ de casa a la misma hora. Mis padres llev........ a la escuela a Romina, la más pequeña, y cog........ el tren: trabaj........ en el centro. Mi hermano y yo ten........ más tiempo porque estudi........ en nuestro barrio. Yo salg........ de clase a las dos y prepar........ la comida para los tres. Luego estudi........, visit........ a mis amigos o naveg........ un rato por internet. Mis padres lleg........ tarde y normalmente cen........ todos juntos.

106
108
B. Ahora escucha y comprueba tus respuestas.

2 ¿YO, TÚ, ÉL? A1

109 Escucha las seis frases y anota los verbos que dicen en la columna correspondiente.

	yo	tú	el/ella/usted	nosotros/as	vosotros/as	ellos/ellas/ ustedes
1						
2						
3						
4						
5						
6						

3 COSAS EN COMÚN A1

Lee las fichas de estas personas. ¿Tienen algo en común? Completa las frases con la información que tienes.

Araceli
Nacionalidad: uruguaya
Edad: 28 años
Idiomas: español, portugués, italiano
Profesión: diseñadora gráfica

Dimitra
Nacionalidad: griega
Edad: 34 años
Idiomas: griego, inglés, español, alemán
Profesión: guía turística

João
Nacionalidad: brasileño
Edad: 28 años
Idiomas: portugués, inglés, español
Profesión: guía turístico

Diego
Nacionalidad: uruguayo
Edad: 30 años
Idiomas: español, inglés, francés
Profesión: taxista

Dimitra ...habla... griego. João, Dimitra y Diego ...hablan... inglés.

João .... brasileño. Diego y Araceli ....

Araceli .... diseñadora. João y Dimitra ....

Diego .... 30 años. Araceli y João ....

Araceli no .... inglés, pero es la única que ....

Todos ellos ....

Formas irregulares

Existen diferentes tipos de irregularidades en presente. Una de las más comunes es el cambio de vocales. Este cambio afecta siempre a la última vocal de la raíz del verbo: la **e** de **pens-ar**, la **o** de **record-ar** o la **e** de **ped-ir**.

la vocal **e** se transforma en **ie** (verbos en -ar, -er e -ir)	la vocal **o** se transforma en **ue** (verbos en -ar, -er e -ir)	la vocal **e** se transforma en **i** (solo verbos en -ir)
pensar	**recordar**	**pedir**
p**ie**nso p**ie**nsas p**ie**nsa pensamos pensáis p**ie**nsan	rec**ue**rdo rec**ue**rdas rec**ue**rda recordamos recordáis rec**ue**rdan	p**i**do p**i**des p**i**de pedimos pedís p**i**de
otros verbos: **querer, sentar, empezar, comenzar, perder, preferir, sentir**, etc.	otros verbos: **poder, dormir, morir, volar, costar, volver, encontrar**, etc.	otros verbos: **seguir, repetir, competir, reír**, etc.

Atención: la **u** del verbo jugar se transforma también en **ue**: j**ue**go, j**ue**gas, j**ue**ga, j**ue**gan.

Existen otras irregularidades, que afectan a las consonantes de la raíz.

aparece una **g** antes de la terminación **-o** de la primera persona del singular (**yo**).	en los verbos que terminan en **-acer**, **-ecer**, **-ocer** y **-ucir**, la **c** de la raíz se transforma en **zc** en la primera persona del singular (**yo**).	la primera persona del singular (**yo**) es irregular.
poner → pon**g**o salir → sal**g**o valer → val**g**o traer → trai**g**o caer → cai**g**o	nacer → na**zc**o conocer → cono**zc**o parecer → pare**zc**o	dar → **doy** caber → **quepo** ver → **veo**

Atención: algunos verbos presentan, además de la irregularidad **-g-** en la primera persona, alteraciones vocálicas en las otras personas.

e → ie

tener: *ten**g**o, t**ie**nes, t**ie**ne...*

e → i

decir: *di**g**o, d**i**ces, d**i**ce...*
venir: *ven**g**o, v**ie**nes, v**ie**ne...*

Existen algunos verbos con irregularidades propias.

haber	estar	ir	ser	hacer	saber
he	estoy	voy	soy	hago	sé
has	estás	vas	eres	haces	sabes
ha	está	va	es	hace	sabe
hemos	estamos	vamos	somos	hacemos	sabemos
habéis	estáis	vais	sois	hacéis	sabéis
han	están	van	son	hacen	saben

Al conjugar los verbos acabados en **-ger** y **-gir**, **-guir** y **-quir** hay que tener en cuenta las reglas ortográficas.

recoger → *recojo*

elegir → *elijo*

distinguir → *distingo*

No valgo para esto de aprender idiomas...
Sí que los conozco, ¡si hasta aparezco en ellos!

Eso es porque no conoces los Cuadernos de gramática española.

4 PROBLEMAS CON LOS IRREGULARES A1

A. Jenny tiene algunos problemas con los verbos irregulares. ¿Puedes ayudarla? Corrige las formas equivocadas.

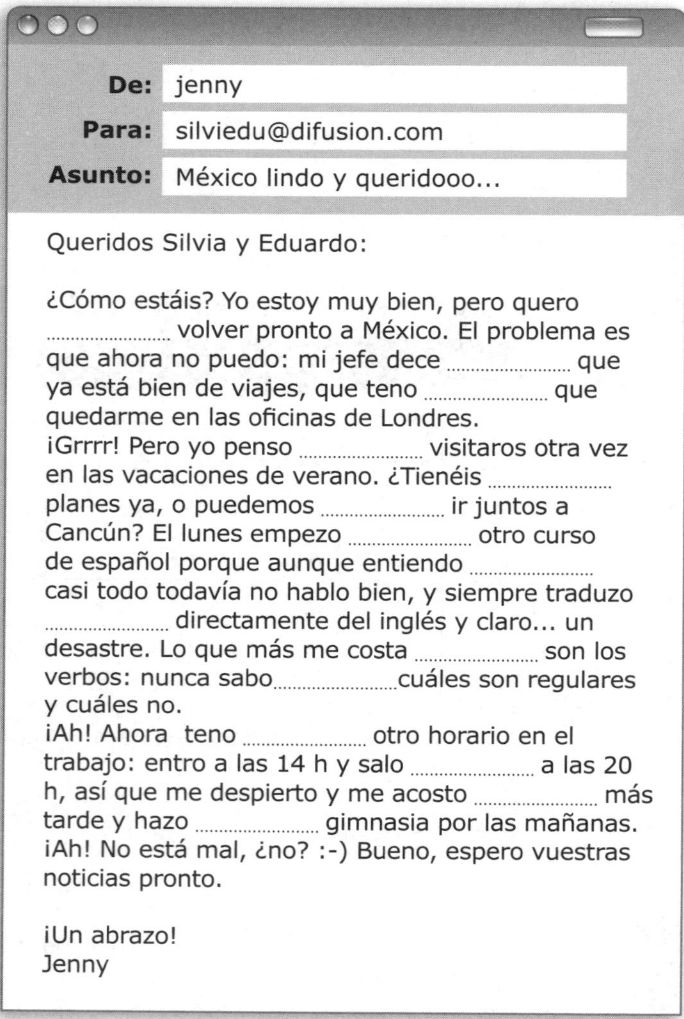

De: jenny
Para: silviedu@difusion.com
Asunto: México lindo y queridooo...

Queridos Silvia y Eduardo:

¿Cómo estáis? Yo estoy muy bien, pero quero .... volver pronto a México. El problema es que ahora no puedo: mi jefe dece .... que ya está bien de viajes, que teno .... que quedarme en las oficinas de Londres.
¡Grrrr! Pero yo penso .... visitaros otra vez en las vacaciones de verano. ¿Tienéis .... planes ya, o puedemos .... ir juntos a Cancún? El lunes empezo .... otro curso de español porque aunque entiendo .... casi todo todavía no hablo bien, y siempre traduzo .... directamente del inglés y claro... un desastre. Lo que más me costa .... son los verbos: nunca sabo....................cuáles son regulares y cuáles no.
¡Ah! Ahora teno .... otro horario en el trabajo: entro a las 14 h y salo .... a las 20 h, así que me despierto y me acosto .... más tarde y hazo .... gimnasia por las mañanas. ¡Ah! No está mal, ¿no? :-) Bueno, espero vuestras noticias pronto.

¡Un abrazo!
Jenny

¡Muchas gracias por tu ayuda!

B. Escribe ahora la respuesta conjunta que le han escrito Silvia y Eduardo a Jenny.

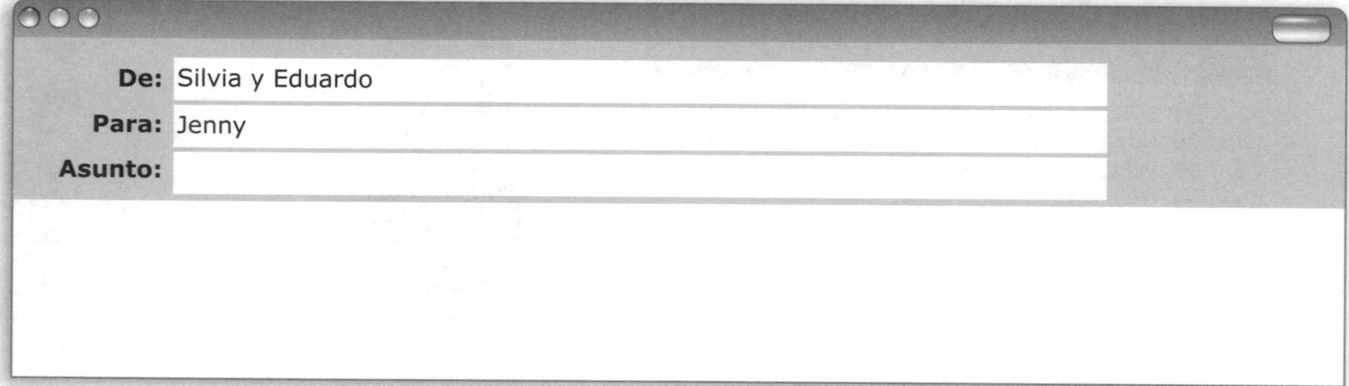

De: Silvia y Eduardo
Para: Jenny
Asunto:

5 ¿QUÉ HACES ESTA SEMANA? A1

A. Elige el verbo adecuado y conjúgalo en la forma correcta.

1. ¿QUÉ SABES DE NICARAGUA?

Nicaragua .... en Centroamérica. .... 5,5 millones de habitantes. Los nicaragüenses .... español. La moneda .... el Córdoba.

hablar / estar / ser / tener

2. ¿CÓMO ES TU DÍA A DÍA?

Mis horarios son muy regulares : siempre .... a las 7.30 h, ... de casa y .... en una cafetería cerca de la oficina con mis compañeros. .... de 9 a 17 h, de lunes a viernes. Los martes y viernes .... al gimnasio y los lunes y jueves .... clase de alemán. Los sábados, por lo general, ... al tenis con mi marido.

tener / ir / trabajar / jugar / ducharse / salir / desayunar / levantarse

3. ¿CÓMO ES TU SEMANA?

.... todos los días hasta las seis y media. El lunes y el miércoles .... al cursillo cuando .... de trabajar; el martes .... al fútbol y el jueves .... teatro. ¿Tú .... quedar el viernes por la tarde?

trabajar / salir / poder / jugar / tener / ir

B. Elige entre los textos 2 y 3 del apartado **A** y escribe uno similar con información personal.

6 SI LO QUIERES HACER... B1

Completa estas frases siguiendo los modelos.

1. Si quieres venir, vienes
2. Si quiero traer el pan, lo traigo
3. Si queréis empezar, ...
4. Si queremos volver, ...
5. Si quiero dormir, ...
6. Si ustedes quieren soñar, ...
7. Si quiere repetir, ...
8. Si quieres traer al perro, ...
9. Si queréis conocer la ciudad, ...
10. Si queremos ver la tele, ...
11. Si quiero caerme, ...
12. Si ustedes quieren salir, ...
13. Si quiere jugar, ...
14. Si queréis recordar la experiencia, ...
15. Si queremos encontrar la salida, ...
16. Si quiero perderme, ...
17. Si ustedes quieren competir, ...
18. Si quiere seguir, ...
19. Si quieres conducir, ...
20. Si queréis dar el regalo, ...

7 ¡HOLA, MARTA! A2

A. Lee el correo electrónico que Sabine le ha escrito a una amiga y marca los verbos en presente que aparecen en él.

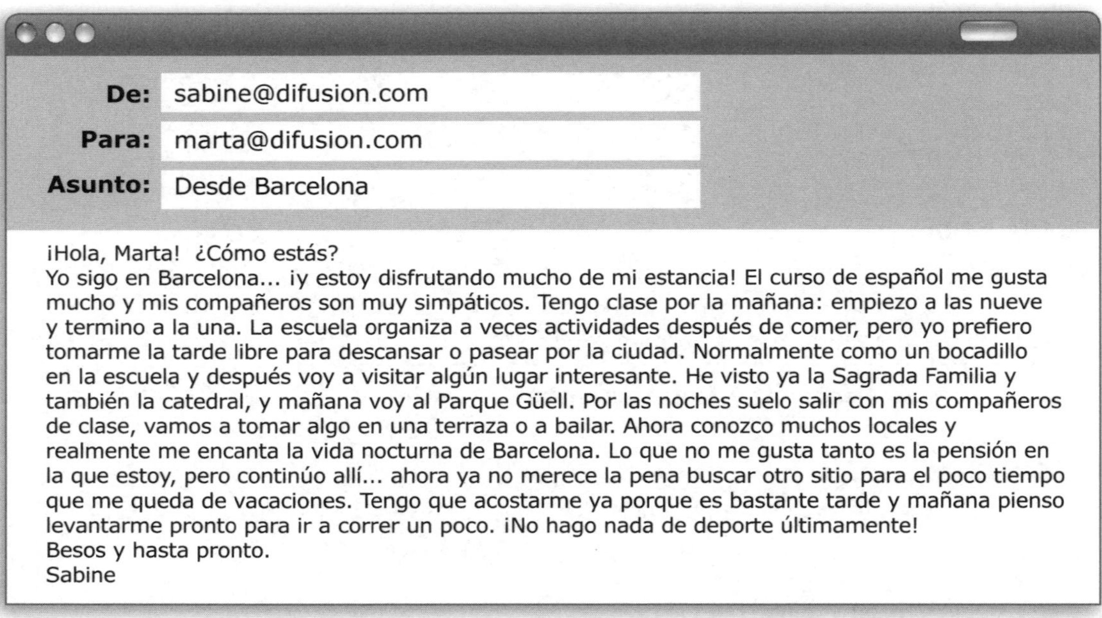

De: sabine@difusion.com
Para: marta@difusion.com
Asunto: Desde Barcelona

¡Hola, Marta! ¿Cómo estás?
Yo sigo en Barcelona... ¡y estoy disfrutando mucho de mi estancia! El curso de español me gusta mucho y mis compañeros son muy simpáticos. Tengo clase por la mañana: empiezo a las nueve y termino a la una. La escuela organiza a veces actividades después de comer, pero yo prefiero tomarme la tarde libre para descansar o pasear por la ciudad. Normalmente como un bocadillo en la escuela y después voy a visitar algún lugar interesante. He visto ya la Sagrada Familia y también la catedral, y mañana voy al Parque Güell. Por las noches suelo salir con mis compañeros de clase, vamos a tomar algo en una terraza o a bailar. Ahora conozco muchos locales y realmente me encanta la vida nocturna de Barcelona. Lo que no me gusta tanto es la pensión en la que estoy, pero continúo allí... ahora ya no merece la pena buscar otro sitio para el poco tiempo que me queda de vacaciones. Tengo que acostarme ya porque es bastante tarde y mañana pienso levantarme pronto para ir a correr un poco. ¡No hago nada de deporte últimamente!
Besos y hasta pronto.
Sabine

B. Ahora clasifica los verbos que has marcado en el siguiente cuadro. Escribe, al lado, su forma en infinitivo.

Verbos regulares	e → ie	o → ue u → ue	e → i	+g (1.ª persona)	+ zc (1.ª persona)	Verbos con irregularidades propias
						estás (estar)

C. Reescribe el correo de Sabine imaginando que lo han escrito dos personas: Sabine y Martina. Deberás realizar algunas transformaciones.

Nosotras seguimos en...

ESTRATEGIA

No existe una manera de prever si un verbo presenta o no un cambio vocálico. Para recordar qué verbos tienen este tipo de irregularidad, puede ser útil memorizar algunas frases o expresiones que los contengan, como por ejemplo, "Si quieres, puedes".

8 EL POMBERO B1

Este texto es una descripción de El Pombero, un personaje de la mitología guaraní. Coloca en los huecos los verbos de las etiquetas conjugados en presente de indicativo.

POMBERO

El Pombero o Pomberito .... un personaje de la mitología guaraní. Se lo representa como un hombre bajo, fuerte y moreno con vello abundante y unos brazos tan largos que los arrastra por el suelo. A veces .... un enorme sombrero de paja y .... con ropas viejas. Sus pies se pueden dar la vuelta para confundir a aquellos que .... seguirlo. .... la boca grande y alargada y los dientes muy blancos.

ser | **tener** | **vestirse** | **querer** | **llevar**

El Pombero puede ser amigo o enemigo del hombre, según la conducta de este. Si el hombre .... tenerlo como aliado, ... dejarle ofrendas por la noche, como tabaco, miel o "kaña", una bebida alcohólica originaria de Paraguay. Generalmente, la gente del campo le .... favores, como hacer crecer los cultivos o cuidar de los animales de corral; pero, si alguien le .... un favor, le .... no olvidarse de hacer la misma ofrenda durante treinta días, porque si no .... de hacerlo, el Pombero podría enfurecerse.

acordarse | **desear** | **convenir** | **pedir** | **deber** | **pedir**

Según la creencia, no se .... pronunciar su nombre –sobre todo de noche–, hablar mal de él o silbar por la noche, porque eso lo .... enojar. Para no ofenderlo, la gente prefiere nombrarlo en voz baja y .... pronunciar su nombre en las reuniones nocturnas.

deber | **evitar** | **poder**

Inicialmente era considerado un genio protector de las aves de la selva. Sin embargo, a medida que el mito evoluciona, ... nuevas habilidades, como la de mimetizarse y adoptar la forma de cualquier animal. También es descrito como un personaje travieso que .... la casa, ... los objetos, rompe o estropea los aparatos, ... a los animales, roba tabaco, miel, huevos o gallinas.

desordenar | **perder** | **asustar** | **adquirir**

Adaptado de http://es.wikipedia.org/wiki/Pombero

Usos del presente

- Usamos el presente de indicativo con valor atemporal para expresar una verdad general independiente del tiempo, como en las definiciones (1), los refranes (2) y las afirmaciones de carácter científico (3).

La vaca ***es*** *un mamífero. (1)*

No por mucho madrugar ***amanece*** *más temprano. (2)*

Las plantas de la familia de las Rosáceas ***tienen*** *flores de cinco pétalos. (3)*

- También para referirnos al presente cronológico, es decir, para afirmar o preguntar sobre cosas que presentamos como ciertas en el momento actual.

¿Tu hermana ***vive*** *en Múnich?*

Estoy *en el Café Serrano.*

- Para hablar de situaciones que empezaron en el pasado y que se prolongan hasta ahora.

Hace diez años que ***trabaja*** *en esta empresa.*

- Para expresar condiciones referidas al presente o al futuro cronológico, en oraciones introducidas por **si**, cuando presentamos esa condición como algo realizable o posible.

Si ***tienes*** *frío, cierra la ventana.* (ahora)

Si ***llegas*** *tarde, no me despiertes, ¿vale?* (después)

- Para hablar de hábitos o acciones que se repiten de manera regular.

María ***cena*** *con su novio todos los días.*

- Para hablar del futuro cuando queremos presentar la información como segura, por ejemplo, cuando hablamos del futuro programado o del futuro inmediato.

Mañana ***viajo*** *a Barcelona.*

Ahora mismo ***salgo****.*

- Para dar instrucciones.

Sigues *todo recto por esa calle y después* ***tomas*** *la segunda a la izquierda...*

- Con valor de pasado. Para relatar, normalmente por escrito, en presente histórico.

En 1396, los ejércitos otomanos de Beyazid I ***vencen*** *a las fuerzas de Segismundo de Hungría.*

9 PROBLEMAS CON EL ESPAÑOL A2

A. Estas personas estudian español y cuentan cuáles son los problemas que tienen. Completa los textos con los verbos que tienes debajo en la forma adecuada del presente de indicativo.

Ali Azad, inglés, 33 años

«Yo .... en España desde hace casi diez años. Así que, como he aprendido el español en la calle, lo que me .... más fácil es entender a la gente, pero a veces .... literalmente frases de mi idioma al español y, claro, la gente no .... lo que .... decir. Tampoco domino la gramática y por eso, aunque .... hablar con mucha fluidez, todavía cometo errores.»

traducir | **entender** | **vivir** | **querer** | **resultar** | **poder**

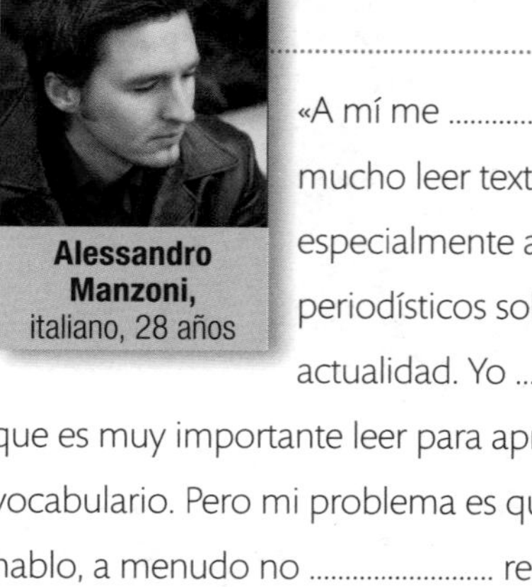

Alessandro Manzoni, italiano, 28 años

«A mí me .... mucho leer textos en clase, especialmente artículos periodísticos sobre temas de actualidad. Yo .... que es muy importante leer para aprender vocabulario. Pero mi problema es que, cuando hablo, a menudo no .... recordar las palabras que necesito y .... nervioso.»

creer | **poder** | **gustar** | **ponerse**

Keiko Oshima,
japonesa, 43 años

«Yo tengo a veces problemas cuando la gente .... muy rápido, y no .... nada. Intento concentrarme en lo que .... , pero es muy difícil, por eso me .... escuchar música en español: para entrenar el oído.»

hablar | **decir** | **encantar** | **entender**

Sabine Eichner,
alemana, 32 años

«A mí lo que más me .... es acordarme de las formas de los verbos. .... la gramática y no .... problemas cuando escribo pero, cuando hablo, siempre cometo errores en la conjugación de los verbos. Me da mucha rabia.»

tener | **costar** | **conocer**

10 LA MONJA ALFÉREZ *B1*

Esta es la historia de Catalina de Erauso, una famosa monja soldado española. Modifica los verbos que aparecen marcados en infinitivo y conjúgalos en presente.

Hija de Miguel de Erauso y de María Pérez de Gallárraga y Arce. A muy corta edad (ser) .... internada en el convento de San Sebastián el Antiguo. Sin embargo, parece que su carácter pendenciero y violento no era muy apropiado para la vida enclaustrada. Tras una riña con una novicia que se había atrevido a golpearla (ser) .... confinada a su celda, de la que (escapar) .... disfrazada de campesino. Contaba entonces 15 años de edad. (andar) .... de pueblo en pueblo y (llegar) .... hasta Valladolid. Desde allí (volver) .... a Bilbao. Todo este tiempo lo (pasar) .... disfrazada de hombre, con el pelo corto y usando distintos nombres, como Pedro de Orive, Francisco de Loyola, Ramírez de Guzmán o Antonio de Erauso. Posteriormente (ir) .... a Sanlúcar de Barrameda y (embarcar) .... hacia América. En Perú (alistarse) .... como soldado bajo el mando de distintos capitanes.

En 1619, al servicio de la corona, (luchar) .... en la Guerra de Arauco contra los mapuches en el actual Chile, ganándose la fama de ser valiente y hábil con las armas y sin revelar que era una mujer. Con estos méritos (alcanzar) .... el grado de alférez. Al parecer, durante estos años se (ver) .... envuelta en numerosas peleas y disputas como, por otra parte, era normal entre los soldados.

(...) En 1623 (ser) .... detenida en Huamanga, Perú, a causa de una disputa. Para evitar su ajusticiamiento (pedir) .... clemencia al obispo, Agustín de Carvajal, al que le (contar) .... que era en realidad una mujer y que había estado en un convento. Tras un examen por parte de un conjunto de matronas, que (determinar) .... que era cierto que se trataba de una mujer y que además era virgen, el obispo la (proteger) .... y (ser) .... enviada a España. Allí la (recibir) .... el rey Felipe IV de España que le (mantener) .... su graduación militar y le (llamar) .... monja alférez, a la vez que le permitía emplear su nombre masculino. El relato de sus aventuras (extenderse) .... por Europa, y Catalina (visitar) .... Roma donde (ser) .... recibida por el papa Urbano VIII. El pontífice la (autorizar) .... a continuar vistiendo de hombre.

(extraído de http://es.wikipedia.org/wiki/Catalina_de_Erauso)

11 ¿ERES UN BUEN COMPAÑERO DE TRABAJO? B1

A. Si quieres averiguarlo, completa las frases de este test con los verbos en presente de indicativo y contesta a las preguntas.

1. Si un compañero de trabajo .... (coger) un bolígrafo de tu mesa sin preguntarte...

☐ **a.** te molesta mucho pero no .... (decir) nada porque no .... (querer) parecer agresivo.

☐ **b.** le .... (decir) que por favor te pregunte antes de coger cosas de tu mesa.

☐ **c.** le .... (gritar) malhumorado: "¡Deja inmediatamente mi bolígrafo en su sitio!".

☐ **d.** no te molesta, al fin y al cabo los bolígrafos no .... (ser) tuyos, sino de la empresa.

---

2. Si .... (darse) cuenta de que un compañero tuyo no asume sus responsabilidades y llega siempre tarde al trabajo...

☐ **a.** .... (ser) problema suyo. No te metes en el asunto.

☐ **b.** hablas con él del tema y le .... (advertir) de que eso es perjudicial para la empresa y puede traerle problemas.

☐ **c.** se lo .... (comunicar) inmediatamente al encargado de personal.

☐ **d.** no dices nada y .... (aprovechar) para llegar tú también tarde.

---

3. Si un compañero .... (hablar) mal de otro colega o del jefe durante las pausas de trabajo...

☐ **a.** .... (evitar) encontrarte con él y buscas la compañía de otras personas.

☐ **b.** le dices amablemente que no te gusta hablar mal de personas que no .... (estar) presentes.

☐ **c.** se lo .... (contar) todo al jefe.

☐ **d.** .... (empezar) a criticar también al jefe, que te cae fatal.

---

4. Si un compañero te .... (pedir) que le expliques un asunto de trabajo que él no .... (entender) cómo funciona...

☐ **a.** se lo explicas de mala gana e .... (intentar) no perder demasiado tiempo.

☐ **b.** se lo explicas lo mejor que .... (poder). Tal vez otra vez necesites su ayuda.

☐ **c.** .... (excusarte) diciendo que tú no sabes nada de eso. ¡Que se busque la vida!

☐ **d.** le dices que .... (tener) que esperar a que termines tu trabajo y que después se lo explicarás, si puedes.

---

5. Si un colega te .... (contar) un asunto de su vida privada...

☐ **a.** le agradeces la confianza y .... (mantener) la discreción.

☐ **b.** le dices que no te .... (gustar) hablar de tu vida privada en el trabajo, ni que los colegas te cuenten la suya.

☐ **c.** en cuanto tu colega .... (irse) al servicio, le dices a otro compañero: "¿Sabes lo que me acaba de contar?".

☐ **d.** le contestas que estás ocupado y le .... (dar) el teléfono de un psicólogo.

6. **Si tienes que trabajar en un proyecto con un colega muy lento y puntilloso...**

- ☐ **a.** .... (intentar) pactar plazos razonables, pero serios; para que cada uno termine a tiempo su parte del trabajo.
- ☐ **b.** .... (hablar) con el jefe para que te busque otro compañero de proyecto con el que seas más compatible.
- ☐ **c.** le dices a tu jefe que .... (preferir) trabajar solo, mejor que con un incompetente.
- ☐ **d.** intentas que le toque al otro la mayor parte del trabajo y así, si no termináis a tiempo, ... (poder) echarle la culpa.

7. **Si en la fiesta de Navidad de la empresa te toca sentarte con compañeros a los que no conoces mucho...**

- ☐ **a.** lo .... (sobrellevar) lo mejor posible; pero intentas sentarte a la hora del café en la mesa de los conocidos.
- ☐ **b.** para ti no es ningún problema, te puedes relacionar con cualquiera, ... (ser) una persona sociable.
- ☐ **c.** te pones de mal humor, no hablas con nadie y .... (marcharse) a casa en cuanto terminas de comer.
- ☐ **d.** .... (tomarse) dos copitas de vino para animarte y empiezas a contarle chistes al Jefe de Ventas.

B. Cuenta tus respuestas. ¿A qué tipo de compañero perteneces?

- ☐ Mayoría de respuestas A
- ☐ Mayoría de respuestas B
- ☐ Mayoría de respuestas C
- ☐ Mayoría de respuestas D

110 **C.** Escucha lo que dice este documento sobre los "cuatro tipos de compañeros", toma notas y compáralo con tus resultados. ¿Estás de acuerdo con lo que dice?

1. Mayoría de respuestas A ....
2. Mayoría de respuestas B ....
3. Mayoría de respuestas C ....
4. Mayoría de respuestas D ....

ESTRATEGIA

El tiempo verbal usado en un texto es, a veces, una cuestión de estilo o de punto de vista. Observar los recursos típicos de un tipo de texto (los tiempos verbales utilizados, el léxico, las estructuras, etc.) te servirá para entender mejor esos textos y, en caso de deber hacerlo, reproducirlos mejor.

Las formas no personales del verbo

Las formas no personales del verbo no se conjugan y no expresan ni tiempo ni persona por sí mismas. En español hay tres: el infinitivo, el gerundio y el participio.

Infinitivo	Participio	Gerundio
comprar	comprado	comprando

El infinitivo es la forma básica del verbo y lleva una terminación que determina el tipo de conjugación del verbo: **-ar**, **-er** o **-ir**. El infinitivo puede funcionar como sustantivo y realiza las funciones de este dentro de la frase.

Sujeto	***Nadar*** *reduce el estrés.* *Me encanta* ***dormir****.*
Objeto Directo de algunos verbos	*Quiero* ***salir****, ¡me aburro!* *¿Ir en coche? No, hoy prefiero* ***caminar****.*
Detrás de algunas preposiciones	*¿Me enseñas a* ***bailar*** *salsa?* *Estoy cansado de* ***estudiar****.* *He ahorrado un poco de dinero para* ***ir*** *de vacaciones.*

Pero también puede tener sujeto y complementos.

Objeto directo	***Comer*** *fruta fresca es bueno para la salud.*
Objeto indirecto	*Mi idea es* ***comprarle*** *una cámara de fotos a mi padre.*
Complementos con preposición	*¿Queremos* ***bailar*** *en la pista, ¿no se puede?* *No está bien* ***hablar*** *mal de las personas ausentes.*

El infinitivo no expresa el tiempo ni la persona, pero podemos saber esta información por otros elementos de la frase.

Ya es muy tarde, quiero ***volver*** *a casa.* [sujeto de volver: yo]

Viajar *a África ha sido una experiencia inolvidable.* [tiempo de viajar: pasado]

Atención: los pronombres de OD, OI y reflexivos se colocan después del infinitivo, formando una sola palabra.

*Será mejor explicár**selo** otra vez.*

*No sirve de nada preocupar**se** por ese tema.*

También es frecuente el uso del infinitivo en lugar del imperativo en instrucciones y órdenes, sobre todo escritas, de carácter no personal, es decir, no dirigidas a una persona en particular.

No ***aparcar****.*

Seleccionar *el producto e* ***introducir*** *el dinero en la ranura.*

Siempre me pasa lo mismo.
PROHIBIDO APARCAR PARA PERSONAJES EN BLANCO Y NEGRO

1 UN RELOJ DE PULSERA SIRVE PARA... A1

¿Recuerdas el nombre de estas cosas? ¿Para qué se utilizan? Contesta como en el ejemplo.

9. El teléfono se usa para hablar con los que están lejos ....

10. ....

11. ....

12. ....

13. ....

14. ....

15. ....

16. ....

2 PAREJAS DE VERBOS B1

No son exactamente contrarios o complementarios, pero podemos decir que...

1. Lo "contrario" de reír es: ....
2. Lo "contrario" de nacer es: ....
3. Lo "contrario" de empezar es: ....
4. Lo "contrario" de perder es: ....
5. Lo "contrario" de amar es: ....
6. Lo "complementario" de comprar es: ....
7. Lo "complementario" de dar es: ....
8. Lo "contrario" de saber es: ....
9. Lo "contrario" de hacer es: ....
10. Lo "contrario" de sentarse es: ....
11. Lo "contrario" de encender es: ....
12. Lo "contrario" de tapar es: ....
13. Lo "contrario" de subir es: ....
14. Lo "contrario" de montar es: ....

3 PORRUSALDA B1

En esta receta, las instrucciones se dan en forma impersonal. Encuentra qué verbos se pueden formular en infinitivo para dar la receta a modo de instrucción y reescríbela modificando lo que sea necesario.

INGREDIENTES

Para 6 personas

- 1 kg de bacalao
- 6 puerros medianos
- ¾ kg de patatas
- 4 cucharadas soperas de aceite
- 2½ litros de agua

ELABORACIÓN

Se pone el bacalao en remojo en agua fría la víspera. Se cambia de cazo y de agua varias veces, para que quede bien desalado. Se mete el bacalao desalado en ½ litro de agua fría y se separa cuando rompe a hervir. Se le quitan entonces las espinas y la piel y se conserva el agua donde ha cocido. Aparte, en un cazo, se echa el aceite, se calienta y se echan los puerros partidos en trozos, se rehogan un poco sin que tomen color (unos 5 minutos) y se añaden las patatas peladas y cortadas en cuadraditos, que también se rehogan un poco. Se incorporan los 2 litros de agua (fría) y se deja cocer durante 35 minutos más o menos (según la clase de patatas). Estas deben quedar enteras. Se agrega entonces el bacalao con su agua y se deja cocer todo junto otros 10 minutos. Se rectifica de sal y se sirve en sopera.

El gerundio (I)

El gerundio es una forma no personal del verbo que permite expresar una acción vista en su desarrollo. Si no forma parte de una perífrasis, funciona como un adverbio de modo, es decir, responde a la pregunta **¿cómo?**.

- *¿Cómo ha conseguido terminar la carrera de ingeniero en cuatro años?*
- *Pues **estudiando** mucho y **siendo** muy constante.*

El gerundio es invariable y se forma añadiendo **-ando** a la raíz de los verbos de la primera conjugación (**-ar**) y **-iendo** a la raíz de los verbos de la segunda y la tercera conjugación (**-er**/**-ir**).

TERMINADOS EN -AR	TERMINADOS EN -ER	TERMINADOS EN -IR
escuchar → escuch**ando**	aprender → aprend**iendo**	vivir → viv**iendo**

En algunos verbos se producen cambios de vocal en la raíz.

En los verbos de la tercera conjugación (**-ir**) cuya última vocal de la raíz es una **e**, esta cambia a **i**.

decir → *d**i**ciendo*
mentir → *m**i**ntiendo*
preferir → *pref**i**riendo*
reir → *r**i**endo*

Hay un grupo pequeño de verbos con una **o** en la raíz que cambia a **u**.

dormir → *d**u**rmiendo*
morir → *m**u**riendo*
poder → *p**u**diendo*

El verbo **ir** y los verbos acabados en **-er**/**-ir** cuya raíz termina en vocal tienen la terminación **-yendo.**

traer → *tra**y**endo*
leer → *le**y**endo*
oír → *o**y**endo*
ir → ***y**endo*

El gerundio por sí solo también expresa la simultaneidad de dos acciones.

*Se fue **llorando**.*

En esta función de adverbio, el gerundio también admite complementos.

*El grupo entró en la plaza **cantando** el himno nacional.*

Atención: la ausencia de una acción simultánea se expresa mediante **sin** + infinitivo.

*Díselo **sin enfadarte**.*

*El grupo entró en la plaza **sin hacer** ruido.*

El gerundio también se usa para situar en el espacio, con expresiones de movimiento.

*La plaza está **bajando** por esta calle, a unos trescientos metros.*

Atención: el gerundio no tiene en español valor de frase relativa ni se puede usar para acciones posteriores a la de la frase principal.

~~Tenemos una caja conteniendo dos ítems diferentes.~~
*Tenemos una caja **que contiene** dos ítems diferentes.*

~~Pasó 2 años en Turquía volviendo a Argentina en 2003.~~
*Pasó 2 años en Turquía **y volvió** a Argentina en 2003.*

Atención: los pronombres átonos se colocan después del gerundio, formando una sola palabra.

*Vive **quejándose** por todo.*

4 PRACTICANDO, QUE ES GERUNDIO A2

A. Completa estas frases usando la forma adecuada del gerundio de los siguientes verbos.

subir | **ir** | **pedir** | **hablar** | **sonreír** | **meter** | **comer** | **dormir** | **sentirse** | **escuchar**

1. Ya sé que estás deprimido pero .... tan mal no vas a solucionar nada. ¡Anímate, hombre!
2. .... por las noches y .... tan poco, vas a ponerte enfermo en menos de un mes.
3. ● ¿Cómo has aprendido tan bien español?
   ❍ Pues .... a la gente y .... con todo el mundo.
4. ● Estás muy en forma, ¿cómo lo haces?
   ❍ .... al gimnasio dos veces por semana y .... escaleras siempre que puedo.
5. ● ¡Esta carne asada está muy tierna! ¿Cómo lo consigues?
   ❍ Pues ....la en leche un día antes de asarla.
6. .... a la gente y .... las cosas que necesitas por favor, es más fácil conseguir cualquier cosa.

B. Completa los huecos con formas del gerundio de los verbos siguientes.

trabajar	comer	descansar	quejarse
actuar	tocar	contar	cuidar
nadar	subir		

1. Carlos es muy divertido, se pasó el viaje .... chistes.
2. Se pagó los estudios .... de camarera, y después .... niños.
3. Hay una única manera de aprender a nadar: ¡..............................!
4. ¿La librería Ruiz y Peña? Sí, está aquí, ... por esta calle, en la segunda esquina.
5. .... no es como resolverás tus problemas: actúa.
6. ● ¿Y Luisa?
   ❍ Estaba muy cansada, prefirió quedarse en casa ....
7. El otro día te vi .... el arpa; no sabía que eras músico.
8. Lucas no tiene modales ....: mastica con la boca abierta y hace un ruido horrible.
9. No me quiero retirar del teatro, quiero morir ....

Las perífrasis

Las perífrasis verbales son construcciones que se forman con dos o más verbos: uno conjugado (cuyo significado original se ve modificado) y otro en forma no personal (infinitivo, gerundio o participio). Estos verbos pueden estar conectados por una preposición o por otro tipo de nexo.

*¿**Sigues viviendo** en la misma casa?*

*Este verano **voy a quedarme** en la ciudad.*

***Hay que presentar** la solicitud antes del 15 de mayo.*

Querer / saber / tener que / poder + infinitivo

Con **querer** + infinitivo expresamos un deseo.

● *¿Qué **quieres hacer** esta tarde?*
❍ *No sé, nada especial.*
● *Pues yo **quiero ver** la película de Álex de la Iglesia, ¿vamos al cine?*

El verbo **querer** es irregular.

	querer
Yo	qui**e**ro
Tú	qui**e**res
Él/ella/usted	qui**e**re
Nosotros/nosotras	queremos
Vosotros/vosotras	queréis
Ellos/ellas/ustedes	qui**e**ren

Tener que + infinitivo se utiliza para expresar necesidad u obligación.

● *¿Vienes a la fiesta de Paz?*
❍ *No puedo, **tengo que estudiar.***

El verbo **tener** es irregular.

	tener
Yo	ten**g**o
Tú	t**ie**nes
Él/ella/usted	t**ie**ne
Nosotros/nosotras	tenemos
Vosotros/vosotras	tenéis
Ellos/ellas/ustedes	t**ie**nen

Saber + infinitivo se utiliza para hablar de habilidades.

● *¿**Sabes conducir**?*
○ *Sí, tengo el carné de conducir*

El verbo **saber** es irregular en la primera persona del singular.

	saber
Yo	**sé**
Tú	sabes
Él/ella/usted	sabe
Nosotros/nosotras	sabemos
Vosotros/vosotras	sabéis
Ellos/ellas/ustedes	saben

Para expresar la posibilidad o la disponibilidad para hacer algo usamos **poder** + infinitivo.

*¿**Puedes ver** la televisión italiana desde tu casa?*

*Si estás cansado, **puedo conducir** un rato.*

El verbo **poder** es irregular.

	poder
Yo	**pue**do
Tú	**pue**des
Él/ella/usted	**pue**de
Nosotros/nosotras	podemos
Vosotros/vosotras	podéis
Ellos/ellas/ustedes	**pue**den

Atención: al contrario que en otras lenguas, **poder** + infinitivo no expresa una habilidad.

Perífrasis de infinitivo (I)

Hay una serie de perífrasis de infinitivo que expresan necesidad u obligatoriedad: **tener que** + infinitivo / **deber** + infinitivo / **hay que** + infinitivo.

***Tenemos que acabar** el informe antes de las seis.*

***Debes pensar** más antes de actuar.*

Aunque el significado primero de estas perífrasis es que algo es necesario u obligatorio, se utilizan muchas veces para dar consejos o sugerencias.

***Tienes que ir** a Vigo, es una ciudad preciosa.*

***Hay que pasar** más tiempo con la familia y olvidarse del trabajo.*

Atención: la perífrasis **deber de** + infinitivo expresa probabilidad y no obligación.

***Debe de comprar** el pan aquí.* [= Imagino que compra el pan aquí.]

Atención: la perífrasis **hay que** + infinitivo es impersonal. No se refiere a una persona en particular, sino que se trata de una obligación o necesidad presentada como general.

***Hay que llamar** a la puerta antes de entrar.*
[= Todo el mundo debe llamar.]

5 QUERER ES PODER A1

Completa la tabla con los verbos **tener, querer, saber** y **poder** en la forma adecuada.

Deseos

1. A Pedro le encantan las lenguas: ahora .... aprender ruso.
2. ¿Qué (vosotras) .... hacer este verano?

Posibilidad o disponibilidad

1. No .... ir esta noche a tu fiesta. Lo siento.
2. Luis, ¿ .... esperar un momento, por favor?

Obligaciones

1. Hoy no puedes salir: .... quedarte en casa.
2. ¿Mario .... trabajar hoy? ¡Si es domingo!

Habilidades

1. ¿Tú .... bailar tango? ¡Qué sorpresa!
2. Yo no .... esquiar, pero me gusta mucho la nieve.

6 LA APRETADA AGENDA DE ESTEBAN A1

111 **A.** Esteban es una persona muy ocupada. Escucha la conversación con su amiga Paula y anota en la agenda qué cosas tiene que hacer y cuándo.

Febrero

	lunes 11	martes 12	miércoles 13	jueves 14	viernes 15	sábado 16	domingo 17
mañana	Comer con su hermano						
tarde							
noche							

B. Ahora escribe qué tiene que hacer Esteban cada día.

1. LUNES: El lunes a mediodía tiene que trabajar. Por la noche...
2. MARTES: ....
3. MIÉRCOLES: ....
4. JUEVES: ....
5. VIERNES: ....
6. SÁBADO Y DOMINGO: ....

Perífrasis de infinitivo (II)

Hay una serie de perífrasis de infinitivo que expresan inminencia, comienzo, repetición, interrupción y finalización de la acción expresada mediante el mismo infinitivo.

Ir a + infinitivo

Se utiliza para hablar de acciones futuras vinculadas al momento presente y con las que el hablante se "compromete".

__Vas a mudarte__ en estos días, ¿verdad?

__Voy a llamarlo__ ahora mismo y voy a contarle todo lo que ocurrió.

Estar a punto de + infinitivo

Se utiliza para indicar que la acción es inminente, que va a ocurrir enseguida.

¡Ssshhh! Está a punto de empezar la película...

Comenzar a + infinitivo / **empezar a** + infinitivo

Se utilizan para indicar el comienzo de una acción.

El partido se suspendió porque ***comenzó a nevar****.*

¿Cuándo ***empezaste a estudiar*** *español?*

Volver a + infinitivo

Indica que una acción se repite.

Cuando se jubiló, ***volvió a estudiar*** *idiomas.*

Volveré a llamarlo *la semana próxima.*

Dejar de + infinitivo

Indica la interrupción de una acción.

*¡Mira! ¡****Ha dejado de llover****!* [= ya no llueve]

*¡****Deja*** *ya* ***de preocuparte*** *por todo!* [= no te preocupes más]

Acabar de + infinitivo / **terminar de** + infinitivo

Indican el final de una acción.

¡Por fin ***han terminado de poner*** *el pavimento!*

Aún no ***he acabado de leer*** *el libro que me prestaste.*

Atención: acabar de + infinitivo (en presente o en imperfecto) se usa también para referirse a una acción reciente o inmediatamente anterior a otra pasada.

Acabo de llamar *a Eduardo. Me ha dicho que ya ha acabado de corregir los borradores.* [He llamado a Eduardo hace un momento y...]

Acababas de salir *cuando te llamaron.* [Saliste y justo después te llamaron.]

7 ACABO DE TERMINAR B1

Reemplaza la parte marcada en estas frases por una perífrasis de infinitivo.

1. La película empieza en unos segundos.
   La película está a punto de empezar .

2. En tu lugar, yo llevaría un paraguas... mira esas nubes: va a llover de un momento a otro.
   ....

3. Bueno, ya está: he lavado los platos. ¿Qué hago ahora?
   ....

4. Hace un momento han llamado de la agencia, querían hablar contigo.
   ....

5. Carla comenzó sus estudios en Madrid, pero luego se pasó a la Universidad de Málaga.
   ....

6. ● ¿Tardarás mucho en acabar el informe?
   ○ No, enseguida lo termino, espérame dos minutos...
   ....

7. ¡No molestes más a los niños!
   ....

8. ● ¿Siguen juntos Orlando y Florencia?
   ○ ¡No! ¿No lo sabías? Se separaron hace ya cinco años... Hace poco ella se casó otra vez.
   ....

9. ● ¿Desde cuándo fumas?
   ○ Hace más de diez años, pero la semana próxima comenzaré un tratamiento para no fumar más.
   ....

8 ¿QUÉ HAY QUE HACER? B1

A. Escribe un consejo para conseguir estas cosas.

1. Para tener unos dientes blancos.

Hay que..

2. Para tener un cabello sano y fuerte.

Hay que..

3. Para tener una piel sana.

Hay que..

4. Para quitar un chicle pegado en la ropa.

Hay que..

5. Para llegar a los 100 años.

Hay que..

6. Para llegar a los 50 años de casados.

Hay que..

7. Para tener plantas siempre verdes y exuberantes.

Hay que..

8. Para no tener acidez de estómago.

Hay que..

112 **B.** Escucha ahora a varias personas dando sus propios consejos. ¿Coinciden con los tuyos?

¿Qué puedo hacer para estar delgado antes de este verano?

Para adelgazar hay que hacer deporte y comer verdura.

Estar + gerundio

Estar + gerundio es una perífrasis que usamos para presentar una acción en su desarrollo. Usamos esta estructura para expresar que la acción sucede en el momento preciso en el que estamos hablando.

Carmelo no viene al cine porque ***está esperando*** *una llamada de su novia, que está en los Andes.* [Carmelo espera mientras hablamos]

Perdona pero tengo que colgar, ***están llamando*** *a la puerta.*

● *¿Qué* ***está haciendo*** *Pati con el pan?*
○ ***Está mojándolo*** *en leche para hacer torrijas.*

¿Qué tal? ¿Qué estás haciendo?
Nada, estoy cocinando, preparando unas empanadillas para Encarna.

Con **estar** + gerundio también podemos presentar las acciones como algo habitual pero restringido a un cierto espacio de tiempo.

Me levanto a las 8. [=siempre, normalmente, los días laborables…]

Me ***estoy levantando*** *a las 8.* [=este último mes, estas últimas semanas…]

Estoy viendo *mucho a tu jefe por el barrio, ¿se ha mudado aquí?* [=últimamente]

Atención: por su significado, esta perífrasis se usa típicamente con verbos que expresan actividad, pero no con verbos que expresan estado, capacidad, hábitos o conocimiento, como **estar, poder, soler, conocer, saber, creer**, etc. Tampoco se usa con **tener** cuando expresa posesión, ni con **llevar** cuando significa **usar una prenda de ropa**.

Hoy el cielo está muy azul.
~~*Hoy el cielo está estando muy azul.*~~

Puedo hacer varias cosas a la vez.
~~*Estoy pudiendo hacer varias cosas a la vez.*~~

Suele ir a la piscina.
~~*Está soliendo ir a la piscina.*~~

Sabemos montar en bicicleta.
~~*Estamos sabiendo montar en bicicleta.*~~

Carla tiene un apartamento en la playa.
~~*Carla está teniendo un apartamento en la playa.*~~

Pero...

La nueva película de Benicio del Toro ***está teniendo*** *mucho éxito.*

Tania ***está llevando*** *a los niños al cole.*

Con la perífrasis **estar** + gerundio, los pronombres personales se colocan antes del verbo **estar** o después del gerundio, formando una única palabra.

- *¿Qué tal la novela que te he dejado?*
- *La* ***estoy terminado****, me encanta. =* ***Estoy terminándola****, me encanta.*

Seguir + gerundio

Indica que una acción no se ha interrumpido.

Siguen yendo *a la casa de la montaña todos los veranos.*

Atención: recuerda que para marcar la ausencia de acciones, en las perífrasis con **llevar** y **seguir** se usa **sin** + infinitivo.

Siguen sin saber *la verdad, es increíble.*

Llevan sin venir *a casa cuatro años.*

9 ¿QUÉ ESTÁN HACIENDO? A2

Marta, su marido Luis y su hijo Hugo tienen un día a día muy lleno. Observa y di qué están haciendo en cada caso.

1. Aquí Marta .... la ropa.
2. Aquí Marta .... a su hijo.
3. Aquí Marta .... en el despacho.
4. Aquí Hugo .... con su abuela en el parque.
5. Aquí Marta .... la ropa de la lavadora.
6. Aquí Marta .... la compra.
7. Aquí Luis .... a Hugo.
8. Aquí Marta y Luis .... en el comedor.

10 CAMBIOS A2

A. Últimamente Leopoldo ha cambiado un poco. Completa las frases con **estar** + gerundio y los verbos adecuados.

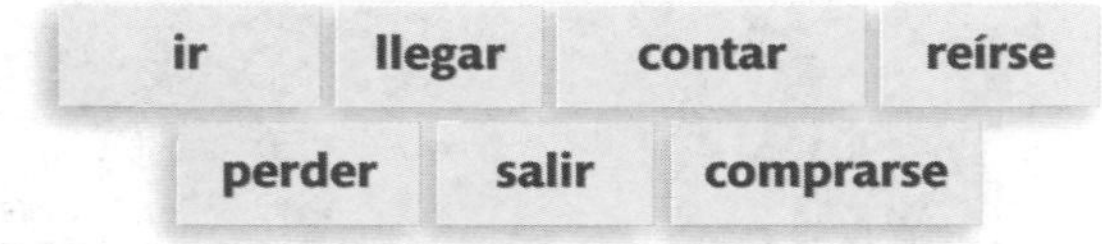

1. Siempre ha sido muy puntual, pero últimamente .... tarde a todos los sitios.
2. Es muy poco deportista y no le gusta hacer ejercicio, pero estas últimas semanas .... cada día a correr.

3. Es alguien muy ordenado y muy organizado, pero estos últimos tiempos .... muchas cosas: las llaves, el pasaporte...
4. Es bastante serio y no sonríe mucho, pero últimamente siempre .... y .... chistes.
5. Tiene gustos bastante clásicos en todo, en la ropa, en la música... pero ahora .... ropa más moderna.
6. Nunca ha tenido novia y no le gusta hablar de asuntos personales, pero creo que .... con alguien.

113–118 **B.** Escucha la audición y comprueba tus respuestas.

11 ¡LLEVO DOS HORAS ESPERÁNDOTE! B1

Reemplaza la parte subrayada en estas frases por una perífrasis de gerundio.

1. Hace dos horas que te espero.
   Llevo dos horas esperándote.
2. Últimamente como demasiados dulces.
   ....
3. ¿Todavía vas al gimnasio o lo has dejado?
   ....
4. ¿Ricardo? ¡Hace ya un año que vive en Dublín!
   ....
5. Cuando volví al país no pude ver a Felipe: estaba de viaje por el interior.
   ....
6. ● ¿Es cierto que te fuiste de la empresa?
   ○ No: trabajo todavía allí.
   ....
7. Aún no tengo noticias de Lucas.
   ....
8. Desde hace seis meses busco un piso para alquilar.
   ....

12 TODO SIGUE IGUAL B1

Completa las frases usando los elementos necesarios para construir perífrasis.

a | de | que | buscar/buscando
hablar/hablando | hacer/haciendo | hacer/haciendo
comprar/comprando | esperar/esperando
ser/siendo | salir/saliendo | ir/yendo
fumar/fumando | pedir/pidiendo

1. ● ¿Tus padres tienen todavía aquel coche antiguo tan bonito?
   ○ Sí, y siguen .... de vacaciones. con él.
2. ● ¿Sigues trabajando en hostelería?
   ○ Sí, pero estoy .... empleo en otro sector.
3. ● ¿Seguís enfadados con Bernardo?
   ○ Sí, nunca volvimos .... con él.
4. ● ¿Qué tal la nueva novia de Bartolo?
   ○ ¿Nueva? ¡Llevan .... 2 años!
5. ● Oye, ese jersey que llevas es un poco viejo, ¿no?
   ○ Sí, tengo .... ropa.
6. ● Has corrido 10 kilómetros en una hora, estás muy en forma.
   ○ Sí, desde que dejé .... y empecé .... deporte soy otro.
7. ¿Estás .... algún régimen? Te veo más delgado.
8. ● ¿Los señores querrán tomar algo?
   ○ Gracias, ahora mismo acabamos .... dos cafés.
9. ● ¿Qué hora es?
   ○ No sé, deben .... las tres o así.
10. ● ¿Puedo empezar a comer, mamá?
    ○ No. Hay .... hasta que todo el mundo está la mesa.

ESTRATEGIA

En este capítulo hemos clasificado las perífrasis en perífrasis de infinitivo y de gerundio, pero es también muy importante entender su significado y prestar atención a las preposiciones y nexos que contienen.

MUNDO PLURILINGÜE

Traduce las siguientes frase a tu lengua o a otra que conozcas bien. ¿Se usan formas personales equivalentes? ¿Hay preposiciones? ¿Qué cambia?

Me encanta vivir aquí.

Llorando no vas a conseguir nada.

Continúas cometiendo los mismo errores

Ha vuelto a marcar un gol, ¡es el mejor!

Deja de marearme, me tienes cansado.

Lo importante es participar.

Formación del pretérito perfecto

El pretérito perfecto es un tiempo compuesto. Se construye con el presente de indicativo del verbo **haber**, que es el verbo auxiliar, más el participio del verbo en cuestión.

	presente de indicativo de haber	participio
(yo)	he	cantado comido salido
(tú)	has	
(él/ella/usted)	ha	
(nosotros/ nosotras)	hemos	
(vosotros/ vosotras)	habéis	
(ellos/ellas/ ustedes)	han	

El participio es invariable y se forma añadiendo **-ado** a la raíz de los verbos de la primera conjugación (**-ar**), y añadiendo **-ido** a la raíz de los verbos de la segunda y de la tercera conjugación (**-er**/**-ir**).

Terminados en -**ar**

encontrar → *encontr**ado***
hablar → *habl**ado***
mostrar → *mostr**ado***

Terminados en -**er**

vender → *vend**ido***
ser → ***sido***
comprender → *comprend**ido***

Terminados en -**ir**

dormir → *dorm**ido***
ir → ***ido***
vivir → *viv**ido***

Algunos participios son irregulares. Estos son algunos de los más frecuentes:

hacer → ***hecho***
decir → ***dicho***
ver → ***visto***
volver → ***vuelto***
poner → ***puesto***
romper → *roto*
escribir → *escrito*
morir → *muerto*
imprimir → *impreso (o imprimido)*
abrir → *abierto*
freír → *frito (o freído)*

Y los compuestos con estos verbos.

Usos del pretérito perfecto (I)

El pretérito perfecto se puede usar para hablar de acontecimientos acabados antes del momento presente. Se usa cuando no queremos o no podemos situar ese acontecimiento en un momento determinado. En este caso, puede estar acompañado de marcadores como **siempre, nunca, una vez, alguna vez, algunas veces, ya, todavía no.**

● *¿**Habéis estado** (alguna vez) en Santiago?*
○ *Sí, **he ido** dos veces, es una ciudad que me encanta.*
● *Yo no **he estado** nunca...*

● *¿Todavía no **has acabado** el informe?*
○ *Lo siento, **he tenido** un problema.*

¡Nunca he ido de vacaciones sin mi familia!

1 ¡HEMOS GANADO! A1

A. Escribe estos verbos en pretérito perfecto, con la persona indicada.

1. ganar (él) ha ganado
2. opinar (ellos) ....
3. vender (usted) ....
4. hablar (nosotros) ....
5. subir (vosotros) ....
6. casarse (tú) ....
7. sentirse (yo) ....
8. terminar (nosotros) ....
9. encontrar (ella) ....
10. llegar (tú) ....
11. enviar (usted) ....
12. acabar (ustedes) ....
13. ser (ellos) ....
14. dormir (yo) ....
15. divorciarse (tú) ....
16. esquiar (él) ....
17. comer (yo) ....
18. responder (usted) ....
19. bajar (vosotros) ....
20. estudiar (ellas) ....

B. Completa las siguientes frases con verbos del apartado anterior, conjugados en la persona indicada.

1. ¿No habéis subido nunca a un barco? ¡No me lo puedo creer! A vosotros os encanta el mar.
2. Hoy .... solo en un restaurante de la playa, donde preparan un gazpacho que me gusta mucho. Luego .... una siesta larguísima.
3. Quiero ir a la nieve con mi novio: nunca .... , pero dice que tiene muchas ganas de aprender.
4. Esta semana .... de trabajar todos los días a las diez de la noche.
5. Hasta ahora, solamente un español .... el premio Nobel de Medicina.

6. Te .... tres veces, y te .... también tres veces. ¿Por qué te casas otra vez?
7. Martínez, ¿todavía no .... el correo electrónico del cliente de Singapur? Tiene que hacerlo hoy.

2 ENTRE AMIGOS A1

A. Relaciona las preguntas y las respuestas de unos amigos que se encuentran y hablan de sus vidas. Pon el verbo de las respuestas en la forma correcta.

1. María, ¿es verdad que le has vendido tu casa a Pedro?
2. ¿Tu hermano ha acabado la universidad?
3. Nunca hemos estado en este restaurante, ¿verdad?
4. ¿Habéis leído algún libro de Isabel Allende?

☐ **a.** ¿Vendido? No, no es verdad. Solamente (alquilar) mi casa, pero no a Pedro.
☐ **b.** ¡Claro que sí! Es que no tienes memoria. Tú ya (comer) aquí una o dos veces conmigo.
☐ **c.** Yo no, pero mi marido (leer) varios y dice que son buenísimos.
☐ **d.** Sí, está muy contento. Además, (encontrar) un trabajo fantástico.

Usos del pretérito perfecto (II)

Lo usamos también para referirnos a acciones pasadas situándolas en un periodo de tiempo que incluye el momento actual o está muy cerca de este; por ejemplo, cuando hablamos de hechos sucedidos hoy. En este caso se pueden asociar con marcadores como **hoy**, **esta mañana/tarde/noche**, **esta semana**, **este fin de semana/mes/año**, **últimamente**, **hasta ahora**, etc.

*Hoy no **he podido** ir a clase de español.*

***He terminado** de trabajar a las siete.* [=hoy]

*María **ha tenido** muchos problemas en el trabajo este año.* [estamos dentro de este año]

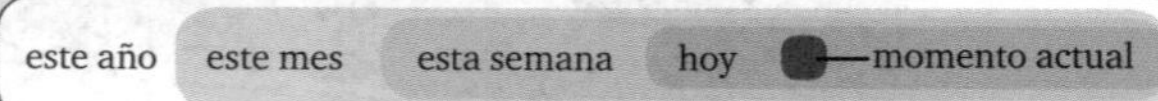

El pretérito perfecto, tal como lo hemos explicado, es propio del español estándar peninsular. En muchas variantes del español su uso es menos extendido o no se utiliza normalmente en la lengua oral. En esos casos, en su lugar se usa el pretérito indefinido.

*¿**Viste** a Pedro esta mañana?*

***Tuve** tantos problemas este año que no sé como **aprobé** el curso.*

3 EL CORREO DE MICHAEL A2

Michael, un estudiante de español, le ha escrito un correo electrónico a una amiga. Como todavía no conoce bien los participios, ha dejado algunos huecos. Complétalos.

De: Michael
Para: clara.lara@latinmail.his
Asunto: noticias

Hola, Clara:

¿Cómo estás? No he (poder) .... escribirte hasta hoy porque este mes he (estar) .... muy ocupado. He (tener) .... tres exámenes y he (hacer) .... cuatro exposiciones orales en clase, ¡uf! Menos mal que ya ha (terminar) .... el curso y ahora estoy más tranquilo.
¿Sabes qué me ha (pasar) .... esta mañana? He (ir) .... a la biblioteca a devolver unos libros que tenía desde hace meses y allí me he (encontrar) con Carolina. ¿Te acuerdas de ella? La chica colombiana que conocimos en el tren el año pasado. Me ha (decir) .... que está haciendo un doctorado aquí, hemos (hablar) .... mucho rato y, al final, hemos (decidir) .... hacer un intercambio español-alemán una vez por semana. Me ha (dar) .... muchos saludos para ti. Esa es la buena noticia de la semana, porque últimamente todo me ha (ir) .... mal: he (perder) .... las llaves del coche (¡no se dónde las he (poner) ....!). Y, además, se me han (romper) .... las gafas, o sea que tengo que llevar las lentillas todo el día.
¿Y cómo estás tú? ¿Ha (volver) .... ya Óscar de su viaje a Perú? ¿Has (acabar) .... los exámenes?

Escríbeme, espero tus noticias.
Muchos besos, Michael

4 LA AGENDA DE SARA A2

119 Esta es una página de la agenda de Sara. Escucha la conversación telefónica de Sara con su marido y marca lo que ya ha hecho.

Martes
12 de mayo

- ☐ 9:15 Cita con el Dr. Martín
- ☐ Hacerse los análisis de sangre
- ☐ 11:00 Reunión con el Sr. Domínguez
- ☐ 14:00 Comida con Ramiro en el Bar Amadeus
- ☐ Reservar vuelo a Londres
- ☐ Recoger a los niños de la clase de piano
- ☐ Llamar a mamá. ¡¡Cumpleaños!! Comprar un regalo para mamá
- ☐ Película. Cine Odeón a las 20:45

MUNDO PLURILINGÜE

Traduce estos tres diálogos a tu lengua. ¿Existe un tiempo compuesto equivalente al pretérito perfecto para hablar del pasado? ¿Tienes que usar tiempos verbales distintos en las diferentes frases?

1. ● Últimamente no os he visto mucho por aquí, ¿habéis estado de vacaciones?
   ○ Sí, hemos estado dos meses en el pueblo de mi madre.

2. ● Siempre he querido saltar en paracaídas. Es mi sueño. ¿Tú lo has hecho?
   ○ Pues sí. He saltado dos veces, cerca de mi casa hay un club de paracaidismo.

مرحبا

您好！

¡Hola!

5 EXPERIENCIAS VIVIDAS A1

Completa los espacios vacíos con la forma adecuada de los verbos.

ver **componer** **decir** **freír**
hacer **poner** **romper**

1. Manuela es una persona muy honesta: creo que nunca en su vida .... una mentira.
2. Sandra no sabe cocinar, no .... nunca un huevo.
3. Marcos es un desastre, ha dejado caer la cámara de fotos y la ....
4. Martina es muy despistada, nunca sabe dónde ... . las cosas.
5. A Marcial le encanta el cine de Médem: .... todas sus películas.
6. Merche ha estado en Cabo Verde y .... unas fotos preciosas.
7. Marcelo es músico: .... varias canciones para un grupo de su ciudad.

Ya/todavía no

Para confirmar que se ha producido una acción esperada o que parece probable, o para preguntar sobre esta acción, usamos **ya**. Para expresar que no se ha producido, pero que sigue siendo una acción esperada o probable, usamos **todavía no**.

● *¿**Ya** has cenado?* [=es hora de cenar]
○ *No, **todavía no**.*

● *¿**Ya** has vendido el coche?* [=quien pregunta sabe que su interlocutor lo quiere vender]
○ *No, **ya** he puesto un anuncio, pero **todavía no** ha llamado nadie.*

6 TODAVÍA NO HE COMPRADO... A2

Observa los siguientes pares de frases. ¿Qué frase puedes completar con **todavía no**? Completa la otra con **no** o con **nunca**.

1. Luciano .... ha estado en el Museo del Prado, pero tiene muchas ganas de ir.
2. Luciano .... ha estado en el Museo del Prado, no le gusta la pintura.
3. .... he hablado con mi profe de Historia, no vale la pena pedirle una revisión.
4. .... he hablado con mi profe de Historia, no lo encuentro nunca.
5. .... he comprado los billetes de avión, no he encontrado ningún vuelo barato.
6. .... he comprado los billetes de avión, prefiero pasar las vacaciones en casa.
7. Laura .... ha terminado la tesis doctoral; este verano no ha podido escribir ni una línea.
8. Laura .... ha terminado la tesis doctoral; ha dejado los estudios y ha encontrado un trabajo.

7 YA HAN COMPRADO... A2

En las siguientes imágenes puedes ver a Sara y Alberto en diferentes situaciones. En todas ellas ya han hecho algo, pero todavía no han realizado otra acción (que es esperable). Escribe qué han hecho ya y qué acción todavía no han realizado.

LLEGAR AL AEROPUERTO / FACTURAR LAS MALETAS

.... pero

....

EMBARCAR / PASAR EL CONTROL DE SEGURIDAD

.... pero

....

DUCHARSE, VESTIRSE

.... pero

....

COMPRAR LA ENTRADA / ENTRAR AL CINE

.... pero

....

PREPARAR EL CAFÉ / TOMÁRSELO

.... pero

....

Uso y formación del pretérito indefinido

- Usamos el pretérito indefinido para hablar de acciones pasadas terminadas situándolas (explícita o implícitamente) en un momento exacto del pasado.
- El pretérito indefinido se forma añadiendo a la raíz del verbo las siguientes terminaciones. Observa que las terminaciones de los verbos de la segunda y la tercera conjugaciones son iguales.

	comprar	volver	vivir
Yo	compr**é**	volv**í**	viv**í**
Tú	compr**aste**	volv**iste**	viv**iste**
Él/ella/ usted	compr**ó**	volv**ió**	viv**ió**
Nosotros/ nosotras	compr**amos**	volv**imos**	viv**imos**
Vosotros/ vosotras	compr**asteis**	volv**isteis**	viv**isteis**
Ellos/ellas/ ustedes	compr**aron**	volv**ieron**	viv**ieron**

Atención: en estas formas regulares, la sílaba tónica está siempre en la terminación. En algunos casos, el acento es lo único que diferencia el pretérito indefinido de otras formas verbales:

(yo) ***cambio*** (presente)
PERO
(él/ella/usted) ***cambió*** (pretérito indefinido)

Atención: en los verbos en **-ar** y en **-ir** la forma del pretérito indefinido de **nosotros/as** es igual a la del presente.

Ayer ***empezamos*** *la clase a las dos, pero normalmente* ***empezamos*** *antes.*

Atención: en los verbos acabados en **-er** y en **-ir** que tienen una raíz terminada en vocal, las terminaciones de tercera persona **-ió** e **-ieron** se transforman en **-yó** y **-yeron.**

caer → *ca**yó**, ca**yeron***

creer → *cre**yó**, cre**yeron***

oír → *o**yó**, o**yeron***

1 NOS CONOCIMOS EN BERLÍN A1

A. Escribe estos verbos en pretérito indefinido, en la persona indicada.

1. conocerse (nosotros/as) nos conocimos
2. cocinar (tú) ....
3. dirigir (él/ella/usted) ....
4. entender (ellos/ellas/ustedes) ....
5. escribir (él/ella/usted) ....
6. estudiar (yo) ....
7. ganar (ellos/ellas/ustedes) ....
8. leer (ellos/ellas/ustedes) ....
9. levantarse (él/ella/usted) ....
10. nacer (tú) ....
11. oír (él/ella/usted) ....
12. pensar (vosotros/as) ....
13. perder (ellos/ellas/ustedes) ....
14. salir (yo) ....
15. trabajar (nosotros/as) ....
16. viajar (ellos/ellas/ustedes) ....
17. vivir (nosotros/as) ....
18. volver (vosotros/as) ....

¿Por qué llevas la ropa mojada?
Ayer la lavé y aún no se ha secado...

B. Completa estas frases con algunos de los verbos conjugados de la actividad anterior.

1. Esther y yo nos conocimos en Berlín en el invierno de 2002.
2. ¿Salisteis de la fiesta a las cuatro de la madrugada? ¿Y cómo .... a casa? ¿En taxi?
3. Icíar Bollaín .... su primera película, *Hola, ¿estás sola?* en 1995. Actualmente es una directora muy conocida.
4. .... Derecho, pero no consigo trabajo.
5. Y tú, ¿en qué año .... ?
6. Mi mujer y yo .... en casa de mis padres hasta el año pasado.
7. Rafael Alberti .... muchas de sus obras en el exilio.
8. El año pasado mis hijos .... una novela de aventuras de Pío Baroja, les encantó.
9. Alberto y Mario, de jóvenes, ... por toda Europa y América Latina.

2 AYER LLEGASTE MUY TARDE A2

Completa los siguientes fragmentos de conversaciones con los verbos propuestos en cada caso usando el pretérito indefinido en la forma personal adecuada.

1. ● Oye, Candela, ayer .... muy tarde al trabajo, ¿no? ¿Qué te .... ?

   ❍ Nada, que .... el tren de las 8.13 y luego, el tren de las 8.48 .... y no .... Así que al final .... un taxi.

llegar	perder	pasar	tomar
	averiarse	salir	

2. ● ¿Qué tal Lidia y tú en Praga? ¿ .... en aquel restaurante tan bonito del centro?

   ❍ No, ¡qué va! .... en medio de esas calles, luego .... a varias personas pero no .... encontrarlo. Así que .... otro lugar para comer.

perderse	preguntar	conseguir
comer	buscar	

3. ● Oye, ¿y tú qué le .... a Silvia por su cumpleaños?

   ❍ Pues una camiseta. El lunes .... una en un escaparate y .... : ¡qué bonita! Así que .... en la tienda y se la .... ¡Le .... mucho!

gustar	entrar	comprar	regalar
	ver	pensar	

4. ● La semana pasada .... una carta de un antiguo novio con el que .... muy mal, super enfadada.

○ ¡Ah, sí! ¿Y qué decía?

● No la ...., la .... en mil pedazos y la .... a la basura.

leer | **tirar** | **recibir** | **romper** | **acabar**

5. ● Y ustedes, ¿cómo .... español?

○ Pues yo .... a estudiar en una escuela de lenguas de mi ciudad y después .... un año en Sevilla, terminando mis estudios de Turismo.

● En mi caso, sin estudiar mucho. .... a Chile, para visitar a unos amigos que viven en Santiago y allí .... a mi mujer, Paula. Ella me .... mucho con el español.

conocer | **aprender** | **ayudar** | **viajar** | **empezar** | **pasar**

6. ● Oye, al final Andrea y Nico .... a Nicaragua en agosto, ¿no?

○ Sí, sí, precisamente el otro día Martina y yo .... con ellos y .... mucho rato sobre su viaje. Nos .... muchísimas fotos y nos .... un montón de cosas interesantes sobre el país. La verdad es que les ....

contar | **quedar** | **charlar** | **encantar** | **viajar** | **enseñar**

3 ¿COMPRO O COMPRÓ? A2

120–125

Vas a oír una serie de frases. Debes estar atento al verbo, que puede estar en presente y corresponder a la primera persona del singular (como **compro**) o estar en indefinido y corresponder a la tercera persona del singular (como **compró**). Escribe el verbo que oyes y marca la continuación más lógica.

1. Compr... ....
   - ☐ Por eso me gusta pasar por esta calle.
   - ☐ Le encantó a todo el mundo.

2. ....
   - ☐ Tomó un taxi y fue a casa de su madre.
   - ☐ Espero encontrar un taxi a esta hora.

3. ....
   - ☐ Así que al día siguiente se quedó dormido en el examen.
   - ☐ Es cuando me concentro mejor.

4. ....
   - ☐ A mis amigos les encantan.
   - ☐ Casi todos tomaron un segundo plato.

5. ....
   - ☐ Porque se olvidó el dinero en casa.
   - ☐ Así no tengo que llevar mucho dinero en la cartera.

6. ....
   - ☐ Luego voy a clase y, a la salida, a la piscina.
   - ☐ El público aplaudió muchísimo todas sus canciones.

Irregularidades del pretérito indefinido

Todos los verbos de la tercera conjugación (**-ir**) que tienen una **e** o una **o** en la última sílaba de la raíz cambian estas vocales en la tercera persona de singular y del plural (**e → i; o → u**).

	pedir	dormir
Yo	pedí	dormí
Tú	pediste	dormiste
El/ella/usted	p**i**dió	d**u**rmió
Nosotros/ nosotras	pedimos	dormimos
Vosotros/ vosotras	pedisteis	dormisteis
Ellos/ellas/ ustedes	p**i**dieron	d**u**rmieron

Hay una serie de verbos que tienen una raíz irregular. Son:

saber → ***sup-***
andar → ***anduv-***
poder → ***pud-***
decir → ***dij-***
caber → ***cup-***
traer → ***traj-***
tener → ***tuv-***

haber → ***hub-***
querer → ***quis-***
poner → ***pus-***
estar → ***estuv-***
venir → ***vin-***
hacer → ***hic-***

Atención: los verbos compuestos a partir de **hacer** (**rehacer, deshacer**) tienen la misma raíz.

Atención: todos los verbos terminados en **-ducir** cambian el grupo **uc** por **uj**:

traducir → *trad**uj**-*
conducir → *cond**uj**-*

Estos verbos de raíz irregular tienen, en pretérito indefinido, unas terminaciones propias, igual en todas las conjugaciones (**-ar, -er, -ir**).

	estar	saber	venir
Yo	estuv**e**	sup**e**	vin**e**
Tú	estuv**iste**	sup**iste**	vin**iste**
El/ella/ usted	estuv**o**	sup**o**	vin**o**
Nosotros/ nosotras	estuv**imos**	sup**imos**	vin**imos**
Vosotros/ vosotras	estuv**isteis**	sup**isteis**	vin**isteis**
Ellos/ ellas/ ustedes	estuv**ieron**	sup**ieron**	vin**ieron**

Atención: cuando la raíz irregular termina en **-j**, desaparece la **i** de la terminación de la tercera persona del plural.

decir → ~~*dijieron*~~ *dijeron*

Hay algunos verbos con irregularidades especiales.

	dar	ir / ser
Yo	di	fui
Tú	diste	fuiste
El/ella/usted	dio	fue
Nosotros/ nosotras	dimos	fuimos
Vosotros/ vosotras	disteis	fuisteis
Ellos/ellas/ ustedes	dieron	fueron

Atención: ir y **ser** tienen la misma forma en el pretérito indefinido: el significado se entiende por el contexto.

*Pablo Neruda **fue** un poeta y diplomático chileno.* [verbo **ser**]

*Flavia **fue** a la Universidad en Génova.* [verbo **ir**]

4 ¿HICISTE LO QUE TE PEDÍ? A1

Completa los espacios vacíos con la forma adecuada de los verbos.

ser	dormirse	estar	traer	estar
ir	pedir	poder	ponerse	hacer

1. ● ¿Qué os trajeron los Reyes Magos?
   ○ Pues... nosotros les .... un ordenador, pero nos .... un mp3 y algunos libros. ¿Y a ti?
2. Intenté enviarte un email, pero no ...., no encontré ningún cibercafé abierto.
3. Y al final, ¿qué vestido .... el otro día para ir a la boda de Elena?
4. Marcos y su novia .... en Nueva Guinea el año pasado. Dicen que .... una experiencia fantástica.

Vale, vale, os encantó el viaje. Hace cuatro horas que me enseñáis fotos, ¿cambiamos de tema?

5. ● ¿Qué .... el sábado pasado?
   ○ El sábado .... toda la noche en casa de Maribel y el domingo .... con mis sobrinos al parque.
6. ¿A qué hora .... los niños ayer?

5 CRÍTICAS A2

A. Samuel critica algunas cosas que hace Manuel. Completa las frases con la forma verbal adecuada.

devolver	decir	despedirse	dormir
morirse	pedir	comerse	reirse
llamar	repetir	seguir	sentirse

1. Manu es un maleducado. Ayer se fue de la fiesta y no .... de los dueños de la casa... ¡Y a mí tampoco me .... nada!
2. No es nada sensible. .... el canario preferido de su tía y no la .... por teléfono.
3. Es un caradura. Me .... el coche y dos días después me lo .... con el depósito completamente vacío.
4. No tiene nada de sentido del humor. El otro día fuimos a ver una película divertidísima y no .... ni una sola vez.
5. Es un glotón. Ayer en la cena .... un plato enorme de arroz, ¡y luego .... dos veces! Claro, después en casa .... fatal.
6. Es un dormilón y un vago. El sábado .... más de 10 horas, se despertó a las 11, desayunó y luego .... durmiendo.

B. Imagina que Manuel tiene un hermano gemelo, Daniel, que hace las mismas cosas que él. Reescribe las críticas del apartado **A** hablando de los dos. Deberás realizar algunas transformaciones.

1. Son unos maleducados...

6 LA FIESTA DE CHARO Y PILAR A2

Charo y Pilar celebraron una fiesta el sábado por la noche y se lo cuentan a unos amigos que no pudieron ir. Completa el texto del correo con la forma adecuada de los verbos que aparecen al lado.

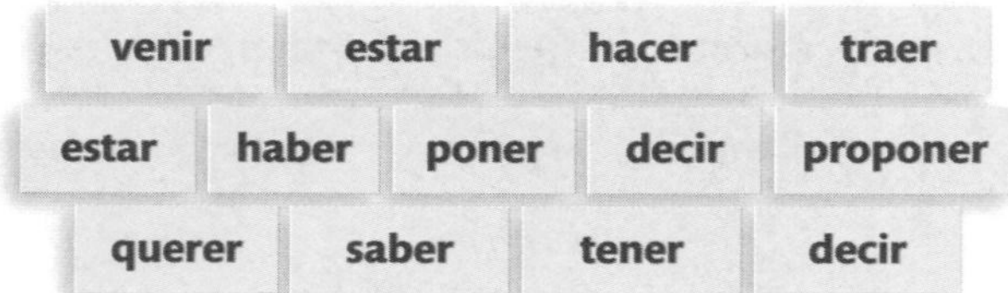

De: Charo
Para: superjavi@miemail.his, soraya@difusion.com, amparo23@todocorreo.his
Asunto: La superfiesta del sábado...

Hola a tod@s:
¡La fiesta del sábado por la noche en casa .... (1) genial! .... (2) un montón de gente: Nacho y Cecilia, Alberto y sus dos primos Óscar y Paco. Y también Clara y unos amigos suyos. Nosotras .... (3) unos canapés y un pastel de chocolate enorme, pero todos los demás .... (4) algo de comer y de beber, y también música. .... (5) muy buen ambiente toda la noche. Óscar, que es discjockey, ... (6) una música estupenda. Todos .... (7) hablando y bailando hasta muy tarde.
Una cosa muy graciosa: Paco, que bebió un poquito, ... (8) bailar con Cecilia toda la noche y parece que le .... (9) unas cosas muy románticas, sin saber que es la novia de Nacho. ¡Pobre Paco!
A las 3:00 se estropeó el equipo de música y nadie .... (10) cómo arreglarlo. Entonces .... (11) que improvisar algo y Clara .... (12) hacer un karaoke.
Al final, todos .... (13) que nuestra fiesta fue un éxito.
¿Quién organiza la próxima? ¡Un besazo!

Charo y Pilar

7 IR, DAR Y SER A2

Completa los siguientes fragmentos con las formas adecuadas de **ir, dar** y **ser**.

1. ● ¿Qué tal ayer con Matías?
   ○ La verdad, no .... (1) una noche muy romántica. Primero .... (2) a ver una exposición de fotografía y después .... (3) una vuelta por el centro.
2. ● ¿Sabes algo de Elías?
   ○ Pues sí. Justamente la semana pasada .... (4) su cumpleaños y Carlos y yo .... (5) a cenar con él. Nos .... (6) muchos recuerdos para ti.
3. ● Oye, ¿cuándo es la conferencia sobre reciclaje?
   ○ .... (7) el viernes pasado, nosotros .... (8) con Arturo. Además, después de la conferencia nos .... (9) una guía práctica para reciclar en casa.
4. ● Juan Sebastián Elcano .... (10) el primer marino que .... (11) la vuelta al mundo. Por ello, el rey de España le .... (12) un escudo con la frase en latín *Primus circundedisti me*.

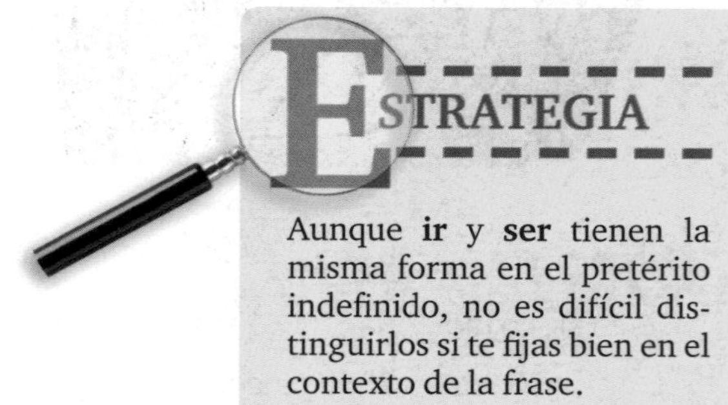

ESTRATEGIA
Aunque **ir** y **ser** tienen la misma forma en el pretérito indefinido, no es difícil distinguirlos si te fijas bien en el contexto de la frase.

Formación y usos del pretérito imperfecto

El pretérito imperfecto se utiliza para describir personas, objetos, lugares y situaciones del pasado. También se usa para describir acciones habituales o repetidas en el pasado. Se forma añadiendo a la raíz del verbo las siguientes terminaciones.

	viajar	tener	vivir
Yo	viaj**aba**	ten**ía**	viv**ía**
Tú	viaj**abas**	ten**ías**	viv**ías**
Él/ella/ usted	viaj**aba**	ten**ía**	viv**ía**
Nosotros/ nosotras	viaj**ábamos**	ten**íamos**	viv**íamos**
Vosotros/ vosotras	viaj**abais**	ten**íais**	viv**íais**
Ellos/ellas/ ustedes	viaj**aban**	ten**ían**	viv**ían**

Atención: los verbos de la segunda y de la tercera conjugación tienen las mismas terminaciones.

Atención: las formas para **yo** y para **él/ella/usted** son iguales.

Irregularidades del pretérito imperfecto

Solo hay tres verbos irregulares en pretérito imperfecto.

	ser	ver	ir
Yo	era	veía	iba
Tú	eras	veías	ibas
Él/ella/usted	era	veía	iba
Nosotros/nosotras	éramos	veíamos	íbamos
Vosotros/vosotras	erais	veíais	ibais
Ellos/ellas/ustedes	eran	veían	iban

*Cuando **éramos** más jóvenes, **íbamos** mucho a esquiar a Sierra Nevada.*

1 ¿TENÍA ES UN IMPERFECTO? A2

A. ¿Cuáles de estos verbos están en pretérito imperfecto? Señálalos.

- ☐ compraban
- ☐ supiste
- ☐ acabé
- ☐ acaba
- ☐ salías
- ☐ odian
- ☐ elegía
- ☐ sabías
- ☐ pasabais
- ☐ decían
- ☐ cambia
- ☐ hicieron
- ☐ lavamos
- ☐ guiaba
- ☐ lavábamos
- ☐ odiaban

B. ¿Cuáles de estas formas pueden ir a continuación de las siguientes frases? ¿Qué observas?

Yo antes, cuando era pequeño, ...

....

....

Enrique antes, cuando era pequeño........................

....

....

Yo, cuando era pequeña, iba cada verano a Málaga con mi familia.
¡Qué suerte! Yo me quedaba en casa.

2 MUY BIEN COMUNICADOS A2

A. Lee estos dos textos y decide de qué objeto están hablando. Después, crea un titular para cada texto.

Los primeros aparecieron en los años 80 y eran para ejecutivos y profesionales muy ocupados, para personas que necesitaban estar siempre bien comunicadas. Había muy pocos modelos y costaban mucho dinero. Además, eran muy grandes y llamaban mucho la atención de la gente. Pero las cosas cambiaron rápidamente: a finales de los años 90, los nuevos modelos eran mucho más baratos y cabían en un bolsillo. Además el precio de las llamadas empezaba a ser más bajo. Ahora son muy comunes en todo el mundo y, en muchos países, todo el mundo tiene uno.

Yo tuve el primero en 1998. Antes de entonces usaba otros medios para comunicarme. Cuando no estaba en casa, llamaba desde el trabajo o desde un teléfono público. Recuerdo que cuando quedaba con mi novio o con algún amigo para tomar un café, charlábamos tranquilamente sin interrupciones, ni llamadas ni mensajes, con más intimidad. Y cuando salía a pasear sola, ¡nadie me encontraba!

¿De qué hablan?: ....

....

B. Ahora observa las formas destacadas. Di a qué infinitivo y a qué persona corresponden.

Forma	Infinitivo	Persona

C. Escoge cuatro verbos del texto: uno en -**ar**, uno en -**er**, uno en -**ir** y uno irregular, e intenta conjugar todas sus formas.

3 ¿YO, ÉL, ELLA...? A2

126–131 Vas a escuchar dos frases que contienen la forma verbal **vivía**, dos que contienen **iba** y dos que contienen **estaba**. Decide en cada caso a qué persona gramatical se refiere: **yo, él, ella** o **usted**.

vivía

1. .... **2.** ....

iba

3. .... **4.** ....

estaba

5. .... **6.** ....

ESTRATEGIA

Algunas formas verbales en español pueden ser ambiguas y corresponder a varias personas. Para entender a qué persona se refieren es útil fijarse en el contexto lingüístico y en la situación comunicativa.

4 ANTES Y AHORA A2

En las siguientes frases faltan algunas formas verbales. Complétalas usando los verbos propuestos conjugándolos en el tiempo y la persona adecuados.

comer | vivir | escuchar | saber | estar | salir | fumar | tener | ser | tener | hablar | ir

1. Mi hermana antes .... muchos dulces, pero el médico se los prohibió.
2. Cuando yo .... pequeño, mis abuelos .... una casa en la playa.
3. Antes de nacer nuestro primer hijo, mi mujer y yo .... mucho a cenar y a bailar.
4. Cuando yo .... en la universidad, muchos estudiantes .... en clase, pero ahora está prohibido.
5. Cuando Vicente .... en Caracas, ... siempre en coche al trabajo.
6. Antes no .... cocinar, pero ahora preparo unos platos de pasta y unos pescados estupendos.
7. Antes de venir a España, Tadaaki no .... nada de español.
8. Cuando yo .... 16 años, mis amigos y yo .... sobre todo música electrónica.

5 UN CAMBIO DE VIDA A2

Las siguientes personas hablan de su pasado. Completa cada texto con los verbos propuestos.

Reyna Hernández,
23 años
Nacimiento:
Acapulco (México)
Profesión:
estudiante de publicidad

"Cuando yo era adolescente, en mi pueblo no .... mucho que hacer. Para ganar algo de dinero, después del instituto, ... ayudando a los pescadores algunas tardes. Lo mejor era que mi hermana y yo .... la guitarra en un grupo y a veces .... algún concierto en Acapulco, la ciudad más grande de mi región. Pero en realidad .... bastante en un lugar tan pequeño. Por eso decidí venir a estudiar a México D.F.".

aburrirse | tocar | trabajar | haber | dar

Tania Marco,
31 años
Nacimiento:
Cienfuegos (Cuba)
Profesión:
entrenadora de natación

"En época de competición .... ocho horas al día en la piscina, seis días por semana. Después de un campeonato .... a preparar el siguiente. No .... relajarme mucho: no .... con mis amigos, ni .... a discotecas, para no perder la forma física. .... muy duro pero me .... mucho. Por eso ahora soy entrenadora".

entrenar | ir | empezar | gustar | ser | salir | poder

Vicente Pons,
63 años
Nacimiento:
Valencia (España)
Profesión:
empresario retirado

"Cuando trabajaba en la fábrica, ... mucha responsabilidad: la producción, las ventas, los trabajadores... Una vez por semana, ... para reunirme con mis clientes en Madrid o Barcelona. Y una vez al mes .... los almacenes de mis distribuidores. Por las noches .... muy pocas horas y siempre .... mucho estrés. Además, con tanto trabajo, no .... más de una semana de vacaciones seguida y .... poco tiempo con mi familia."

tomarse | pasar | tener | viajar | dormir | visitar | tener

17 El pretérito pluscuamperfecto

El pretérito pluscuamperfecto

El pretérito pluscuamperfecto se forma con el imperfecto del verbo auxiliar **haber** y el participio pasado.

Yo	**había**	viajado leído salido
Tú	**habías**	
Él / ella / usted	**había**	
Nosotros / nosotras	**habíamos**	
Vosotros / vosotras	**habíais**	
Ellos /ellas / ustedes	**habían**	

Atención: al igual que en el pretérito perfecto, no se puede colocar ninguna palabra entre el auxiliar y el participio.

*Me **habían dicho** que...*
~~*Habían me dicho que...*~~

El pretérito pluscuamperfecto es el "pasado del pasado": sirve para hablar de una acción terminada en el pasado presentándola como anterior a un cierto punto también del pasado.

*Cuando llegamos, ya **se habían agotado** las entradas.* [= antes de nuestra llegada]

*El otro día estuve con Mariel. Me contó que **había conocido** a alguien muy especial.* [= antes de contármelo]

*Fui a verlo a su despacho a las seis, pero ya **se había marchado.*** [=antes de las seis]

El pluscuamperfecto no funciona de modo independiente: necesita de otra acción o referencia temporal respecto de la que se sitúa con anterioridad.

- *Marcos y Laura **habían ido** a cenar fuera.* (¿?)
- *Marcos y Laura **habían ido** a cenar fuera, por eso, cuando pasé por su casa, no estaban.*

Ayer te llamé a casa pero no contestaste.
Ya me había ido a trabajar.

1 QUISE LLAMARTE, PERO... B1

A. Escribe estos verbos en pretérito pluscuamperfecto, en la persona indicada.

Cortar (ellos / ellas / ustedes) habían cortado

Agotarse (ellos / ellas / ustedes) ....

Avisar (nosotros/as) ....

Comentar (él / ella / usted) ....

Decir (yo) ....

Estudiar (tú) ....

Llegar (él / ella / usted) ....

Llevar (nosotros/as) ....

Olvidar (él / ella / usted) ....

Practicar (ellos / ellas / ustedes) ....

Preparar (yo) ....

Estropearse (él / ella / usted) ....

Salir (vosotros/as) ....

Traer (tú) ....

B. Completa las siguientes frases con algunas de las formas del apartado anterior.

1. Quise llamarte, pero me habían cortado el teléfono.
2. No pudo entrar a la casa porque .... las llaves.
3. Llamé para avisaros, pero ya ....
4. Cuando los niños volvieron de la escuela, su madre aún no .... a casa.
5. Fuimos a ver el estreno, pero ya .... las entradas.
6. No quiso probar el pastel que le ....
7. No enviaron el trabajo porque el ordenador ....
8. Nos dijeron que no pudieron venir a la reunión porque no los .... a tiempo.

2 CUANDO LLEGAMOS... B1

Relaciona las siguientes frases con su interpretación lógica correspondiente, como en el ejemplo.

1. Cuando llegamos al estadio...
   a. se había acabado el partido.
   b. se acabó el partido.
   - [b] Vimos el final.
   - [a] No vimos el final.

2. Cuando estuvimos en Sevilla...
   a. se celebró un festival de cine.
   b. se había celebrado un festival de cine.
   - [ ] Pudimos ver algunas películas.
   - [ ] No pudimos ver películas.

3. Cuando llegó la ambulancia...
   a. el paciente había reaccionado consciente.
   b. el paciente reaccionó consciente.
   - [ ] El paciente ya estaba consciente.
   - [ ] El paciente no estaba consciente.

4. Cuando fuimos a su casa...
   a. Adrián había salido.
   b. Adrián salió.
   - [ ] Vimos a Adrián.
   - [ ] No vimos a Adrián.

5. Cuando Carlos llegó a clase...
   a. el examen comenzó.
   b. el examen había comenzado.
   - [ ] Carlos llegó a tiempo.
   - [ ] Carlos no llegó a tiempo.

6. Cuando llegó a casa...
   a. había comenzado a llover.
   b. comenzó a llover.
   - [ ] Se mojó.
   - [ ] No se mojó.

3 AÚN NO HABÍA LLEGADO B1

Traslada las acciones al pasado, como en el ejemplo.

1. Son las 10 y aún no han llegado. ➔ A las 10 aún no habían llegado.
2. ¡Oh, no! ¡Nuestro vuelo ya se ha ido! ➔ Llegamos al aeropuerto con el tiempo justo, pero ....
3. ¡No lo puedo creer! ¡Ya se han vendido todas las entradas! ➔ No pudimos ver la película porque ....
4. Me he dejado la cartera en casa... ¿puedes prestarme algo de dinero? ➔ Tuve que pedirle dinero a Enrique porque ....
5. Lo siento, pero ya hemos vendido todos los ejemplares. ➔ Quise comprar tu revista, pero ya ....
6. ¿Ya has enviado los correos? ¡Ay! Quería adjuntar este documento. ➔ Quería agregar un documento, pero Raquel ya ....
7. Ya lo sé. Rafael me lo contó. ➔ Ya lo sabía: Rafael ....
8. Pregúntale a los Sanz. Ellos estuvieron allí el verano pasado. ➔ Les pregunté a los Sanz porque ellos ....
9. No puedo concentrarme, he dormido muy mal. ➔ No pude concentrarme porque ....
10. Tenemos que suspender el partido: llovió muchísimo anoche. ➔ Tuvimos que suspender el partido porque la noche anterior ....

4 EL HOTEL ESTABA LLENO B1

A. Une las frases con su continuación lógica y escribe el verbo en la forma adecuada.

1. El hotel estaba lleno porque... → c
2. El campo de fútbol estaba lleno de barro porque...
3. Clarita ya sabía que Julio no vendría porque...
4. Las plantas estaban muertas porque...
5. No pude hacer más fotos porque...
6. La grúa se llevó su coche porque...
7. Le llegó una citación de Hacienda porque...
8. Conocía muy bien Sevilla porque...
9. Compró un coche nuevo en 2011 porque...
10. No aprobó el examen porque...

a. (aparcarlo) .... sobre un paso de peatones.
b. (agotarse) .... las pilas de la cámara.
c. (llegar) Había llegado un grupo muy grande de turistas.
d. No (pagar) .... los impuestos de los últimos dos años.
e. (vivir) .... allí en su juventud.
f. Mauricio (decírselo) .... el día anterior.
g. No (pasar) .... nadie a regarlas.
h. (tener).............. un accidente con el anterior.
i. No .... (estudiar) casi nada.
h. (llover) .... sin parar tres días seguidos.

B. Ahora completa estas frases, usando también el pretérito pluscuamperfecto, pero dando otros motivos.

1. El hotel estaba lleno porque se habían alojado allí todos los asistentes a un congreso.
2. El campo de fútbol estaba lleno de barro porque..............................
3. Clarita ya sabía que Julio no vendría porque..............................
4. Las plantas estaban muertas porque ....
5. No pude hacer más fotos porque ....
6. La grúa se llevó su coche porque ....
7. Le llegó una citación de Hacienda porque ....
8. Conocía muy bien Sevilla porque ....
9. Compró un coche nuevo en 2011 porque ....
10. No aprobó el examen porque ....

5 ¿QUIÉN NO HABÍA LLEGADO? B1

132 Estas formas pueden corresponder a la primera persona del singular (**yo**) o a la tercera (**él** / **ella** / **usted**). Escucha las frases completas y di a qué persona corresponden.

Había comprado cena. (ella)
Había roto con Marta. ....
Había perdido el tren. ....
Había estado en Sevilla antes. ....

Había terminado la carrera. ....
Había reunido a varios amigos. ....
Había escrito una novela. ....
Había aparcado mal el coche. ....

El pretérito imperfecto

- El pretérito imperfecto presenta acciones o circunstancias desde una perspectiva semejante a la del presente: se sitúa en un momento del pasado y nos muestra una acción pasada “desde dentro”, en su desarrollo.

Es muy tarde y estoy cansado. [ahora]
*Era muy tarde y **estaba** cansado.* [en ese momento]

- Se utiliza para hablar de hábitos, de acciones que se repetían con regularidad en el pasado, y para hablar de las circunstancias que rodean a los acontecimientos.

*Antes **iba** al trabajo en coche, pero **gastaba** mucho dinero en gasolina.*

- En la narración normalmente aparece acompañando a otro verbo en pretérito indefinido o en pretérito perfecto y presenta la acción como algo que se desarrolla de manera simultánea a la acción expresada por ese indefinido o perfecto.

***Estaba estudiando** tranquilamente y de pronto **escuché** un estruendo…* [el estruendo ocurrió simultáneamente a la acción de estudiar]

*Cuando se conocieron, Maite **trabajaba** en el Consulado.* [el momento de conocerse ocurre en la época en la que Maite trabajaba en el Consulado]

- **Atención:** como el pretérito perfecto imperfecto presenta la acción en su desarrollo, es muy difícil que aparezca junto a marcadores que expresan el final del proceso o el tiempo que ese proceso duró: **hasta, durante, tres años, media hora…**

- **Atención:** si queremos hablar de hechos anteriores a las circunstancias, utilizamos el pluscuamperfecto.

***Había nevado** toda la noche, **hacía** mucho frío.*

***Estaban** de mal humor: **habían discutido** con el jefe por los plazos del proyecto.*

- **Atención:** cuando respondemos a preguntas en presente usando el imperfecto, se sobreentiende “ya no”.

1 YA NO B1

Completa las siguientes frases siguiendo el modelo.

1. ● ¿Estás trabajando en París?
   ○ Estaba ………, ya no.
2. ● ¿Parezco una persona irresponsable?
   ○ Lo parecías ………, ya no.
3. ● ¿Tus padres viven en Málaga?
   ○ ………………………, ya no.
4. ● ¿Las chicas comparten piso?
   ○ ………………………, ya no.
5. ● ¿Vais al mismo peluquero?
   ○ ………………………, ya no.

¿Seguro que no vais al mismo peluquero?

6. ● ¿Fumáis los dos?
   ○ ………………………, ya no.
7. ● ¿Vendéis *El País*?
   ○ ………………………, ya no.
8. ● ¿Ustedes dan clases de ruso?
   ○ ………………………, ya no.
9. ● ¿Los niños estudian piano?
   ○ ………………………, ya no.
10. ● ¿Tienes gatos en casa?
    ○ ………………………, ya no.

Contraste entre el pretérito indefinido y el pretérito perfecto

Con el pretérito perfecto y el pretérito indefinido nos situamos después de la acción y la miramos "desde fuera". Presentamos la acción como concluida.

***Ha estudiado** Antropología en México.*

***Trabajó** en el Consulado durante los años 90.*

*Aquel invierno **hizo** muchísimo frío.*

*Ya **he escrito** más de la mitad del informe.*

***Estuvimos hablando** más de una hora.*

El pretérito indefinido es el tiempo verbal que "hace avanzar" la narración.

- *¿Qué **hiciste** el verano pasado?*
- *Pues... primero **pasé** una semana en casa de mis padres y después **volví** a Barcelona. **Estuve trabajando** muchísimo... Pero después **viajé** a Venezuela. Me **quedé** allí diez días. Lo **pasé** muy bien. La verdad, **ha sido** una experiencia inolvidable.*

Con el pretérito imperfecto "decoramos" el relato, explicamos lo que rodea esas acciones.

*Pues... primero **pasé** una semana en casa de mis padres: no los **veía** desde Navidad. También **estaba** allí mi hermano con los niños. Luego **volví** a Barcelona porque **tenía** que terminar un trabajo antes de fines de julio. **Estuve trabajando** muchísimo. **Hacía** un calor espantoso y la ciudad **estaba** repleta de turistas... terrible... Pero quince días después **viajé** a Venezuela: **tenía** muchas ganas de conocer el Caribe y la verdad es que **había** muy buenas ofertas de vuelos... Lo **pasé** muy bien: el hotel **era** estupendo, la gente muy simpática... y **había** mil lugares interesantes para recorrer. Me **quedé** allí diez días. La verdad es que no **quería** marcharme... Lo **pasé** muy bien. La verdad, **ha sido** una experiencia inolvidable.*

Atención: la duración de la acción no tiene importancia. Si queremos destacar el desarrollo de la acción, usamos **estar** + gerundio.

***Estuve trabajando** quince años en esa empresa.*

2 CUANDO LLEGUÉ A SU CASA... B1

Selecciona la forma verbal adecuada para cada interpretación.

1. Cuando llegué a casa de Luisa, Carlos **se fue / se iba**;

.... pero al verme se quedó un rato más

.... solo me dio tiempo a decirle adiós

2. **Queríamos / quisimos** hacerle un regalo original al profesor...

.... pero no se nos ocurrió nada

.... y le regalamos un cerdito

3. Don Julián estaba muy grave. Se **moría / murió**

.... pero pasó un milagro y se recuperó

.... y lo enterraron

4. **Tuve / tenía** que terminar el informe para el lunes pasado...

.... por eso no salí de casa el domingo

.... pero me fui de fiesta y no lo terminé

5. Cuando el equipo **perdía / perdió** el partido...

.... marcó dos goles y pudo remontar

.... Pedro decidió abandonar el fútbol

6. **Tenía / tuvo** mucho frío...

.... por eso pidió una manta a la azafata

.... y llegó a casa con un catarro horrible

MUNDO PLURILINGÜE

Traduce a tu lengua el último ejemplo del cuadro de gramática, ¿qué tiempos verbales utilizas? ¿Funciona como en español? Intenta entender el uso de los tiempos del pasado en tu lengua y compáralo con el del español.

3 EL REY DE LA PATAGONIA B1

Aquí tienes un relato en pretérito indefinido. En los recuadros tienes más información. Completa la historia incluyendo esa información en el relato y usando un tiempo del pasado. Necesitarás también algunos conectores: **cuando**, **como**, **ya que**, etc.

Orélie Antoine de Tounens llegó a Chile en agosto de 1858. Se puso en contacto con miembros de la masonería local, que financiaron su viaje al sur del país. Cuando llegó a la Araucaría hizo una alianza con el cacique Mañil, uno de los más poderosos de la región. Más tarde un grupo de mercaderes sin escrúpulos se unió también a la expedición. A la muerte de Mañil, su hijo Quilapán apoyó al francés y este se proclamó Rey de la Araucaría y la Patagonia y dictó una serie de decretos. Tres días más tarde anexionó a su reino la Patagonia argentina y comenzó un periplo en busca de nuevas adhesiones, pero uno de sus seguidores lo delató y fue detenido en enero de 1862 por la policía chilena por perturbar el orden público. Fue sometido a exámenes psiquiátricos y luego fue encerrado en una celda, donde permaneció nueve meses, durante los que siguió sosteniendo ser el rey legítimo de la Araucaría. Finalmente la diplomacia francesa consiguió sacarlo de la cárcel y llevarlo de regreso a Francia.

En esta época los jóvenes estados de Argentina y Chile intentan extender sus dominios hasta el extremo sur. Estas tierras están en manos de los pueblos indígenas.

Orélie Antoine de Tounens es un abogado francés influenciado por los relatos de aventureros y naturalistas que recorrían las tierras del Sur. Es la época de la gran expansión colonial de Europa.

Mañil odia al estado chileno, contra el cual lleva años combatiendo.

Los mercaderes conocen bien la tierra de los araucanos, con los cuales intercambian alcohol por cueros y pieles.

Orélie Antoine viaja en compañía de un mestizo, Yanquetruz, que le sirve de intérprete.

Los decretos del "Rey" están inspirados en la Constitución francesa.

....

....

....

....

....

....

....

....

4 CUANDO ERA NIÑO... B1

133 **A.** Vas a escuchar unas frases sueltas. ¿Hablan de hechos puntuales o de acciones reiteradas? Marca la opción más adecuada para cada frase.

1. ☐ Cuando yo vivía allí.
   ☐ El verano pasado.
2. ☐ Este año.
   ☐ Años atrás.
3. ☐ Cuando eran novios.
   ☐ El jueves pasado.
4. ☐ Hace unos años.
   ☐ Esta tarde en el trabajo.
5. ☐ En mi último viaje a Montevideo.
   ☐ Cuando vivía en Montevideo.

134 **B.** Vuelve a escuchar las frases en contexto y comprueba tus respuestas.

5 HISTORIAS ANTIGUAS B1

Selecciona la forma verbal adecuada.

El origen de la patata

Cuenta una vieja leyenda andina que los pueblos cultivadores de la quinoa **dominaron/dominaban** durante muchos años a las tribus de las tierras altas y que, para hacerlos morir de hambre, les fueron disminuyendo gradualmente la ración de alimentos.

Cuando estaban al borde de la muerte, los pobres **suplicaron/suplicaban** a los dioses, y estos les **entregaron/entregaban** unas semillas extrañas que –una vez sembradas – se **convirtieron/convertían** en unas plantas de flores moradas. Los dominadores no se **opusieron/han opuesto** a ese cultivo, porque **pensaron/pensaban** quedarse con toda la primera cosecha... y así lo **hicieron/hacían**: cuando los frutos **parecieron/parecían** maduros, se lo **llevaron/llevaban** todo.

Entonces las tribus de las tierras altas **volvieron/volvían** a pedir ayuda al cielo y una voz desde lo alto les **dijo/decía** que **debieron/debían** remover la tierra, que los verdaderos frutos **estuvieron/estaban** escondidos allí. Y así **fue/ha sido**: debajo del suelo **han estado/estaban** las patatas, que la gente de la Puna **recogió/recogía** y **guardó/guardaba** en el mayor de los secretos. Los puneños **añadían/añadieron** a su pobre dieta una ración de patatas y pronto **recobraron/recobraban** sus fuerzas y **vencieron/vencían** a los invasores, que **huyeron/huían** y nunca más **molestaban/molestaron** a los puneños. Desde entonces, la papa o patata es la base de la alimentación de los pueblos andinos, y tras la llegada de los europeos a América su cultivo se **extendió/ha extendido/extendía** a lo ancho del planeta.

Formas y usos del futuro imperfecto

Con el futuro imperfecto hacemos predicciones y promesas sobre el futuro.

*Mañana **lloverá** en el norte.*

Este año acabaremos entre los 4 primeros equipos del campeonato.

El futuro imperfecto se forma añadiendo al infinitivo las siguientes terminaciones.

	viajar	traer	traducir
Yo	viajar**é**	traer**é**	traducir**é**
Tú	viajar**ás**	traer**ás**	traducir**ás**
Él / ella / usted	viajar**á**	traer**á**	traducir**á**
Nosotros / nosotras	viajar**emos**	traer**emos**	traducir**emos**
Vosotros / vosotras	viajar**éis**	traer**éis**	traducir**éis**
Ellos / ellas / ustedes	viajar**án**	traer**án**	traducir**án**

Atención: en las seis personas, el acento se encuentra en la terminación.

Hay unos pocos verbos que tienen una raíz irregular, pero sus terminaciones son las mismas de los verbos regulares.

decir → **dir**é, **dir**ás...
hacer → **har**é, **har**ás...
querer → **querr**é, **querr**ás...
haber → **habr**é, **habr**ás...
poder → **podr**é, **podr**ás...
caber → **cabr**é, **cabr**ás...
saber → **sabr**é, **sabr**ás...

1 ¿VENDRÁS A LA FIESTA? B1

A. Escribe estos verbos en futuro imperfecto en la persona indicada.

venir (tú) vendrás
salir (vosotros) ....
aprender (ellos / ellas / ustedes) ....
entender (él / ella / usted) ....
querer (ellos / ellas / ustedes) ....
quedarse (yo) ....
tener (él / ella / usted) ....
ser (él / ella / usted) ....
hacer (yo) ....
escribir (él / ella / usted) ....
decir (ellos / ellas / ustedes) ....
caber (nosotros) ....
casarse (ellos / ellas / ustedes) ....

B. Completa estas frases con algunos de los verbos conjugados de la actividad anterior.

1. Somos cinco y las maletas... ¿te parece que .... todos en un coche tan pequeño?
2. No sé bien qué hacer este fin de semana... si hace frío, creo que .... en casa.
3. ¿Tú crees que Jeanne .... este texto? El vocabulario es muy complejo para un extranjero...
4. ¿A qué hora .... de clase el viernes? Si queréis, pasamos a buscaros a la salida.
5. No sé si los niños .... quedarse el domingo en casa de mi madre...
6. Es inútil. Si les preguntas a ellos, te .... que no saben nada.
7. ¿Ya se sabe si el bebé de Eugenia .... niño o niña?

2 LOS ARIES PASARÁN POR UN BUEN MOMENTO B1

A. Este es un fragmento del horóscopo para el signo de Aries. Selecciona los verbos adecuados en su forma de futuro para completarlo. Atención: presta atención al sujeto de cada oración, no es siempre el mismo.

empezar	hacer	ayudar	ser	obtener
poder	ver	sentir	ser	ser
ser	sufrir	deber	viajar	

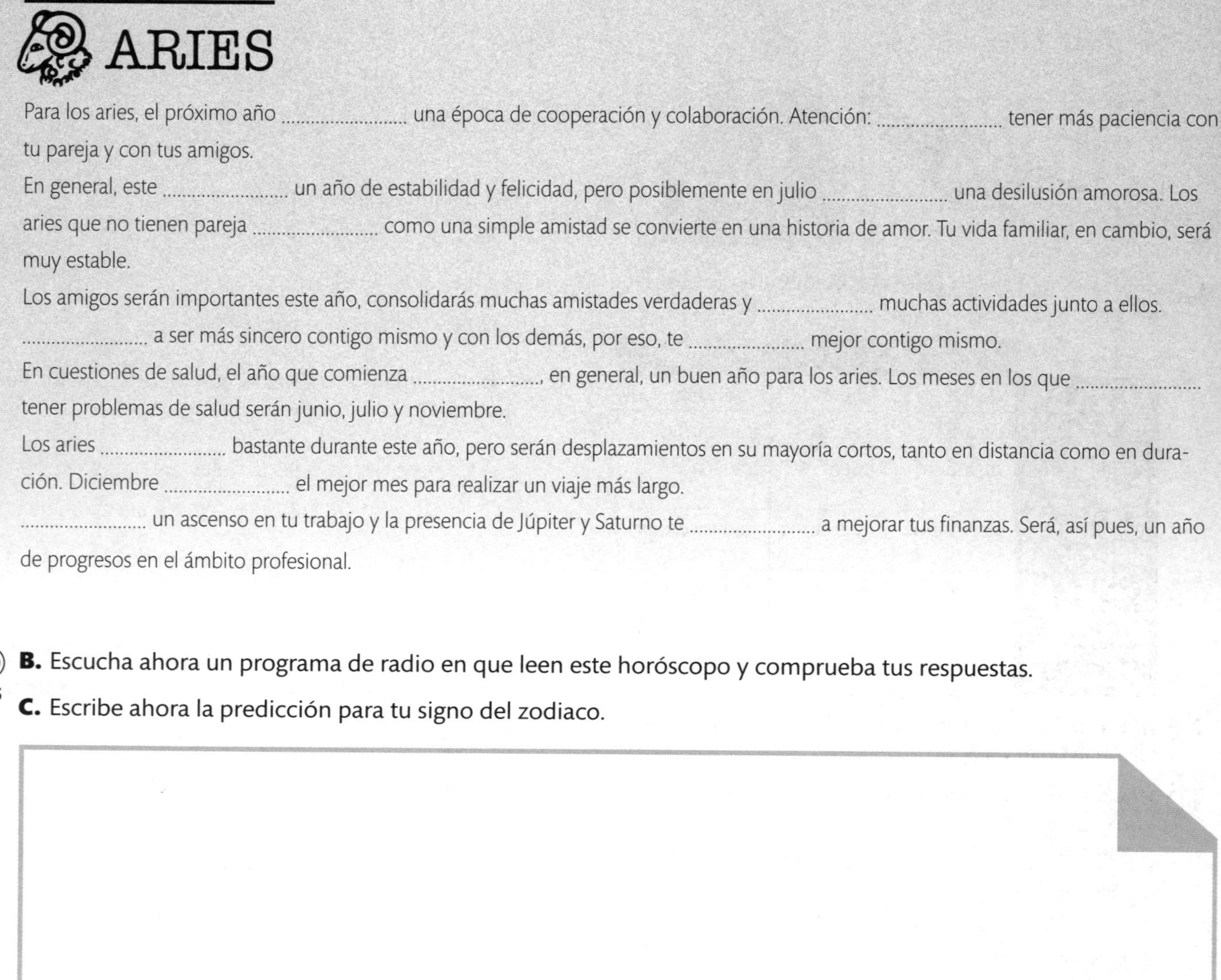

ARIES

Para los aries, el próximo año .... una época de cooperación y colaboración. Atención: .... tener más paciencia con tu pareja y con tus amigos.

En general, este .... un año de estabilidad y felicidad, pero posiblemente en julio .... una desilusión amorosa. Los aries que no tienen pareja .... como una simple amistad se convierte en una historia de amor. Tu vida familiar, en cambio, será muy estable.

Los amigos serán importantes este año, consolidarás muchas amistades verdaderas y .... muchas actividades junto a ellos. .... a ser más sincero contigo mismo y con los demás, por eso, te .... mejor contigo mismo.

En cuestiones de salud, el año que comienza ...., en general, un buen año para los aries. Los meses en los que .... tener problemas de salud serán junio, julio y noviembre.

Los aries .... bastante durante este año, pero serán desplazamientos en su mayoría cortos, tanto en distancia como en duración. Diciembre .... el mejor mes para realizar un viaje más largo.

.... un ascenso en tu trabajo y la presencia de Júpiter y Saturno te .... a mejorar tus finanzas. Será, así pues, un año de progresos en el ámbito profesional.

135 **B.** Escucha ahora un programa de radio en que leen este horóscopo y comprueba tus respuestas.

C. Escribe ahora la predicción para tu signo del zodiaco.

Formas de referirse al futuro

Con el futuro imperfecto presentamos las acciones futuras como algo que no controlamos totalmente y que depende del paso del tiempo para confirmarse.

*Este invierno **será** especialmente crudo.*

*Mañana a esta hora **estaremos** en Bruselas.*

Este no es el único tiempo para hablar del futuro. Para presentar acciones futuras como algo evidente o como una intención o decisión que hemos tomado solemos usar la forma **ir a** + infinitivo.

*Hay mucho tráfico, **voy a llegar** tarde al trabajo.*

***Voy a hablar** con Enrique esta misma tarde.*

Para hablar del futuro también usamos el presente de indicativo, acompañado de marcadores temporales de futuro. Con este tiempo, presentamos las acciones futuras como algo completamente seguro e integrado a la realidad presente.

*Mañana **es** mi cumpleaños.*

*Esta noche **ceno** con Alejandra.*

3 ¿QUÉ VAN A HACER ESTAS VACACIONES? B1

A. Todas estas personas están preparando sus maletas para salir de vacaciones. ¿Qué actividades van a hacer?

1. Margarita ....

2. Fernando ....

3. Kike ....

4. Zoraida ....

5. Lola ....

6. Andoni ....

7. Laia ....

8. Toño ....

B. ¿Y tú? ¿Qué vas a hacer este fin de semana? Puedes expresarlas mediante **ir a +infinitivo.**

Futuro de probabilidad

El futuro imperfecto se usa también para hablar del presente cuando presentamos los hechos como algo no seguro, como una suposición o hipótesis.

- *¿Tienes hora?*
- *No llevo reloj... **serán** las ocho.* [supongo que son las ocho]

*Patri no ha venido a la reunión... ¿**Estará** enferma?*

4 ¿ESTARÁ ENFERMA? B1

Busca para cada frase su explicación o continuación más lógica.

1. Marcela no ha venido a clase. ¿Estará enferma?
2. Marcela no ha venido a clase. ¿Está enferma?
   - ☐ (Hace una pregunta retórica, no espera respuesta)
   - ☐ (Espera respuesta)

3. Llaman. Será el cartero.
4. Llaman. Es el cartero.
   - ☐ (No lo ve)
   - ☐ (Lo ve desde la ventana)

5. Los vecinos están dando una fiesta...
6. Los vecinos estarán dando una fiesta...
   - ☐ me avisaron ayer.
   - ☐ tienen la música altísima.

7. Nunca veo al vecino, trabajará de noche...
8. Nunca veo al vecino, trabaja de noche...
   - ☐ en una gasolinera de aquí cerca.
   - ☐ o algo así.

9. Su bebé tendrá 10 meses...
10. Su bebé tiene 10 meses...
    - ☐ más o menos.
    - ☐ me lo dijo ayer.

5 ESTARÁ ENFERMO... B1

A. Marca cuáles de las frases con verbo en negrita se refieren al futuro.

1. A eso de las seis de la tarde **estaremos** en el Café Central, ¿vienes?
2. ¿Cuántos años **tendrá** el marido de Sofía?
3. Hace una semana que Fidel no viene al bar **¿estará** enfermo?
4. Mañana Verónica **comienza** la escuela.
5. No te preocupes: un día **pagará** por lo que te hizo.
6. El tren procedente de Orense **entrará** por la vía 4.
7. ● Romina aún no ha llegado...
   ○ ¡Qué raro! **Estará** en medio de un atasco, ¿no? A esta hora...
8. Si acabo temprano, **iré** a verte a tu despacho.
9. ¡Tranquilízate! En quince minutos **estoy** allí.
10. **Voy a hablar** hoy mismo con sus padres, esto no puede seguir así.

B. Trata de reformular las frases que no se refieren al futuro con otros tiempos verbales. Realiza los cambios necesarios para no alterar su significado.

MUNDO PLURILINGÜE

A. Traduce estas frases a tu lengua o a otras lenguas que conozcas.

Mañana **lloverá** en todo el país.

Lo veo en las cartas: te **casarás** joven y **tendrás** muchos hijos.

El lunes próximo **es** la boda de Damián.

¡El miércoles **tengo** mi último examen!

Estoy harto. **Voy a llamar** ahora mismo a mi jefe y le **voy a decir** lo que pienso.

El año próximo **vamos a tomarnos** las vacaciones en septiembre.

Hebe no me ha llamado aún. **Estará** ocupada.

B. Observa los verbos en negrita. ¿Has usado siempre la misma forma verbal para referirte a estas acciones futuras? ¿Existen en tu lengua los diferentes matices para referirse al futuro? ¿Y para hacer hipótesis sobre el presente?

您好！

¡Hola!

20 El condicional simple

Formas y usos del condicional simple

Con el condicional simple hacemos referencia a acciones virtuales o irreales, que dependen de condiciones que aún no se han cumplido. Se refiere tanto al presente como al futuro.

*¡Estoy muerto de cansancio! **Me iría** a la cama ahora mismo.* [=no lo voy a hacer]

*No sé qué hacer... ¿En mi lugar, tú **llamarías** a Alfredo?* [=pido a alguien que se ponga en mi lugar y le pregunto sobre su actuación]

El condicional se forma añadiendo al infinitivo las siguientes terminaciones.

	viajar	traer	traducir
Yo	viajar**ía**	traer**ía**	traducir**ía**
Tú	viajar**ías**	traer**ías**	traducir**ías**
El / ella / usted	viajar**ía**	traer**ía**	traducir**ía**
Nosotros / nosotras	viajar**íamos**	traer**íamos**	traducir**íamos**
Vosotros / vosotras	viajar**íais**	traer**íais**	traducir**íais**
Ellos / ellas / ustedes	viajar**ían**	traer**ían**	traducir**ían**

Atención: las formas de la 1.ª y de la 3.ª persona del singular son idénticas, por lo que puede ser necesario mencionar el sujeto.

Además del valor puramente hipotético, el condicional puede usarse para atenuar la fuerza de nuestras afirmaciones o para expresar sugerencia o petición (sobre todo con verbos como **poder**, **importar**, etc.).

*Yo **juraría** que he dejado la llaves aquí.* [atenuación]

*En esta casa falta color, yo **pintaría** alguna pared de azul o de verde.* [sugerencia]

¿Le importaría cerrar la ventana? Es que tengo un poco de frío.

Existen algunos verbos irregulares en condicional, los mismos que en futuro imperfecto; como en el futuro, la irregularidad afecta a la raíz, pero las terminaciones son las mismas de los verbos regulares.

decir → **diría, dirías...**
hacer → **haría, harías...**
querer → **querría, querrías...**
haber → **habría, habrías...**
poder → **podría, podrías...**
caber → **cabría, cabrías...**
saber → **sabría, sabrías...**

1 LLAMARÍAS NO ES LLAMARÁS B1

Relaciona cada frase con su explicación (entre paréntesis) o con su continuación lógica.

1. ¿Tú vivirías en este barrio?
2. ¿Tú vivías en este barrio?

a. (Pide opinión.)
b. (Pide información.)

3. ¿Me llamarías mañana a las 7 y media para despertarme?
4. ¿Me llamarás mañana a las 7 y media para despertarme?

c. (Pide confirmación.)
d. (Pide un servicio o favor.)

5. ¿Tú querías ser pintor?
6. ¿Tú querrías ser pintor?

e. (Pregunta por el presente o el futuro.)
f. (Pregunta por el pasado.)

7. Yo diría que Laura está enfadada,
8. Yo decía que Laura está enfadada,

g. aunque no estoy del todo seguro.
h. pero nadie me hacía caso.

9. ¿Aquí cabría una cama de matrimonio?
10. ¿Aquí cabía una cama de matrimonio?

i. Parece imposible.
j. ¿O tendremos que poner una cama pequeña?

2 DESEOS, SUGERENCIAS Y PETICIONES B1

A. Conjuga estos verbos en la persona indicada del condicional.

1. Hacer (él / ella / usted) ....
2. Deber (vosotros/as) ....
3. Pintar (vosotros/as) ....
4. Escribir (él / ella / usted) ....
5. Llevar (tú) ....
6. Hacer (yo) ....
7. Irse (yo) ....
8. Producir (ellos / ellas / ustedes) ....
9. Beberse (yo) ....
10. Decir (tú) ....
11. Saber (nosotros/as) ....
12. Ser (yo) ....
13. Tener (él / ella / usted) ....
14. Trabajar (ellos / ellas / ustedes) ....
15. Comerme (yo) ....

B. Coloca algunas de las formas verbales del apartado anterior en las siguientes frases.

1. ¡Tengo un hambre...! .... un buey.
2. ¿Usted qué .... en mi lugar: compraría un ordenador portátil o uno de sobremesa?
3. ¡Tengo un sueño...! .... ahora mismo a la cama.
4. ¿Una gaviota? ¿Tú .... que eso es una gaviota?
5. ¿Tú adónde .... a cenar a mis suegros: a un restaurante clásico o a uno más moderno?
6. ¿Vosotros de qué color .... esta pared: de verde o de azul?
7. ¡Hace mucho calor! .... 5 litros de agua.
8. Yo nunca .... profesor, me parece una profesión durísima.

¡Estoy agotado! Yo pararía ya...
¡Pues yo correría otros cinco kilómetros!

Usamos también el condicional para hablar del pasado cuando presentamos un hecho como no seguro, como una suposición o una hipótesis. Este es un uso equivalente al del futuro para hacer conjeturas sobre el presente.

- *¿A qué hora volvió Carina anoche?*
- *No sé... **serían** las tres.* [=supongo que eran las tres]

*Gerardo no fue al acto... ¿**estaría** enfermo?* [=a lo mejor estaba enfermo]

3 SERÍA TU HERMANA, ¿NO? B1

Lee atentamente las frases de la izquierda y encuentra, a la derecha, su continuación más lógica.

1. La chica que estaba ayer con Luis era su hermana,	☐ la conozco desde niña.
2. La chica que estaba ayer con Luis sería su hermana,	☐ se parecía a él, ¿no?
3. Yo te lo dije. Lo que pasa es que estarías distraída,	☐ mirando por la ventana.
4. Yo te lo dije. Lo que pasa es que estabas distraída,	☐ no me estabas escuchando.
5. Llamé a Lula, pero no la encontré. Estaría de viaje	☐ o en casa de su madre, allí no hay cobertura.
6. Llamé a Lula, pero no la encontré. Estaba de viaje,	☐ pero ella llamó después.
7. Eran las cinco cuando entró en el edificio;	☐ me fijé en que llegaba a la hora exacta.
8. Serían las cinco cuando entró en el edificio;	☐ no puedo decir la hora exacta.
9. La casa tenía 4 salones,	☐ o algo así.
10. La casa tendría 4 salones,	☐ uno para cada estación del año.

Un uso frecuente del condicional es el que llamamos “de cortesía” o “de modestia”. Mediante el condicional suavizamos nuestras afirmaciones y peticiones en los siguientes casos:

Juan, ¿podrías hacer la cena esta noche? Tengo mucho trabajo para mañana...

- Para expresar los propios deseos o necesidades de manera atenuada.

*¿Me **ayudarías** con esta traducción, por favor?*

*Yo **quitaría** el aire condicionado, hace bastante frío, ¿no?*

Yo no me estresaría, trabaja sin prisas y luego ya haces la cena.

- Para dar consejos sin imponerse. El hablante lo percibe como una sugerencia, una ayuda.

***Deberías** llamar antes de ir, ¿no crees?*

*Yo **dejaría** este tema para más tarde y luego lo retomamos, ¿qué os parece?*

Pues yo de ti haría la cena y así yo no me pondría de peor humor, ¿vale?

- Para que nuestra afirmación no parezca demasiado enérgica o brusca.

● *Y tú ¿qué opinas?*
○ *Yo **diría** que es más complicado de lo que tú dices...*

4 ESOS MODALES... B1

Reescribe las siguientes frases, utilizando el condicional, para que suenen menos bruscas.

1. Ya que vas a la cocina, ¿me traes un vaso de agua?
   Ya que vas a la cocina, ¿me traerías un vaso de agua?
2. Debes comenzar una dieta.
   ....
3. ¿Me ayudáis con la mudanza?
   ....
4. ¿Podéis hablar más bajo? Estoy estudiando.
   ....
5. ¿Mañana me llamas a las ocho? Mi despertador no funciona.
   ....
6. Hay que hablar con el director ya.
   ....
7. Necesito el piso para el sábado: viene mi novio a cenar.
   ....
8. ¿Has acabado?, ¿puedo comerme tus patatas fritas?
   ....
9. ¿Te importa cerrar la puerta? Entra frío.
   ....
10. Quiero ver esos zapatos del escaparate.
    ....
11. Quiero hablar contigo... me va bien hoy a las 8 de la tarde.
    ....

¿Podrías acabar de hacer la cena de una vez? ¡Tengo un hambre que me comería una vaca!

5 ¿QUIÉN NECESITARÍA UNAS VACACIONES? B1

136 **A.** Como en el imperfecto, en condicional las formas de la primera persona (**yo**) y de la tercera (**él / ella / usted**) son iguales. Escucha las frases y marca, en cada caso, a qué persona se refieren.

	yo	él	ella	usted
1				
2				
3				
4				
5				
6				
7				

136 **B.** Escucha de nuevo las frases anteriores y relaciónalas con las siguientes.

- ☐ **a.** Sí, además es muy competitiva.
- ☐ **b.** Tiene razón, pero no sé hacer otra cosa, solo sé trabajar.
- ☐ **c.** Bueno, si solo comes uno de esos de vez en cuando, tampoco pasa nada.
- ☐ **d.** ¿Usted cree, doctor? ¿Le parece que mi hijo no está bien en nuestra casa?
- ☐ **e.** ¿Le parece? Pero no sé si tengo talento para vender, la verdad...
- ☐ **f.** Es verdad, es un sueño que tienes hace tiempo y que deberías cumplir algún día.
- ☐ **g.** Cierto, no hay muchos padres así.

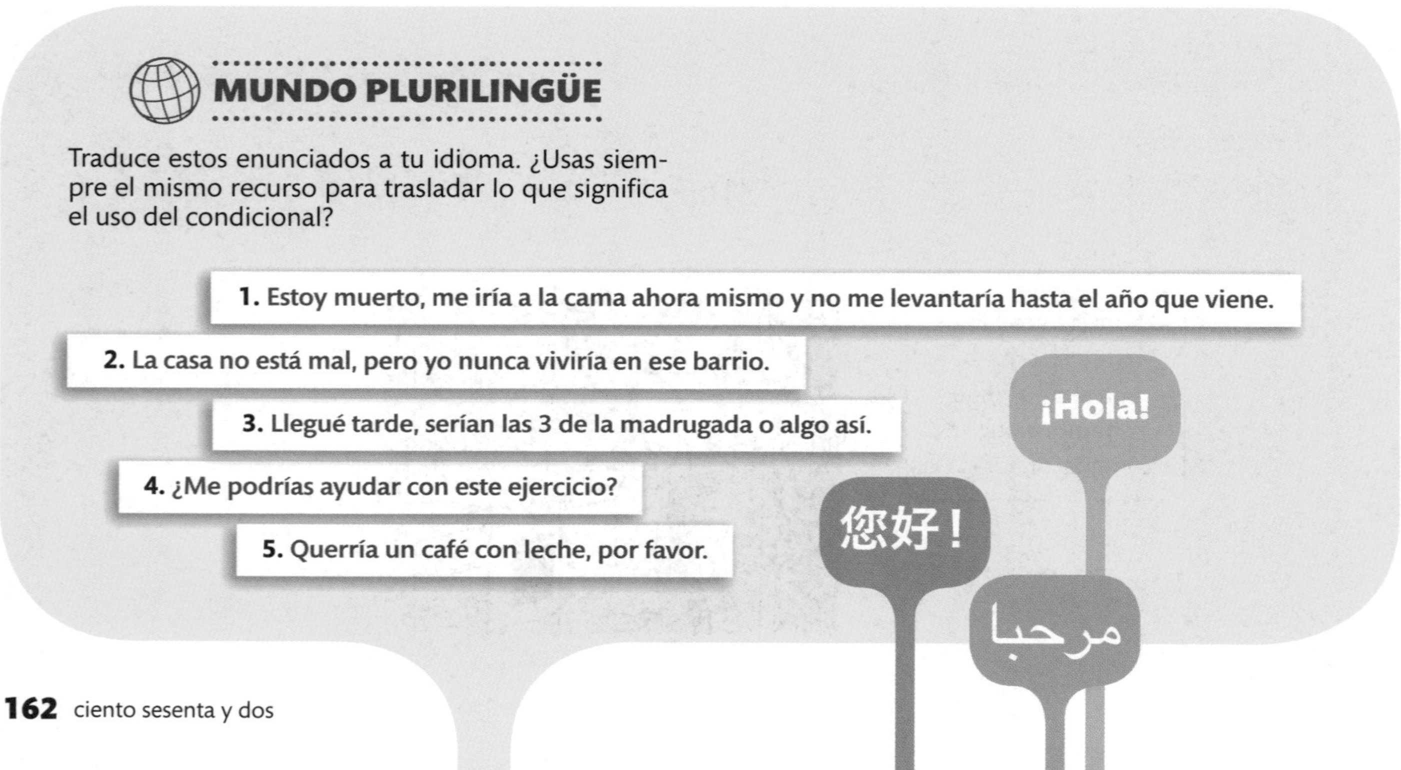

MUNDO PLURILINGÜE

Traduce estos enunciados a tu idioma. ¿Usas siempre el mismo recurso para trasladar lo que significa el uso del condicional?

1. Estoy muerto, me iría a la cama ahora mismo y no me levantaría hasta el año que viene.

2. La casa no está mal, pero yo nunca viviría en ese barrio.

3. Llegué tarde, serían las 3 de la madrugada o algo así.

4. ¿Me podrías ayudar con este ejercicio?

5. Querría un café con leche, por favor.

El imperativo afirmativo y el imperativo negativo

El imperativo afirmativo tiene cuatro formas, las personas **tú**, **vosotros/as**, **usted** y **ustedes**.

	estudiar	comer	escribir
Tú*	estudia	come	escribe
Vosotros /vosotras	estudiad	comed	escribid
Usted	estudie	coma	escriba
Ustedes	estudien	coman	escriban

La forma regular para la 2ª persona (**tú**) es igual a la forma del presente para **tú**, pero sin la **-s** final.

	presente de indicativo		imperativo
Tú	duermes	➔	duerme
Tú	empiezas	➔	empieza

El imperativo de las personas **usted** y **ustedes** se obtiene añadiendo a la raíz de la 2ª persona del singular (**tú piensas ➔ piensa**) las siguientes terminaciones.

	pensar	comer	dormir
Usted	pien**se**	com**a**	duerm**a**
Ustedes	pien**sen**	com**an**	duerm**an**

Hay ocho verbos que son irregulares en imperativo y que no se ajustan a las reglas anteriores.

La forma para **vosotros/as** se obtiene substituyendo la **-r** final del infinitivo por una **-d**.

estudiar ➔ *estudia**d***
comer ➔ *come**d***
escribir ➔ *escribi**d***

Atención: no existen formas irregulares de imperativo afirmativo para las formas de **vosotros/as**.

El imperativo negativo tiene formas diferentes de las del afirmativo para las personas **tú** y **vosotros**.

	estudiar	comer	escribir
Tú	no estud**ies**	no comas	no escrib**as**
Vosotros/ vosotras	no estudi**éis**	no com**áis**	no escrib**áis**
Usted	no estud**ie**	no com**a**	no escrib**a**
Ustedes	no estud**ien**	no com**an**	no escrib**an**

Tiene sobrepeso: coma más verdura. Y haga un poco de deporte.

	decir	hacer	ir	poner	tener	salir	ser	venir
Tú	di	haz	ve	pon	ten	sal	sé	ven
Vosotros/vosotras	decid	haced	id	poned	tened	salid	sed	venid
Usted	diga	haga	vaya	ponga	tenga	salga	sea	venga
Ustedes	digan	hagan	vayan	pongan	tengan	salgan	sean	vengan

1 EL PERFECTO ROBOT DOMÉSTICO A2

Gramátic es un robot que puede ayudarte en tus tareas domésticas, solo debes programarlo eligiendo uno de los verbos propuestos y escribiendo las órdenes en imperativo y en la forma de la segunda persona del singular (**tú**).

recoger	fregar	planchar	enchufar	ir	preparar	encender	poner
poner	meter	elegir	apretar	elegir	aspirar	enchufar	

1. Gramátic, ... la mesa y .... los platos.
2. Gramátic, ... la plancha y .... toda la ropa.
3. Gramátic, ... a la cocina, ... el fuego. .... una sartén en el fuego y .... unos huevos fritos.
4. Gramátic, ... la aspiradora, ... la potencia máxima y .... el suelo de toda la casa.
5. Gramátic, ... la ropa sucia en la lavadora, ... el detergente en el cajoncito de la izquierda, ... el programa de lavado de ropa de color y .... el botón de la derecha.

2 SAL DE CASA B1

A. ¿De qué productos o servicios hacen propaganda los siguientes eslóganes?

1. **¡Ven a Cartagena!**
2. **Vuelve a sentir el placer de viajar.**
3. ***Siente el frescor de la menta en tu boca.***
4. **Conduce una máquina perfecta.**
5. Sal de casa lleno de energía.
6. Pon una sonrisa en la cara de un niño.
7. *Bebe sin precaución.*
8. **Ama tu cuerpo.**
9. **Duerme como los ángeles.**
10. **Siente la llamada de la selva.**
11. Haz un bizcocho como el de la abuela.
12. *Sé tú mismo, vístete como quieras.*

a. un tren de lujo
b. turismo en una ciudad
c. un chicle
d. una ONG de protección a la infancia
e. un coche
f. una cerveza sin alcohol
g. una harina
h. un colchón
i. unos cereales para el desayuno
j. un gimnasio
k. turismo en el Amazonas
l. una marca de ropa

B. Los eslóganes anteriores están todos en la forma **tú**; transfórmalos a la forma **usted**.

1. ....
2. ....
3. ....
4. ....
5. ....
6. ....
7. ....
8. ....
9. ....
10. ....
11. ....
12. ....

3 VEN, VENGA, VENID, VENGAN B1

137 ¿A qué persona van dirigidos los siguientes imperativos que vas a escuchar: **tú, usted, vosotros / vosotras** o **ustedes**?

1. usted ....
2. ....
3. ....
4. ....
5. ....
6. ....
7. ....
8. ....
9. ....
10. ....

4 SÍ, SÍ, PASA A2

138–142 Los imperativos, que son frecuentes en situaciones de contacto social, nos indican si alguien nos trata de **tú** o de **usted**. Completa en cada caso la terminación que oyes y marca a qué persona corresponde: **tú** o **usted**.

● Perdone, ¿puedo pasar? ○ Sí, sí, pas.................. .	☐ Tú ☐ Usted
● Hola. Buenos días. ○ Buenas, por favor, siént..................	☐ Tú ☐ Usted
● Hola. Vengo a hacer una consulta. ○ Sí, di........me. ¿De qué se trata?	☐ Tú ☐ Usted
● Hola. Tengo una cita con Paz Pardo. Soy Lucas Ferri. ○ Muy bien. Esper.................. un segundo.	☐ Tú ☐ Usted
● ¿Puedo abrir la ventana? Tengo muchísimo calor. ○ Claro. Ábr..................la, sin problema.	☐ Tú ☐ Usted

Posición de los pronombres

Con las formas de imperativo afirmativo, los pronombres reflexivos y de OD y OI se colocan detrás del verbo formando una sola palabra.

*Necesito tus apuntes, **préstamelos** por favor.*

Atención: el acento permanece en la posición original del verbo, por lo cual a veces es necesario colocar un acento gráfico.

Di → dime
*Lava → **lá**vatelas*

Atención: en la forma de 2.ª persona del plural de los verbos reflexivos, la **d** desaparece.

*Lavad → lav**aos***
*Vestid → vest**íos***
*Sentad → sent**aos***

En la forma negativa, los pronombres ocupan su posición habitual delante del verbo.

*Présta**melos** → No **me los** prestes.*
*Láva**telas** → No **te las** laves.*

En algunos contextos de contacto social es importante saber si alguien se dirige a nosotros usando la forma **tú** o la forma **usted**. Las formas verbales nos ayudan a distinguir estos dos tratamientos.

5 LA SALUD ES LO QUE IMPORTA A2

A. En este artículo, publicado en una revista especializada en temas de salud, faltan los verbos en imperativo. Completa los huecos con los verbos propuestos en la forma de la 2ª persona del singular (**tú**).

sentarse	utilizar	evitar	ir	dormir	controlar	hacer	nadar

SIGUE ESTOS CONSEJOS PARA EVITAR LOS DOLORES DE ESPALDA:

1 .... ejercicio físico regularmente: abdominales, dorsales y ejercicios de hombros.

2 .... sobre un colchón firme y de buena calidad.

3 .... técnicas de relajación para calmar los dolores causados por el estrés o la tensión.

4 .... tu peso. Recuerda que el sobrepeso afecta también a la columna vertebral.

5 .... levantar demasiado peso; y si lo haces, flexiona las piernas para no forzar la columna.

6 .... al traumatólogo si el dolor persiste o es demasiado intenso. Nadie puede aconsejarte mejor que él.

7 ...., como mínimo, una vez por semana. La natación es un deporte muy completo y apto para todas las edades, que favorece la buena salud de las articulaciones y los músculos.

8 .... con la espalda recta cuando trabajas con el ordenador y recuerda que el teclado debe estar en la misma línea que los brazos, ni más arriba, ni más abajo.

B. Reescribe el texto usando la persona **usted** en vez de la persona **tú**. Ten en cuenta que eso afecta a los verbos, a los pronombres y a los posesivos.

6 DÍSELO B1

La novia de Paco espera muchas cosas de él. Paco se lo cuenta a dos amigos: Salvador, que lo anima a actuar para cumplir los deseos de su pareja, y Nacho, que lo anima a hacer justo lo contrario. Completa como en el ejemplo.

Usos del imperativo (I): ruegos, peticiones y órdenes

Usamos el imperativo para hacer ruegos y peticiones o para dar órdenes. En general, usamos el imperativo en situaciones muy codificadas (en el médico, en organismos oficiales, etc.), en situaciones jerárquicamente marcadas y en contextos en los que hay familiaridad. Aun así, solemos suavizarlo con expresiones como **por favor**, **venga**, **¿te importa?** o justificando la petición.

*Señora Padilla, **alcánceme** el dossier de Inca S.A., por favor.*

*Por favor, **ayúdame** con este problema de matemáticas. Es que no entiendo nada…*

***Llévame** contigo de viaje, venga.*

*Niños, ¡**callaos** de una vez!*

Atención: su uso sin atenuar y en situaciones de poca familiaridad puede ser entendido como agresivo o descortés y se prefieren otras formas, tales como las preguntas en presente o condicional y expresiones que contienen **te/le molesta, te/le importa, te/le importaría, puede/s, podría/s**, etc.

***Tráiganos** un poco más de pan.**
*Por favor, ¿**puede traernos** un poco más de pan?*

***Abre** la ventana.**
*¿**Te importaría abrir** la ventana?*

***Pásame** el diccionario.**
*¿**Me pasas** el diccionario?*

7 SIÉNTESE B1

143 Escucha estas órdenes y pedidos y di a qué situación corresponde cada una.

8 DEME OTRA OPORTUNIDAD B1

Yannis ha enviado este correo a un profesor suyo de la facultad usando demasiado el imperativo. Seguro que al profesor no le va a gustar nada. ¿Puedes ayudarlo reescribiéndolo?

Señor Domínguez:
Soy Yannis Pavlópoulos, el estudiante de intercambio del curso de Literatura I. Le escribo porque acabo de ver mis calificaciones del semestre. Seguramente usted se ha equivocado, no ha entendido bien mi letra: recuerde que mi alfabeto es diferente...
Vuelva a leer el examen y califíquelo nuevamente.
Haga memoria y verá que he sido muy buen estudiante durante todo el curso. Tenga en cuenta que he participado mucho. Revise mis exámenes y póngame otra nota. Lea detenidamente mi análisis del *Libro de buen amor*. O si no, deme otra oportunidad y examíneme otra vez.
Después de corregir las calificaciones, escriba un informe para mi universidad. Tengo que presentarlo a mi regreso a Salónica.
Respóndame a esta misma dirección.
Un cordial saludo.
Yannis Pavlópoulos.

Usos del imperativo (II): sugerencias, consejos e instrucciones

El uso del imperativo es socialmente aceptado para dar sugerencias y consejos, siempre y cuando nuestro interlocutor nos haya solicitado ese consejo.

- *No sé qué hacer con Mauro…*
- *Pues* ***llámalo*** *y* ***dile*** *que lo sientes.*

Se usa el imperativo, en textos escritos y orales, para dar instrucciones.

Tome *una pastilla cada 8 horas.*

Suban *por estas escaleras y entren a la sala 542.*

9 CONECTE LA CAFETERA A LA CORRIENTE B1

Estas son las instrucciones de uso de una cafetera. Reescríbelas usando la forma **tú**.

1. Lavar y secar bien el depósito de agua y el filtro del café. Lava y...
2. Llenar el depósito con agua. ....
3. Conectar la cafetera a la corriente, encenderla y esperar hasta que se apague la luz indicadora ....
4. Poner en el filtro una medida de café molido. ....
5. Colocar el filtro con el café y girarlo a la derecha hasta que haga clic. ....
6. Colocar la taza debajo del filtro. ....
7. Cuando el café está listo, volver a poner el mando frontal en la posición 0. ....
8. Apagar la cafetera. ....

Usos del imperativo (III): invitación, aceptación y concesión

Para invitar, ofrecer algo o conceder permiso también suele usarse el imperativo. En estos casos se suele aceptar sin problemas.

- ● *¿Puedo llevarme estas revistas?*
- ❍ *Sí, por supuesto,* ***llévatelas.***

Ven *a casa el viernes por la noche. Doy una pequeña fiesta.*

- ● *¿Quieres ver mis apuntes?*
- ❍ *Sí, por favor,* ***déjamelos.***

Prueba *este pastel... ¡está buenísimo!*

En algunos de estos casos es habitual duplicar el verbo en imperativo para dar mayor énfasis a la concesión y así nuestro interlocutor se sienta más cómodo:

- ● *Permiso...*
- ❍ ***¡Pase, pase!***

- ● *¿Puedo bajar el volumen de la tele?*
- ❍ *Sí, claro,* ***bájalo, bájalo.***

10 PASA, PASA B1

Estás en las siguientes situaciones. Responde afirmativamente a las peticiones usando la misma persona (**tú** o **usted**) que usa el interlocutor y repitiendo el imperativo.

1. ● ¿Puedo pasar, señor Pons? Necesito el dossier del caso Sánz...
   ❍ Sí, claro, ... , ...
2. ● ¿Te importa si bajo el volumen de la radio?
   ❍ No, tranquilo, ... , ...
3. ● Perdona, Lourdes, ¿puedo llevarme el diccionario?
   ❍ Sí, ... , ... sin problema.
4. ● Oye, Leo, ¿puedo ponerme un poco más de café?
   ❍ Sí, ... , ... no hace falta ni que preguntes.
5. ● ¿Le importa si abro la ventana?
   ❍ No, qué va, ... , ...
6. ● ¿Puedo sentarme a su lado?
   ❍ Claro, ... , ...
7. ● ¿Le importa si pongo mi bolso aquí?
   ❍ No, claro, ... , ...
8. ● ¿Te puedo preguntar una cosa?
   ❍ .... , ... para eso estoy.

Aquí debajo hay un cuadro de estrategia. ¡Léelo, léelo!

ESTRATEGIA

El uso inadecuado del imperativo, como otras cuestiones relacionadas con la cortesía, puede ser motivo de malentendido cultural. Es esencial observar cómo usan estas formas los nativos: en qué circunstancias, con qué personas, para qué fines y con qué palabras los acompañan.

Formas del presente de subjuntivo

El presente de subjuntivo se forma “invirtiendo” las vocales temáticas del presente de indicativo. Así, los verbos terminados en **-ar** forman el presente de subjuntivo en **e** y los terminados en **-er** / **-ir**, en **a**.

	viajar	correr	escribir
Yo	viaje	corra	escriba
Tú	viajes	corras	escribas
Él / ella / usted	viaje	corra	escriba
Nosotros / nosotras	viajemos	corramos	escribamos
Vosotros / vosotras	viajéis	corráis	escribáis
Ellos / ellas / ustedes	viajen	corran	escriban

Atención: la modificación de la raíz en ocasiones trae consigo un cambio ortográfico.

aparcar → apar**que** apagar → apa**gue**
alzar → al**ce** recoger → reco**ja**

Las irregularidades siguen en general a las del presente de indicativo, con algunas diferencias. Por ejemplo, los verbos que presentan cambio vocálico **e → ie** u **o → ue** se conjugan del mismo modo en el subjuntivo.

	encender	soñar	poder
Yo	encienda	sueñe	pueda
Tú	enciendas	sueñes	puedas
Él /ella /usted	encienda	sueñe	pueda
Nosotros /nosotras	encendamos	soñemos	podamos
Vosotros /vosotras	encendáis	soñéis	podáis
Ellos / ellas / ustedes	enciendan	sueñen	puedan

Los verbos que presentan cambio vocálico **e → i** cambian esta vocal por **i** en todas las personas.

	pedir
Yo	pida
Tú	pidas
Él / ella / usted	pida
Nosotros / nosotras	pidamos
Vosotros / vosotras	pidáis
Ellos / ellas / ustedes	pidan

Los verbos de la tercera conjugación como **sentir** (con cambio vocálico **e → ie** en presente) y como **dormir** o **morir** (con cambio vocálico **o → ue** en presente) combinan dos tipos de irregularidades.

	sentir	dormir
Yo	sienta	duerma
Tú	sientas	duermas
Él / ella / usted	sienta	duerma
Nosotros / nosotras	sintamos	durmamos
Vosotros /vosotras	sintáis	durmáis
Ellos / ellas / ustedes	sientan	duerman

Las irregularidades **g**, **zc** de la 1.ª persona del singular del presente de indicativo se repiten en todas las personas del presente de subjuntivo.

	conocer	poner
Yo	conozca	ponga
Tú	conozcas	pongas
Él / ella /usted	conozca	ponga
Nosotros / nosotras	conozcamos	pongamos
Vosotros / vosotras	conozcáis	pongáis
Ellos / ellas / ustedes	conozcan	pongan

Atención: hay algunos verbos totalmente irregulares.

ser → sea, seas, sea, seamos, seáis, sean
haber → haya, hayas, haya, hayamos, hayáis, hayan
ir → vaya, vayas, vaya, vayamos, vayáis, vayan
dar → dé, des, dé, demos, deis, den

1 APRENDE LA MÚSICA B1

A. Aquí tienes algunos pares de verbos que se conjugan en presente de subjuntivo de la misma manera. Completa con las formas del segundo. Recuerda que a veces puede haber cambios ortográficos.

1.	yo	tú	él/ella/usted	nosotros	vosotros	ellos/ellas/ustedes
Comprar	compre	compres	compre	compremos	compréis	compren
Perdonar	....	....	....	....	....	....

2.	yo	tú	él/ella/usted	nosotros	vosotros	ellos/ellas/ustedes
Pensar	piense	pienses	piense	pensemos	penséis	piensen
Temblar	....	....	....	....	....	....

3.	yo	tú	él/ella/usted	nosotros	vosotros	ellos/ellas/ustedes
Llegar	llegue	llegues	llegue	lleguemos	lleguéis	lleguen
Alargar	....	....	....	....	....	....

4.	yo	tú	él/ella/usted	nosotros	vosotros	ellos/ellas/ustedes
Pescar	pesque	pesques	pesque	pesquemos	pesquéis	pesquen
Abanicar	....	....	....	....	....	....

5.	yo	tú	él/ella/usted	nosotros	vosotros	ellos/ellas/ustedes
Beber	beba	bebas	beba	bebamos	bebáis	beban
Romper	....	....	....	....	....	....

6.	yo	tú	él/ella/usted	nosotros	vosotros	ellos/ellas/ustedes
Poder	pueda	puedas	pueda	podamos	podáis	puedan
Torcer	....	....	....	....	....	....

7.	yo	tú	él/ella/usted	nosotros	vosotros	ellos/ellas/ustedes
Vivir	viva	vivas	viva	vivamos	viváis	vivan
Partir	....	....	....	....	....	....

8.	yo	tú	él/ella/usted	nosotros	vosotros	ellos/ellas/ustedes
Sentir	sienta	sientas	sienta	sintamos	sintáis	sientan
Mentir	....	....	....	....	....	....

9.	yo	tú	él/ella/usted	nosotros	vosotros	ellos/ellas/ustedes
Producir	produzca	produzcas	produzca	produzcamos	produzcáis	produzcan
Conducir	....	....	....	....	....	....

10.	yo	tú	él/ella/usted	nosotros	vosotros	ellos/ellas/ustedes
Hacer	haga	hagas	haga	hagamos	hagáis	hagan
Tener	....	....	....	....	....	....

144–147

B. Vas a hacer algo parecido oralmente: escucharás la conjugación en presente de subjuntivo de un verbo y deberás conjugar el otro que oirás.

ESTRATEGIA

La memoria te puede ser útil para interiorizar las formas de los verbos. Es importante saber asociar cada verbo con el tipo de conjugación que tiene y a qué otros verbos se parece.

2 OJALÁ LLEGUE B1

A. Escribe estos verbos en presente de subjuntivo en la persona indicada.

llegar (él, ella, usted) ....

aceptar (ellos, ellas, ustedes) ....

querer (ellos, ellas, ustedes) ....

vestirse (yo) ....

irse (vosotros/as) ....

hacer (nosotros/as) ....

tener (él, ella, usted) ....

ser (él, ella, usted) ....

hacer (nosotros/as) ....

peinarse (yo) ....

escribir (él, ella, usted) ....

decir (ellos, ellas, ustedes) ....

haber (él, ella, usted) ....

dormir (ellos, ellas) ....

B. Completa estas frases con algunos de los verbos conjugados del apartado anterior.

1. Se han enfadado y se acusan de cosas muy feas. No creo que eso .... bueno para nadie.
2. ¡Ojalá Marta .... a tiempo a la reunión!
3. Es importante que .... más espacios verdes en las ciudades.
4. Espero que los clientes .... nuestra propuesta.
5. A mi profe le encanta que .... todos los ejercicios que nos pone.
6. Mi jefe insiste en que .... de un modo más formal.
7. Os aconsejo que .... unos días de la ciudad... Necesitáis descansar.
8. Están buscando a un periodista que .... una columna diaria de humor.

¡Espero que a Susana le guste mi regalo!

Usos (I): expresiones de deseo e influencia

En la gran mayoría de los casos, el subjuntivo se presenta en oraciones subordinadas; es decir, dependientes de una oración que es la principal. En esas oraciones principales encontramos construcciones que, por su significado, introducen una idea que se expresa en subjuntivo o infinitivo.

*Queremos que **respeten** nuestros derechos.*
principal ***subordinada***

*Deseo que las cosas **sean** como dices…*
principal ***subordinada***

Con muchas construcciones que expresan necesidad, deseo, esperanza e influencia, se usa el subjuntivo cuando el sujeto de ambas oraciones es diferente.

Quiero (yo) *que **leas*** (tú) *este libro.*

Esperamos (nosotros) *que **vengan*** (ellos) *pronto.*

Siempre exige (él) *que las sábanas **sean*** (las sabanas) *nuevas.*

¡No quiero que digas ni una palabra más! Hoy cenamos fuera, está decidido.

Cuando el sujeto es el mismo no hay subordinación y se usa el infinitivo.

Quiero (yo) ***leer*** (yo) *este libro.*

Esperamos (nosotros) ***venir*** (nosotros) *pronto.*

Siempre exige (él) ***usar*** (él) *sábanas nuevas.*

En oraciones simples, introducido por **ojalá (que)**, el subjuntivo expresa deseos.

*¡Ojalá (que) **tengas** suerte!*

*¡Ojalá (que) **llueva** pronto!*

Atención: el verbo puede sobreentenderse en expresiones más o menos fijas.

*¡(Deseo) que te **mejores**!*

3 ESPERO QUE APRUEBES B1

A. ¿Cuál es el sujeto de los verbos que están en negrita? Señálalo como en el ejemplo.

1. Tu madre espera que **acabes** la carrera de Medicina. tú
Tu madre espera **tener** pronto un médico en casa. ella

2. Quiero **llegar** a tiempo a la cita. ....
Quiero que la cita **tenga** lugar a la hora prevista.

3. Desean **tener** pronto hijos. ....
Desean que los hijos **lleguen** pronto. ....

4. Ha pedido que lo **ingresen** en un hospital. ....
Ha pedido **ingresar** en un hospital. ....

5. Quiere **oír** tus disculpas. ....
Quiere que te **disculpes** ante él. ....

6. Preferimos que lo **hagáis** solos. ....
Preferimos **dejaros** hacerlo solos. ....

B. Los pares de frases anteriores tienen significados más o menos equivalentes. Intenta crear frases que también los tengan para estos pares.

1. Voy a intentar que me lo expliquen bien.
Voy a intentar .... bien.

2. No pretendo que me traten de manera especial.
No pretendo .... un trato especial.

3. No deseamos que usted se sienta mal.
No deseamos .... sentir mal.

4. Prefiere que no lo comparen con su hermano.
Prefiere no .... comparado con su hermano.

5. Espera que le den la beca.
Espera .... la beca.

6. Queremos que nos permitan el acceso.
Queremos .... el acceso libre.

Usos (II): expresiones de duda, probabilidad y negación

Se puede usar el subjuntivo con expresiones de duda como **quizás, tal vez**, aunque también se pueden usar con indicativo.

Quizás ***vayamos*** *a verte.* [= no es seguro]

Se usa el subjuntivo con expresiones de probabilidad como **es posible que, es probable que, puede que**, etc. En este caso, evaluamos la posibilidad de que aquello de lo que estamos hablando ocurra.

Es posible que ***prorroguen*** *el plazo para la presentación de solicitudes.*

Se usa el subjuntivo con expresiones de negación del tipo **no es verdad/cierto que, no creo que, no pienso que, no está claro que**, etc.

● *Iremos al concierto solo si no llueve.*
○ *Pues… no creo que* ***vaya a llover****…*

4 VERA, DAMIÁN Y QUIQUE B1

A. Quique casi nunca se pronuncia claramente sobre ningún tema. Completa sus respuestas.

1. ● ¿Vas a votar al Partido Estructural?
   ○ Quizás lo vote, no lo sé...
2. ● ¿Vendrás a la marcha contra la contaminación?
   ○ Tal vez ....
3. ● ¿Le contarás a tu esposa lo de Luisa?
   ○ Puede que ....
4. ● ¿Dejarás a tus hijos ir al campamento?
   ○ Es posible que ....
5. ● ¿Podrás escribir el informe?
   ○ No creo que ....
6. ● ¿Estarás este fin de semana localizable?
   ○ No es probable que ....
7. ● Cuando sepa la verdad Alicia nos perdonará, ya lo veréis.
   ○ ¿Sí? No creo que ....

B. Vera siempre expresa sus puntos de vista con mucha seguridad y Damián es muy escéptico y cuestiona o niega lo que los demás dicen. Completa sus diálogos como en el ejemplo.

1. ● Si el ritmo de deforestación continúa así, en 30 años este país se convertirá en un desierto.

❍ Eso es una exageración. No es posible que este país se convierta...

2. ● Dentro de unos años podremos ir de vacaciones a la Luna.

❍ Qué tontería. Es imposible que ....

3. ● Los niños de hoy son más inteligentes que los de antes.

❍ Pues yo no creo que ....

4. ● Ya verás como finalmente Juliana y Sebastián se casan...

❍ Pues yo no creo que ....

5. ● ¿Has visto mis notas? ¡El profesor me tiene manía!

❍ No es cierto que ....

6. ● El Gobierno está cometiendo errores.

❍ ¿Cómo? No es verdad que ....

7. ● Para el 2050 ya no habrá niños con hambre en el mundo.

❍ Es imposible que ....

Usos (III): expresiones valorativas

Cuando una oración principal valora o comenta un cierto hecho, que es su frase subordinada, esta segunda frase aparece en subjuntivo.

Ser + adjetivo **que** + subjuntivo

*Es bueno que **tomes** mucha agua.*

*Es normal que **estén** enfadados.*

*Es lógico que **estés** nervioso.*

Parecer + adjetivo/adverbio **que** + subjuntivo

*Me parece bien que **cambies** de empleo.*

*Nos parece extraño que no **quieras** venir con nosotros.*

Los verbos que expresan opiniones, sensaciones y sentimientos hacia acciones no realizadas por el propio sustantivo también se expresan con **que** + subjuntivo

*Me da igual que **venga** o no.*

*Le gusta que le **llames** para conversar.*

*Nos preocupa que no **haya** una política medioambiental clara.*

Atención: en todos los casos anteriores, el sujeto de la frase principal (entendido como la persona que valora, aunque no sea siempre el sujeto gramatical) y el de la frase subordinada son diferentes. Cuando el sujeto de ambas frases es el mismo, la segunda se formula en infinitivo.

Es normal (en general) *que **quieras*** (tú) *una explicación.*
Es normal (en general) ***querer*** (en general) *una explicación.*

Le parece fatal (a él) *que **llegues*** (tú) *tarde.*
Le parece fatal (a él) ***llegar*** (él) *tarde.*

Nos gusta (a nosotros) *que nos **traigan*** (ellos) *regalos.*
Nos gusta (a nosotros) ***traer*** (nosotros) *regalos.*

Es bueno que tomes mucha agua.

5 ¿QUIÉN VIENE? B1

Relaciona las frases de la izquierda con su continuación lógica de la derecha.

1. A Luis le encanta venir a vernos, **2.** A Luis le encanta que vengamos a verlo,	**a.** debería hacerlo más a menudo. **b.** deberíamos hacerlo más a menudo.
3. Le parece muy bien que escribas un artículo sobre flamenco, **4.** Le parece muy bien escribir un artículo sobre flamenco,	**c.** se va a informar y dice que así aprende sobre el tema. **d.** dice que sabes mucho.
5. Me preocupa tener que pasar las vacaciones con mi suegro, **6.** Me preocupa que tenga que pasar las vacaciones con mi suegro,	**e.** no me resulta fácil convivir con él. **f.** no le resulta fácil convivir con él.
7. Es normal que tengáis sueño **8.** Es normal tener sueño	**g.** cuando se duermen 3 horas. **h.** si solo habéis dormido 3 horas.
9. Está bien que le digáis la verdad, **10.** Está bien decir la verdad,	**i.** pero no tenéis que contarle todos los detalles. **j.** pero no hace falta contar todos los detalles.
11. Me da igual que no vengas, **12.** Me da igual venir,	**k.** pero al menos llámame. **l.** si quieres, paso a las nueve.

En una relación es normal que tu pareja quiera cambiar las cosas que no le gustan de ti... el problema es que a mi novia había tantas cosas que no le gustaban de mí que me cambió por otro hombre.

6 A FAVOR Y EN CONTRA B1

A. Estas personas tienen opiniones enfrentadas. Completa las frases con lo que piensan sobre diferentes temas.

1. Sobre las corridas de toros.

Luisa es antitaurina, no le parece bien que . ...

....

Laura es taurina, le parece muy bien que ....

....

2. Sobre las centrales nucleares.

Leonardo es pronuclear. Cree que es lógico que ....

....

Luis es antinuclear. Piensa que no es lógico que ....

....

3. Sobre el armamento.

Laia es pacifista. Cree que no está bien que ....

....

Lea es más belicista. Cree que es normal que ....

....

4. Sobre la experimentación con animales.

Lamberto está a favor. Cree que es necesario que ....

....

Leocadio está en contra. Cree que es cruel que ....

....

5. Sobre los uniformes escolares.

Lupercio está a favor. Le parece bien que ....

....

Lolo está en contra. No le parece bien que ....

....

148 **B.** Ahora escucha a esas mismas personas comentando algunas noticias. ¿Quién habla en cada caso?

Laia | Luisa | Lupercio | Lamberto | Leonardo
Lea | Laura | Lolo | Leocadio | Luis

1. ....
2. ....
3. ....
4. ....
5. ....

Señoras y señores, por su seguridad les recomendamos que vigilen sus pertenencias.

7 PUNTOS DE VISTA B1

Las siguientes frases pueden expresarse de diferentes maneras según el punto de vista. Hazlo tú también siguiendo el ejemplo.

1. A Carla le envían muchas invitaciones a fiestas. Le encanta.
   (recibir) *Le encanta recibir invitaciones.*
   (enviar) *Le encanta que le envíen invitaciones.*
2. Luis tiene muchos deberes. Le agobia.
   (tener) ....
   (poner) ....
3. En carnaval visten a la niña de flamenca. Les parece muy gracioso.
   (vestir) ....
   (ir vestida) ....
4. Nos traen en coche desde Burgos hasta Madrid. Nos resulta muy cansado.
   (viajar) ....
   (traer) ....
5. Flora me hace regalos personales. Me parece inadecuado.
   (hacer) ....
   (recibir) ....
6. Un único cliente nos compra el 90% de la producción. Nos preocupa.
   (comprar) ....
   (vender) ....
7. Su mujer no le ha llamado en todo el día. Le extraña.
   (llamar) ....
   (recibir llamadas) ....

Usos (IV): el discurso referido en presente

En el discurso referido en presente utilizamos el presente de subjuntivo para referirnos a lo que, en el discurso directo, ha sido dicho en imperativo.

Compra más pan.
*Dice que **compre** más pan.*

Con otros verbos que resumen o interpretan las palabras de otros, como **recomendar, sugerir, aconsejar**, etc., también pueden aparecer frase subordinadas en subjuntivo, aunque existe la posibilidad de expresar esas mismas ideas usando el infinitivo.

¿Por qué no haces algún deporte?
*Le recomienda que **haga** algún deporte.*
*Le recomienda **hacer** algún deporte.*

Ana dice que compres pan para la cena.

8 ¿QUÉ DICE? B1

A. Fíjate en lo que te dicen estas personas. Reformúlalas como en los ejemplos. ¿Te piden que actúes o te informan de algo?

1. Te vistes a la moda. Dice que me visto a la moda.
2. Vístete a la moda. Dice que me vista a la moda.
3. Eres muy sociable. ....
4. ¡Oye, sé un poco más sociable! ....
5. Cuéntanos algún buen chiste, ¡anda! ....
6. Cuentas muy buenos chistes. ....
7. Pronuncias muy bien las vocales. ....
8. Pronuncia mejor las vocales. ....
9. Comes demasiadas grasas. ....
10. Come más verduras y frutas. ....
11. Dime lo que te ha pasado. ....
12. Siempre dices lo mismo. ....

149 **B.** Escucha estas frases en discurso referido. ¿Qué se dijo originalmente?

☐ Ten mucha paciencia.	☐ Tienes mucha paciencia.
☐ Ven cada día.	☐ Vienes cada día.
☐ Compra menos pan.	☐ Compras menos pan.
☐ Llega muy temprano.	☐ Llegas muy temprano.
☐ Sé más transigente.	☐ Eres más transigente.
☐ Presta mucha atención.	☐ Prestas mucha atención.
☐ Anda con la espalda muy recta.	☐ Andas con la espalda muy recta.

Usos (V): oraciones subordinadas temporales referidas al futuro

En las oraciones subordinadas introducidas por **cuando** y otros conectores temporales (**en cuanto, hasta que, siempre que**, etc.) se utiliza el subjuntivo cuando se hace referencia a un hecho futuro.

Cuando ***acabes*** *con eso, avísame.*

Cuando ***termine*** *los estudios piensa irse al extranjero.*

Nos llamarán en cuanto ***tengan*** *noticias.*

No nos iremos hasta que nos ***den*** *noticias.*

Si se refieren al presente o a hechos habituales actuales, usamos el indicativo.

Cuando ***acaba*** *con los deberes, me avisa.*

Cuando ***termina*** *la jornada, toma algo con sus amigos.*

Nos llama cada día en cuanto ***sale*** *de clase.*

No nos vamos hasta que nos ***dan*** *permiso nuestros superiores.*

9 CUANDO DEJE DE LLOVER B1

Completa cada par de oraciones con la forma adecuada del verbo entre paréntesis.

1. (dejar)

a. Cuando deja de llover el jardín se llena de caracoles.

b. Cuando deje de llover los niños saldrán a jugar en los charcos.

2. (llegar)

a. Cuando .... a México, lo primero que haré será visitar el Zócalo.

b. Cuando .... a México, lo primero que hago es visitar el Zócalo.

3. (cobrar)

a. En cuanto .... pago el alquiler y la cuenta de la tarjeta de crédito.

b. En cuanto .... te devolveré el dinero que me prestaste.

4. (leer)

a. Tan pronto como .... el artículo, cambiarán de opinión, te lo aseguro.

b. Tan pronto como .... un artículo escrito por un economista extranjero, cambian de opinión.

5. (escuchar)

a. Cuando .... a esta nueva banda querrás acompañarme al concierto...

b. Cuando Marisa .... una canción de su país, se emociona y se pone a llorar.

6. (entrar)

a. Mientras "La mano" .... en las casas, otro ladrón vigila la calle.

b. Mientras "La mano" .... en la casas, un cómplice vigilará la calle.

7. (ir)

a. Mientras .... vestido de esa manera, no te dejarán entrar en las discotecas de moda.

b. Mientras que tú .... vestido de esa manera, tu amigos se gastan el sueldo en ropa.

Usos (VI): oraciones subordinadas que expresan finalidad

En las oraciones subordinadas que expresan finalidad introducidas con **para que** también se utiliza el subjuntivo.

Te he traído estas revistas para que te ***entretengas****.*

Iré a otro médico para que me ***dé*** *una segunda opinión.*

Les hemos dado más tiempo para que ***preparen*** *mejor el examen.*

10 PARA ENTRAR EN CALOR B1

Completa con la forma adecuada de los verbos siguientes.

comprar **hacer** **entender** **regalar** **doler** **poder** **estar** **probar** **predecir** **tocar**

1. Contrataremos a un organista para que .... durante la ceremonia.
2. ¿Saben tus padres que vamos a ir? Avísales para que .... preparados.
3. Su jefe le ha dado más tiempo para que .... acabar el informe.
4. Te he comprado gambas para que me .... esa paella que te sale tan bien.
5. Ha ido a una vidente para que le .... el futuro. ¿Te lo puedes creer?
6. Voy a explicártelo una vez más para que lo ...., ¿vale?
7. Le voy a dar un calmante para que no le .... esta noche.
8. ¿Me das dinero para que .... el pan?
9. Es un mentiroso, te ha dicho que admira mucho tu obra para que le .... un libro.
10. Nos han dejado un coche del mismo modelo para que lo .... antes de comprarlo.

MUNDO PLURILINGÜE

Traduce estas frases a tu lengua o a otras lenguas que conozcas. ¿Usas alguna forma equivalente al subjuntivo? ¿En todos los casos?

¿Qué quieres que haga?

Espero que estés bien.

Tal vez vayamos a verte, ¿estarás en casa?

Es posible que llame mi marido. Avísame si lo hace.

Es conveniente que tomes mucha agua

Estoy encantado de que vuelvas a vivir aquí.

Me han dicho que venga temprano, y aquí estoy.

Cuando vuelvas del trabajo, ¿puedes pasar por la panadería?

Estaremos aquí hasta que salga el sol.

....

....

....

....

....

....

....

....

....

....

....

....

....

مرحبا

您好！

¡Hola!

Ser

Usamos el verbo **ser** para definir, clasificar, identificar y hablar de las características propias de conceptos, cosas y personas. Esas características propias pueden ser referidas a la composición, la procedencia, la propiedad, la profesión, la finalidad, etc.

*Un abrigo **es** una prenda de vestir larga y normalmente gruesa.* [definir]

*¿El tomate **es** una fruta o una hortaliza?* [clasificar]

*Este **es** Juanjo y aquellos **son** Moncho y Pancho.* [identificar]

*Esta chaqueta **es** de piel, ¿te gusta?* [composición]

*La bici roja **es** de mi hermano mayor.* [propiedad]

*Azuzena **es** de Toledo* [procedencia]*, trabaja conmigo y **es** arquitecta.* [profesión]

*Este arroz **es** para hacer la paella.* [finalidad]

Usamos el verbo **ser** con adjetivos para caracterizar y valorar con carácter general.

*Alicia **es** muy guapa y muy simpática.* [físico y carácter]

Atención: con algunos adjetivos solo podemos usar el verbo **ser**:

capaz, posible, inteligente, importante, etc.

1 LA TIERRA ES... A1

Forma frases como en el ejemplo utilizando el verbo **ser** y las palabras de los recuadros. Utiliza artículos cuando sea necesario.

La vaca	**ser +**	**gran extensión de agua salada.**
La Tierra		**bebida mexicana.**
José Luis		**pequeño y blanco.**
Los Andes		**animal mamífero.**
El tequila		**planeta del sistema solar.**
Mi perro		**una cordillera de Sudamérica.**
Un mar		**alto y delgado.**

1. La vaca es un animal mamífero.
2. ......
3. ......
4. ......
5. ......
6. ......
7. ......
8. ......

Yo soy una vaca.
Y yo soy un perro, y además los dos somos mamíferos.

Estar

Usamos el verbo **estar** para valorar con los adverbios **bien** y **mal**.

*La última película de Amenábar **está** muy bien.*

Usamos el verbo **estar** con adjetivos para expresar una circunstancia que afecta a una persona o cosa como resultado de un proceso y para valorar algo o a alguien como resultado de una experiencia o de una apreciación.

*Hoy **estoy** muy nervioso porque tengo un examen.*

Atención: los participios con valor de adjetivo (**cansado, enfadado, muerto, roto, sentado, agachado**, etc.) y un grupo de adjetivos (**contento, enfermo, lleno, vacío**, etc.) van únicamente con **estar**.

*¡A comer!, la cena ya **está** preparada.*
~~*La cena ya es preparada.*~~

*Marga **está** contenta porque le han dado una buena noticia.*
~~*Es contenta.*~~

Usamos **estar** para describir la postura de algo o alguien: **de pie, de rodillas**, etc.

*Ubaldo **está** de pie en el salón.*

Ser una vaca está bien, pero ser un perro está mejor.

2 ESTAMOS CONTENTOS B1

Completa los siguientes diálogos usando **ser** y **estar**.

1. ● ¿Cómo .... tu hermana?
   ○ Mucho mejor. Ya no tiene fiebre y puede andar un poco, pero .... algo deprimida... Ya sabes, ella .... muy activa, y le molesta .... quieta.
2. ● Tú .... sociólogo, ¿verdad?
   ○ Sí, pero .... parado desde hace dos años.
   ● Vaya...
   ○ Pues sí, la verdad es que .... harto, necesito volver a trabajar.
3. Leonardo .... mucho más delgado últimamente.
4. ¡Qué guapa .... hoy tu hija! Y ese vestido .... precioso.
5. ● Ayer Bruno en la reunión .... muy distraído. ¿Qué le pasa?
   ○ Creo que .... enamorado.
6. ● ¿Tú sabes qué .... un oxímoron?
   ○ .... una figura retórica, ¿no?
7. Anoche fuimos al nuevo restaurante cubano que abrieron en el barrio. ¡ .... muy bien!
8. ● ¿Quién .... ese chico?
   ○ ¿El que .... sentado con Sofía?
   ● Sí.
   ○ .... un amigo de Carlos.

3 AMIGOS EN LA RED A2

A. Los emoticonos se usan mucho en la red para expresar estados de ánimo; aquí tienes unos cuantos. ¿Con qué estados asocias cada uno? Si lo necesitas, busca el significado de estos adjetivos en el diccionario.

B. Viajeros&amigos es una web para personas que viajan mucho y buscan amigos en todo el mundo. Aquí tienes las presentaciones de cuatro personas. Lee y haz su descripción usando **ser** y **estar**.

Viajeros & amigos	
1	Usuario: Dante22 Género: H Mi país de origen: Italia Escribo desde: São Paulo, Brasil Mi ocupación: piloto Mi estado de ánimo:
2	Usuario: Hernan44 Género: H Mi país de origen: Colombia Escribo desde: París, Francia Mi ocupación: arquitecto Mi estado de ánimo:
3	Usuario: JulietteB Género: M Mi país de origen: Bélgica Escribo desde: Roma, Italia Mi ocupación: directora de Marketing Mi estado de ánimo:
4	Usuario: Yuri_aero Género: H Mi país de origen: Rusia Escribo desde: Madrid, España Mi ocupación: auxiliar de vuelo Mi estado de ánimo:

1. Dante es un hombre italiano, es piloto y hoy está en ....
2. ....
3. ....
4. ....

C. Ahora escribe una descripción parecida sobre ti.

....

Ser y estar: contraste

En muchos casos, se puede usar **ser** o **estar** con un mismo adjetivo. Si queremos expresar que la cualidad referida es una característica esencial del sujeto, usaremos **ser**. Si queremos expresar que es un estado o el producto de un cambio, **estar**.

*La hija de Ximena **es** muy alta y muy guapa.*

*¿Esta **es** tu hija, Ximena? ¡Cómo ha crecido! ¡Qué alta y qué guapa **está**!*

Del mismo modo, cuando valoramos alimentos o bebidas, usamos **ser** para valorarlo en general y **estar** para referirnos a un plato o a una bebida concretos.

*El gazpacho **es** riquísimo… ¡pero este **está** horrible!*

*¡Oye! ¡Estos tamales **están** buenísimos!*

*El café colombiano **es** muy aromático.*

*Uy… el café **está** demasiado dulce.*

En algunos casos, un mismo adjetivo puede tener dos significados diferentes dependiendo de si se usa con el verbo **ser** o con **estar** y con qué palabras.

*Estas manzanas **están** verdes.* (no maduras)
*Las manzanas reinetas **son** verdes.* (color)
*¿Qué le pasa a la tele? **Está** verde.* (color)

*Estos niños **son** listos de verdad.* (inteligentes)
*¿Los niños **están** listos?* (preparados)

*El profe de mates **es** bueno.* (en términos de calidad o bondad)
*El profe de mates **está** bueno.* (manera coloquial de decir que es atractivo)

¡Este niño es muy nervioso y yo estoy cada vez más nerviosa!

4 ESTÁ MUY RARO B1

Relaciona cada frase con su continuación más lógica.

1. Jorgina es muy blanca,
2. Jorgina está muy blanca,

☐ ... debería tomar un poco de sol.
☐ ... no debería tomar mucho sol.

3. Juan es muy raro,
4. Juan está muy raro,

☐ ... por eso no tiene amigos.
☐ ... no sé que le pasa.

5. Mis zapatos nuevos son verdes,
6. Mis zapatos nuevos están verdes,

☐ ... con la humedad la piel se ha estropeado.
☐ ... a juego con el vestido.

7. Jenaro es alegre,
8. Jenaro está alegre,

☐ ... ha bebido más de la cuenta.
☐ ... una persona llena de energía positiva.

9. José es muy guapo,
10. José está muy guapo,

☐ ... pero últimamente está más guapo todavía.
☐ ... pero no es un hombre guapo.

11. Juani es muy joven,
12. Juani está muy joven

☐ ... tiene menos de 20 años.
☐ ... para tener 65 años.

13. Jaime era muy bueno,
14. Jaime estaba muy bueno,

☐ ... parecía un modelo famoso.
☐ ... todas sus colegas confiaban en él.

Ser y estar para hablar de la hora, la fecha, el espacio y el tiempo

Usamos **ser** para expresar la hora y la fecha.

*Aquí **son** las diez y media, pero en Los Ángeles **es** la una y media.*

*Hoy **es** 10 de junio. **Es** martes.*

Atención: cuando nos incluimos a nosotros o a otros en la frase, usamos la expresión **estar a/en** + fecha.

● *¿**Estamos** en enero o en febrero?*
○ ***Estamos** a 31 de enero.*

Ser sirve para localizar eventos y acontecimientos en un lugar y en un momento. En este caso, **ser** expresa que se desarrolla un proceso en un lugar o tiempo determinados.

*La fiesta **es** en casa de Juan.*

*Los conciertos de rock **son** normalmente los sábados por la noche en el polideportivo.*

*El descubrimiento de América **fue** en 1492.*

Estar sirve para localizar a una persona o una cosa en el espacio.

*La casa de Alberto **está** cerca del centro.*

*Alberto **está** en la playa.*

5 MECANO B1

Escribe las ocho frases usando un elemento de cada una de las columnas.

1. Hoy **2.** El jueves	es está	a en ø	7 de enero.

3. Hoy	somos estamos	a en ø	7 de enero.

4. Es 30 de marzo, **5.** Es 30 de octubre,	a en ø	Europa	es está	a en ø	primavera. verano. otoño. invierno.

6. Es 30 de marzo, **7.** Es 30 de octubre,	a en ø	Europa	somos estamos	a en ø	primavera. verano. otoño. invierno.

8. ¿No	somos estamos	a en ø	el año 2011?

ESTRATEGIA

Para situar en el tiempo podemos usar diferentes verbos, y también diferentes preposiciones: **estamos a 3 de diciembre**; **hoy es 4 de enero**, **el concierto es a las 4**; **es primavera**; **estamos en otoño**, etc. Intenta recordar ambas cosas para poder expresarte con corrección y precisión.

6 ÉRAMOS COMPAÑEROS DE FACULTAD B1

A. Gregorio nos cuenta su primera historia de amor. Completa con **ser** o **estar** en el tiempo adecuado.

Analía y yo nos conocimos hace diez años. .... septiembre. Yo .... un semestre en Italia con una beca y cuando volví puse un anuncio en el tablón de la biblioteca buscando una persona con la que conversar en italiano. Entonces ella me llamó. Su padre .... de Génova pero, increíblemente, ella nunca .... en Italia y, aunque hablaba italiano, tampoco tenía con quién practicar. Total, que quedamos en la cafetería de la facultad esa misma tarde. Cuando llegó, no me lo podía creer: .... guapísima. Comenzamos a hablar sobre mil cosas; yo .... fascinado: además de guapa, ... muy culta y .... interesada en muchos temas diferentes.

Decidimos reunirnos una vez por semana para conversar y, a las pocas semanas, yo ya .... totalmente enamorado, aunque ella no parecía darse cuenta. Finalmente le confesé lo que sentía y ella me dijo que yo también le gustaba. .... saliendo unos meses hasta que un día me llamó y me dijo que salía con otro chico. .... deprimido un tiempo, pero bueno... Ahora .... muy contento con Lidia, mi pareja actual. Ella .... muy especial, ... una gran compañera y .... siempre a mi lado. .... muy bien juntos.

B. Ahora escucha el relato de Gregorio y comprueba tus respuestas. (150)

7 SI HOY ES MARTES, ESTAMOS EN TOLEDO B1

Completa las frases siguiendo este código y poniendo los verbos en la persona y el tiempo adecuados:

.... : ser o estar

.... : a, en, ø

1. Hoy .... 25 de julio. .... España .... verano, y .... Argentina, invierno.
2. Entre España y Argentina hay 6 horas de diferencia horaria: cuando .... Madrid .... las 10 de la mañana, ... Buenos Aires .... las 4 de la madrugada.
3. La final del campeonato .... hoy .... las 10 de la noche, hora inglesa; es decir, que .... las 9 de la noche, hora española.
4. El aeropuerto de Bilbao .... el municipio de Loiu.
5. Nuestro vuelo .... las 13.00, o sea que tenemos que .... en el aeropuerto a las 12.00 o así.
6. ● La semana pasada mi novio y yo .... Almagro.
   ❍ ¿Almagro?
   ● Sí, ... un pueblo muy bonito que .... la provincia de Ciudad Real.
7. ¡Es increíble! ¡ .... primavera y sin embargo .... 4 grados!
8. ● ¿Qué día .... hoy?
   ❍ ¿Hoy? .... martes.

La forma **hay** y el verbo **estar**

Hay es la forma impersonal del presente de indicativo del verbo **haber** y se usa para informar de la existencia de algo. Muchas veces va asociada a un lugar.

*En mi barrio **hay** un parque muy grande.*
***Hay** mucha gente en la plaza.*
***Hay** problemas en la empresa.*
*¿**Hay** leche en la nevera?*
*¿Qué **hay** para comer?*

Hay aparece en frases que hablan por primera vez de algo, por esa razón, los sustantivos a los que se refiere van acompañados de artículos indeterminados, numerales o no tienen ningún determinante (si son sustantivos no contables, en singular, si son contables, en plural).

*En esta región **hay**...*
... una universidad muy importante. [artículo indefinido]
... muchos parques naturales. [cuantificador]
... quince hoteles de cinco estrellas. [numeral]
... Ø naturaleza y cultura. [sustantivo no contable en singular]
... Ø playas maravillosas. [sustantivo contable en plural]

Atención: hay es invariable: tiene la misma forma para hablar de objetos en singular y en plural.

Atención: hay nunca se combina con un artículo determinado.

~~*Hay las plantas en el balcón.*~~
*Las plantas **están** en el balcón.*

Estar se usa para situar en el espacio elementos que no son nuevos para el oyente. Los sustantivos a los que se refiere pueden ser nombres propios o bien ir acompañados de artículos determinados o posesivos.

*Venezuela **está** en el norte de Sudamérica.* [nombre propio]
*Adrián **está** en su casa.* [nombre propio]
*Los libros **están** sobre la mesa.* [sustantivo con artículo determinado]
*¿**Está** en esta calle tu coche?* [sustantivo con posesivo]

Atención: recuerda que el verbo **estar** es irregular.

Yo	estoy
Tú	estás
Él/ella/usted	está
Nosotros/nosotras	estamos
Vosotros/vosotras	estáis
Ellos/ellas/ustedes	están

8 EL PUEBLO DE SAN JULIÁN A1

Carlos envía un correo electrónico a su amigo Quique contándole cómo es San Julián, el pueblo de sus abuelos. Completa con **hay** o la forma correcta de **estar**.

De: Carlos
Para: pablete@latinmail.dif
Asunto: ¿Te vienes a San Julián?

¡Hola! ¿Qué tal estás?
Yo .... en San Julián, el pueblo de mis abuelos. Es un pueblo muy pequeño y .... a 120 km de Madrid. La verdad es que es un poco aburrido... No .... casi nada... Te cuento: .... dos iglesias, San Julián y Santa Rita. La iglesia de San Julián .... en el centro del pueblo, en la plaza. Santa Rita es más pequeña y .... en la entrada del pueblo. .... tres bares en la plaza, y otro bar un poco más lejos. No .... cines, teatros ni bares de copas: el cine más cercano.......... en San Vicente, un pueblo a 10 km de aquí. También .... un supermercado pequeño, un estanco y una farmacia, pero no .... médico ni escuela en el pueblo. La casa de mis abuelos .... fuera del pueblo, y como no .... transportes tengo que ir siempre en bicicleta. Pero me gusta la casa: es pequeña pero .... junto al río. Muy cerca de la casa .... un bosque donde paseo todas las mañanas. Es verdad que no hay muchas cosas, pero es ideal para descansar... ¿Por qué no te vienes a pasar unos días conmigo? ¡Anímate! Un abrazo.
Carlos

9 UNA ISLA PARADISÍACA A1

151 **A.** Escucha la descripción que Sofía hace de Arcadia, la isla en la que vive. ¿A cuál de las imágenes corresponde? Anótalo debajo del dibujo.

1

Isla de

2

Isla de

B. Observa el dibujo de la otra isla, La Salina. ¿Puedes describirla tú?

La Salina es una isla...

10 ¿SER, HAY O ESTAR? A1

Completa las frases con las formas adecuadas de los verbos **ser** y **estar** o con la forma **hay**.

1. Las Islas Canarias ....son.... siete y ....están.... en el océano Atlántico.
2. En Nicaragua .... lagos, volcanes y selva.
3. San José .... la capital de Costa Rica.
4. En las Islas Galápagos ....animales únicos.
5. Costa Rica .... en Centroamérica, entre Nicaragua y Panamá.
6. La moneda de Perú .... el Sol.
7. En Paraguay .... dos lenguas oficiales: el castellano y el guaraní.
8. La vicuña .... un mamífero de los Andes.
9. El Cantábrico .... un mar abierto.
10. Santander .... en la costa cantábrica.
11. En Argentina .... muchos climas diferentes.

11 QUÉ HAY EN... A2

Escribe al menos tres cosas que puedes encontrar en cada uno de estos lugares. Puedes pensar en algún lugar concreto que conoces y completar los sustantivos con cuantificadores (**muchos/as, bastantes, pocos/as...**), con algún adjetivo, etc. Puedes usar el diccionario.

1. En un aeropuerto: En el aeropuerto de Madrid hay muchos mostradores de facturación. También hay muchas puertas de embarque y aviones de diferentes compañías. Hay cintas transportadoras...
2. En un hospital: ....
3. En un banco: ....
4. En un restaurante: ....

MUNDO PLURILINGÜE

Seguro que puedes traducir estas frases a tu lengua o a otra lengua que conoces. ¿Los verbos destacados funcionan de manera similar a las del español?

1. ● ¿Quién llama?
   ○ **Es** tu hermana, dice que le **está** comprando una cosa a tu madre y que quiere hablar con ella.
   ● Pues mamá no **está**...
2. ● ¿Dónde **es** la reunión de vecinos?
   ○ **Es** en el portal del edificio.
3. Sandra **es** muy guapa, pero hoy **está** espectacular.

12 SER, ESTAR, HAY A2

Completa las siguientes frases con la forma adecuada de **ser, estar** o **hay** para expresar la intención comunicativa entre corchetes. A veces vas a necesitar las formas **un/a/os/as** o **el/la/los/las**.

1. **a.** ¿Sabes dónde .... **(una/la/Ø)** farmacia por aquí? **[No sé si por aquí hay alguna farmacia.]**
   b. ¿Sabes dónde .... **(una/la/Ø)** farmacia Zarra? **[Me han dicho que hay una con ese nombre pero no sé dónde.]**
2. **a.** En la Plaza Mayor .... **(un/el/Ø)** restaurante donde se come muy bien. ......**[Supongo que no lo conoces y que esta ... información te va a ser útil si quieres comer por allí.]**
   b. En la Plaza Mayor..........**(un/el/Ø)** mejor restaurante de la ciudad. **[Quiero comunicar dónde está.]**
3. **a.** Creo que .... en el gimnasio. **[Alguien quiere saber dónde está Mónica en este momento.]**
   b. Creo que .... en el gimnasio. **[Alguien quiere saber saber dónde se da la clase de taichi.]**
   c. Creo que .... en el gimnasio. **[Alguien quiere saber dónde encontrar algunas toallas limpias.]**
4. **a.** ¿Sabes dónde .... **(un/el/Ø)** hospital de este pueblo? **[Supongo que hay uno porque en pueblos como este, normalmente hay uno y quiero encontrarlo.]**
   b. ¿Sabes dónde .... **(un/el/Ø)** hospital en este pueblo? **[Tal vez hay varios, uno de ellos me sirve.]**

24 Los conectores

Y, ni, o, pero

Los conectores son palabras que se utilizan para unir partes de un texto.

Utilizamos **y** para unir dos o más elementos:

Mis aficiones son leer **y** *tocar la guitarra.*

Soy español **y** *tengo 35 años.*

Atención: cuando la palabra que sigue a **y** comienza con **i-/hi-** se sustituye **y** por **e**.

Estos son Pilar **e** *Iñaki, unos amigos.*

Con **ni** unimos dos elementos que negamos. Si los elementos negados van después del verbo, podemos usar solo un **ni** entre los elementos o añadir un **ni** antes de cada elemento.

No bebo ***ni*** *café* ***ni*** *té.* [= no bebo café + no bebo té]

Mis padres no hablan francés ***ni*** *inglés.* [= no hablan francés + no hablan inglés]

Si la frase comienza con los elementos negados, es necesario colocar **ni** antes de cada uno.

Ni *Juan* ***ni*** *Pedro hablan inglés.* [= Juan no habla inglés + Pedro no habla inglés]
~~*Juan ni Pedro hablan inglés.*~~

Usamos la conjunción **o** para presentar alternativas:

¿Tu nombre se escribe con b **o** *con v?*

Quiero estudiar alemán **o** *francés.*

Atención: cuando la palabra que sigue a **o** comienza con **o-** o con **ho-**, se sustituye la conjunción **o** por **u**.

Tiene una hija de siete **u** *ocho años.*

Con **pero** se presenta una información nueva que, en algún aspecto, se opone a la anterior:

Casi nunca como aguacates, **pero** *me gustan mucho.*

1 PABLO Y MARTA VIVEN EN PONTEVEDRA A1

Completa estas frases con **y**, **ni**, **o**, **e**, **u**, **pero**.

1. Pablo .... Marta tienen un hijo pequeño.
2. Hoy no quiero .... salir .... ver gente.
3. Enrique .... Isabel se van de vacaciones a Japón.
4. Quiero acompañarte .... no puedo.
5. ¿El protagonista de Troya es Brad Pitt .... Orlando Bloom?
6. .... tú .... ella habláis chino. No podéis trabajar en China.
7. ¿Prefieres ir al sur .... al norte?
8. Llevo el champú .... no el secador.

Hija, no cumples con tus obligaciones, ni buscas un trabajo ni estudias, y duermes mucho y siempre te quejas por todo. Eres intolerante e impertinente y siempre estás quejándote de los demás. Está claro que no te pareces nada a mí.

2 RADIO AULA A2

A. Radio Aula ha preguntado a varios jóvenes qué hacen en su tiempo libre. Lee sus respuestas y coloca cada etiqueta en el lugar que le corresponde.

y pasar la mañana | **y a todos nos encanta.** | **pero hay dos cosas que no me gustan nada:** | **pero es muy aburrida.** | **y correr un poco** | **ni ir al gimnasio.**

Alicia: Bueno, a mí me gusta mucho levantarme pronto .... antes del trabajo. Los viernes por la tarde voy al gimnasio, y después me ducho y me maquillo para salir.

Marta: No me gusta ni correr .... No me gusta nada el deporte. Otra cosa que no me gusta es mi clase de inglés. Voy dos días a la semana porque tengo que aprender idiomas, ...

Bruno: Bueno, yo vivo solo y, en general, me gusta hacer las tareas de la casa, ... una es cocinar y la otra es fregar. Cocino muy mal y, cuando llego cansado a casa, prefiero pedir una pizza en algún sitio.

Carmen: Bueno, a mí me encanta levantarme temprano los fines de semana, comprar el periódico y el pan.... .... en casa tranquilamente. Me relaja mucho y me encanta pasar así el día.

Eduardo: Bueno, a mí me gusta especialmente hacer excursiones al campo, voy con un grupo de amigos. Lo hacemos casi todos los fines de semana, ...

152
156
B. Escucha la grabación de las entrevistas y comprueba tus respuestas.

También, tampoco, sí, no

Usamos **también** para añadir un nuevo elemento que coincide con las informaciones dichas anteriormente y para expresar coincidencia de opinión o de informaciones en una frase afirmativa.

*Me interesan la política y la cultura, y **también** la literatura.*

- *Trabajo todos los sábados por la mañana.*
- *Yo **también**.*

Para agregar un nuevo elemento y para expresar coincidencia de opinión o de información en frases negativas usamos **tampoco**.

*No me interesa la política; **tampoco** me interesa mucho la economía.*

- *Hoy no tengo clase. ¿Y tú?*
- *Yo **tampoco**.*

Yo quiero trabajar contigo en clase.
Yo también.

Yo no quiero trabajar contigo en clase.
Yo tampoco.

Para expresar que no hay coincidencia con lo dicho anteriormente, usamos **sí** y **no**.

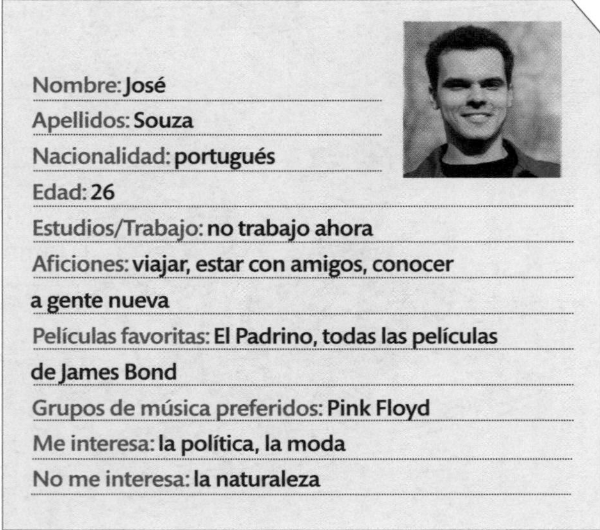

3 TELARAÑA.DIF A1

A. Estas son las fichas de tres miembros de una red social de internet. Léelas y completa las frases que hay a continuación con **también, tampoco, sí, no**.

Nombre: **José**
Apellidos: **Souza**
Nacionalidad: **portugués**
Edad: **26**
Estudios/Trabajo: **no trabajo ahora**
Aficiones: **viajar, estar con amigos, conocer a gente nueva**
Películas favoritas: **El Padrino, todas las películas de James Bond**
Grupos de música preferidos: **Pink Floyd**
Me interesa: **la política, la moda**
No me interesa: **la naturaleza**

Nombre: **Silke**
Apellidos: **Eichin**
Nacionalidad: **austríaca**
Edad: **26**
Estudios/Trabajo: **estudio Biología**
Aficiones: **la montaña, las flores, viajar**
Películas favoritas: **Amélie, Mar adentro**
Grupos de música preferidos: **Emir Kusturica and the No Smoking Orchestra, Ojos de Brujo**
Me interesa: **la naturaleza, los países del este**
No me interesa: **la política, la moda**

Nombre: **Hernán**
Apellidos: **Mira**
Nacionalidad: **argentino**
Edad: **32**
Estudios/Trabajo: **estudio Biología**
Aficiones: **tocar la guitarra, leer, ir a la montaña, viajar**
Películas favoritas: **Un perro andaluz, Amélie**
Grupos de música preferidos: **Pink Floyd, Los fabulosos Cadillacs**
Me interesa: **la música y la gente**
No me interesa: **la moda**

a. José tiene 26 años. Silke ....

b. Silke estudia Biología. Hernán ....

c. A José le interesa la política, pero a Silke ....

d. A José le encanta Pink Floyd y a Hernán .... pero a Silke ....

e. A Silke le gusta viajar; a José .... le gusta mucho.

f. A Hernán no le interesa la moda y a Silke ....; pero a José ....

¿Por qué?, porque

Cuando queremos preguntar por la causa de algo, utilizamos **¿por qué?.**

*¿**Por qué** llevas paraguas?*

Expresamos la causa con **porque**.

- *¿**Por qué** estudias alemán?*
- ***Porque** quiero comunicarme con mis amigos de Austria.*

Porque introduce una causa que el interlocutor no conoce aún y que se sitúa normalmente después de la consecuencia.

CONSECUENCIA **porque** CAUSA
- *No pude viajar a Nueva York **porque** mi pasaporte había caducado.*
- *Ah, ¿sí? Yo creía que no habías viajado **porque** no te apetecía.*

Que en oraciones de relativo

Utilizamos **que** en oraciones de relativo, con las que damos información sobre objetos, sobre personas o sobre lugares que nombramos.

*Tengo un primo **que** vive en Pontevedra.*

*Ese libro **que** lees parece muy interesante.*

Que como conjunción en las frases subordinadas

Cuando una frase (subordinada) actúa como sujeto o complemento de otra (principal), la primera viene introducida muchas veces por **que**.

*Creo **que** son las siete de la tarde.*

4 ¿POR QUÉ LLEVAS PARAGUAS? A1

Rellena los huecos con **porque** o **por qué.**

a. Hablo alemán .... quiero hablar con mis amigos de Munich.

b. Esta noche no puedo ir al cine .... tengo que estudiar.

c. ¿ .... estudias español?

d. Si te gusta esa camisa, ¿ .... no te la compras?

e. ¿.................... no llevas cámara de fotos?

f. Yo no llevo cámara de fotos .... no quiero llevar muchas cosas.

g. Me parece antipático .... nunca habla y es muy distante.

5 LOS CONECTORES SON PALABRAS QUE... A1

A. Une cada definición con su terminación.

1. Un médico es una persona...

2. Un cantante es una persona...

3. El tenis es un deporte...

4. Un bolígrafo es un objeto...

5. Un amigo es una persona...

- ☐ a. que sirve para escribir.
- ☐ b. que se juega con una raqueta y una pelota.
- ☐ c. que te quiere en los momentos buenos y en los malos.
- ☐ d. que trabaja para mejorar la salud de las personas.
- ☐ e. que canta profesionalmente.

B. Ahora escribe cinco frases como las del apartado anterior en tu cuaderno. Puedes usar el diccionario.

ESTRATEGIA

Con la ayuda del **que** de relativo puedes explicar qué es o cómo es una cosa si no sabes cómo se dice.

6 ¿CON O SIN QUE? A1

A. ¿En qué frases es necesario añadir la conjunción **que**? Señala el lugar donde hay que añadirla.

1. Creo ↓que el español es una lengua fácil. ....
2. Quiero conocer a hispanohablantes en internet. ....
3. Pienso es imposible hablar en español desde el primer día de clase. ....
4. Algunas personas dicen es importante estudiar verbos, pero yo creo no. ....

B. ¿Con qué opiniones y deseos del apartado **A** coincides? Escribe al lado de cada una **yo sí, yo no, yo también** o **yo tampoco**, según corresponda.

Yo creo que es importante que hablemos de qué es lo que funciona y lo que no funciona en nuestra relación, ¿tú qué crees?
¿Qué creo de qué?

Conectores para expresar causa y consecuencia

Algunos conectores sirven para expresar una relación de causa y consecuencia entre dos hechos. Son, entre otros: **porque, es que, como, así que, por eso, de modo que, ya que** y **puesto que.**

Por eso, así que y **de modo que** sirven para introducir una consecuencia que el interlocutor no conoce aún y que se sitúa después de la causa.

CAUSA, **por eso** CONSECUENCIA
*Mi pasaporte había caducado, **por eso** no pude viajar.*

CAUSA, **así que** CONSECUENCIA
*Las tiendas estaban cerradas, **así que** no pudimos comprar nada.*

CAUSA, **de modo que** CONSECUENCIA
*El doctor está ocupado ahora, **de modo que** no puede atenderlo ahora.*

Juan salió ayer de fiesta, por eso hoy se ha dormido en el trabajo.

Atención: normalmente estos conectores se usan después de una pequeña pausa representada en la lengua escrita por una coma (,).

Como introduce una causa que se presenta como un hecho conocido por los interlocutores y después de la cual se sitúa una consecuencia, presentada como una información nueva.

Como CAUSA, CONSECUENCIA
***Como** no llevaba dinero, tuve que pedirle 20 € a un amigo.*

Es que se usa en la lengua oral para introducir una causa utilizada como justificación personal ante posibles malas interpretaciones.

Es que CAUSA
*Lo siento, no he podido llamarte; **es que** estaba sin batería.*

7 COMO, PORQUE, POR ESO, ASÍ QUE... B1

Lee los pares de oraciones e indica cuál es la causa (CA) y cuál la consecuencia (CO) y conéctalas usando los conectores propuestos.

1. .... no tenía dinero (CA) .... volví a casa caminando. (CO)

   porque / por eso

2. .... hacía bastante frío en casa (.....) .... encendí la calefacción. (.....)

   como / porque

3. .... tuvo un accidente con la moto (.....) .... pasó una semana en el hospital. (.....)

   porque / de modo que

4. .... la otra noche salí hasta las tres (.....) .... no había clases al día siguiente. (.....)

   porque / como

5. .... Susi dejó la sartén en el fuego mientras hablaba por teléfono (.....) .... se le quemó la comida. (.....)

   por eso / porque

6. .... Luisa y Fran se han ido a vivir a un piso más pequeño (.....) .... han tenido que regalar algunos muebles. (.....)

   porque / así que

7. .... cuando volví a casa me apunté a un gimnasio (.....) .... durante las vacaciones había engordado 3 kilos. (.....)

   como / porque

8. .... aún tenía una semana de vacaciones (.....) .... se quedó unos días más en Ibiza sin hacer nada. (.....)

   como / porque

8 COMO, PORQUE B1

A. Relaciona las frases del primer grupo con las del segundo grupo. Luego marca cuál es la causa (CA) y cuál la consecuencia (CO).

1. entramos en casa sin hacer ruido CO
2. compramos un televisor, un ordenador y una impresora ....
3. la comida estaba buenísima ....
4. ninguno de nosotros tenía reloj ....
5. les encanta el mar ....
6. la habitación da a una calle muy ruidosa ....

a. - no queríamos despertar a nadie CA
b. - se han comprado un apartamento en la playa ....
c. - no sabíamos qué hora era ....
d. - había ofertas especiales en todos los aparatos de electrónica ....
e. - no se puede dormir bien ....
f. - felicitamos al cocinero ....

B. Escribe para cada pareja una versión con **como** y otra con **porque**.

1. como Como no queríamos despertar a nadie..
   porque ....
2. como ....
   porque ....
3. como ....
   porque ....
4. como ....
   porque ....
5. como ....
   porque ....
6. como ....
   porque ....

9 PORQUE, ES QUE B1

Observa las conversaciones y decide cuándo es más adecuado usar **porque** y cuándo **es que.**

a. ● Matilde, son las diez y media. ¿Crees que estas son horas de llegar al trabajo?

❍ Perdona, ... el tren ha tenido una avería y no he podido llamar...

b. ● ¿Qué te parece si estas Navidades nos vamos a esquiar?

❍ Perfecto, ... han dicho en las noticias de la tele que va a haber mucha nieve.

c. ● ¿Y tú qué opinas? Hace un buen rato que no dices nada.

❍ Lo siento, ... no sé mucho de ese tema.

d. ● A Carlos y Esther les encantaría venirse con nosotros de fin de semana.

❍ Ideal, ... en la casa de la montaña hay sitio para cuatro.

e. ● ¿Te apetece comer sopa de primero?

❍ .... hace un poco de calor. Mejor hacemos algo más fresquito, ¿no?

f. ● ¡Qué pronto has llegado! ¿Pero no habíamos quedado dentro de media hora?

❍ .... vivo bastante cerca y he llegado antes de lo que pensaba.

g. ● ¡Gracias! ¡Qué detalle tan bonito! Pero no tenías por qué hacerme ningún regalo...

❍ .... lo vi en la librería y pensé que te gustaría.

h. ● ¿ Qué haces en casa a estas horas?

❍ .... el profe de mates está enfermo y hemos salido antes.

Conectores para expresar contraste entre ideas

Pero y **aunque** sirven para expresar el contraste entre dos ideas. Ambos conectores se pueden usar para introducir una idea que contrasta con lo que se ha dicho anteriormente.

IDEA 1, **pero** IDEA 2 [2 contrasta con 1]
*Santi acaba de llegar al cole, **pero** ya tiene muchos amigos.*

IDEA 1, **aunque** IDEA 2 [2 contrasta con 1]
*Santi acaba de llegar al cole, **aunque** ya tiene muchos amigos.*

Estas construcciones presentan las dos ideas como coordinadas, dándoles la misma importancia.

Aunque puede presentar, en una posición inicial, una idea que contrasta con la que le sigue.

aunque IDEA 2, IDEA 1 [2 contrasta con 1]
***Aunque** mi coche es bastante viejo, funciona perfectamente.*

Esta construcción presenta la idea que introduce (**es bastante viejo**) como subordinada. La oración principal es la que le sigue (**funciona perfectamente**).

Sino aparece siempre después de una frase negativa e introduce un elemento afirmado en contraste de un elemento negado en la frase anterior.

No ELEMENTO 1, **sino** ELEMENTO 2
*Santi no es antipático, **sino** tímido.* [=no antipático, sí tímido]
*No llegó ayer, **sino** anteayer.* [=no ayer, sí anteayer]

Atención: cuando el elemento negado es una frase completa con un verbo conjugado, usamos **sino que**.

No ELEMENTO 1, **sino que** FRASE 2
***No** construía ordenadores, **sino que** los reparaba.* [=no construía, sí reparaba]
***No** quiero hacer el trabajo de mañana, **sino que** lo hagas tú por mí.* [=no hacerlo yo, sí hacerlo tú]

Atención: pero y **sino** suelen escribirse tras una coma (,) que marca una pausa tras la primera frase.

10 AUNQUE HACÍA FRÍO... B1

Relaciona cada frase del primer par con su continuación más lógica del segundo par.

1. Anoche dormí terriblemente mal,
2. Anoche dormí fantásticamente bien,

- ☐ pero estoy muy cansado.
- ☐ por eso estoy muy cansado.

3. Aunque hacía frío,
4. Como hacía frío,

- ☐ siempre iba en camiseta de manga corta.
- ☐ siempre iba con abrigo.

5. Aunque su familia tiene mucho dinero
6. Como su familia tiene mucho dinero

- ☐ vive en una casa enorme.
- ☐ vive en un barrio humilde.

7. Aunque tiene mucho sentido del humor,
8. Como tiene mucho sentido del humor,

- ☐ esas bromas no le hacen gracia.
- ☐ esas bromas le encantan.

9. He pasado un verano genial,
10. Este verano me han dejado solo

- ☐ aunque he tenido que trabajar bastante.
- ☐ por eso he tenido que trabajar bastante en la oficina.

11 PERO O SINO B1

A. Observa estas parejas de oraciones, que empiezan igual pero no tienen la misma continuación. En un caso es necesario **pero** y en el otro **sino**.

a. 1. No nos gusta jugar al fútbol, ... al baloncesto.
2. No nos gusta jugar al fútbol, ... a veces vemos algún partido.

b. 1. Los ordenadores de la escuela no son nuevos .... funcionan muy bien.
2. Los ordenadores de la escuela no son nuevos .... viejísimos.

c. 1. En general no hablo de política con mis colegas, ... de otros temas menos comprometidos.
2. En general no hablo de política con mis colegas, ... no tengo inconveniente en hacerlo si sale el tema.

d. 1. Su nueva novia no es Cari, ... Violeta. ¿Es que no lo sabías?

e. 2. Su nueva novia no es Cari, ... tampoco Violeta. ¿A que no adivinas quién es?

157/162 **B.** **Escucha las siguientes conversaciones y resúmelas usando una frase con sino como en el ejemplo.**

No se casaron en Buenos Aires sino en Bariloche.

....

....

....

....

....

....

....

Conectores para expresar la finalidad

Para expresa una relación de finalidad.

FRASE 1 **para** FRASE 2
Quedé con mi amiga Marta ***para*** *tomar un café.*
[La finalidad era tomar café.]

Atención: cuando el sujeto de las dos oraciones es el mismo, usamos **para** + infinitivo.

Elena se tomará unos días de vacaciones ***para*** *descansar.* [Elena es el sujeto de las dos frases]

Cuando el sujeto de las dos oraciones es diferente, podemos usar siempre **para que** + subjuntivo.

Elena [sujeto] *llevará a su novio a Asturias* ***para que*** *conozca a sus padres.* [sujeto = su novio]

Pero en muchas ocasiones, cuando el contexto deja claro quién es el sujeto de la segunda frase, se puede usar la estructura **para** + infinitivo.

Elena [sujeto] *me llevará a Asturias* ***para*** *conocer* [sujeto = yo] *a sus padres.*

Elena [sujeto] *me llevará a Asturias* ***para que*** *conozca* [sujeto = yo] *a sus padres.*

Atención: es importante no confundir **para** con **por**, y **para que** con **porque**. Con **para** se introduce una finalidad o el destino de algo y con **por** se introduce una causa o una motivación.

Hemos organizado esta fiesta ***para*** *Juan. Cuando lo descubra se alegrará mucho.* [=Juan es el destinatario.]

Hemos organizado esta fiesta ***por*** *Juan. Ha insistido mucho.* [=él es el motivo.]

Ginés vuelve a su país ***para que*** *le ayude su familia.* [la ayuda es la finalidad del viaje. Espera conseguirla.]

Ginés vuelve a su país ***porque*** *le ayuda su familia.* [la ayuda es la razón del viaje. Ya la ha conseguido.]

¡Soy Super ELE y he venido para ayudarte a aprender español!
ELE

12 POR ANITA, PARA ANITA B1

Lee las siguientes oraciones y subraya la opción adecuada sugerida por el contexto.

1. En verano nunca cenamos en la terraza por/para los mosquitos, hay demasiados. Y para poder dormir usamos un espray por/para insectos, que evita que te piquen.
2. ● Compré esta novela por/para Anita. Ella ya la había leído y me dijo que era muy interesante.
   ○ ¿Ah, sí? Pues yo precisamente he comprado otra del mismo autor por/para mi hermano. ¿Tú crees que a él le gustará?
3. Enrique estudia mucho por/para ser el mejor alumno de su escuela. Dedica mucho tiempo y esfuerzo. De hecho, ha recibido un diploma por/para ser el estudiante con los mejores resultados de su promoción.
4. El año pasado el Gobierno aprobó una ley por/para subir un 12% el precio de la gasolina. Lo hizo, pero recibió muchas críticas de los ciudadanos por/para subir el precio más de lo prometido.
5. Hemos trabajado muy duro por/para conseguir ser una escuela moderna y abierta y ahora nos critican por/para ser elitistas.

13 ¿POR QUÉ LO HACE? B1

A. Lee la pareja de oraciones con los conectores **porque** y **para que** y decide después qué continuación corresponde a cada una.

1. El bebé llora para que su madre lo coja en brazos. **2.** El bebé llora porque su madre lo coge en brazos.	**a.** Siempre intenta llamar su atención y no soporta estar lejos de ella. **b.** Le gusta estar solo en su silla sin que nadie le moleste.
3. Enrique se va a Sevilla para que le den un trabajo. **4.** Eduardo se va a Sevilla porque le dan un trabajo.	**c.** Piensa que allí es fácil encontrar empleo. **d.** Ya ha firmado el contrato y empieza el próximo lunes.
5. Cambiaré el número secreto de la tarjeta para que Luis saque dinero. **6.** Cambiaré el número secreto de la tarjeta porque Luis saca dinero.	**e.** Y no quiero que lo siga haciendo. **f.** Así no necesita pedirme dinero a mí.
7. Se queja porque le visitan sus amigos. **8.** Se queja para que le visiten sus amigos.	**g.** Les dice que hace tiempo que no vienen a verla y que se siente sola. **h.** Siempre están en su casa y no puede concentrarse en sus exámenes.
9. Juan sonríe para que Lucía le diga hola. **10.** Miguel sonríe porque Lucía le dice hola.	**i.** Ella no sabe que él existe y por eso quiere llamar su atención. **j.** Es la primera vez que ella se fija en él y está muy contento.

B. Completa con el conector **porque** o **para que** y selecciona la forma verbal adecuada.

1. Los dueños de este restaurante han bajado los precios .... viene / venga más gente. Es un lugar muy poco popular.
2. Mi hermano golpea la tele .... no funciona / no funcione. Es un poco bruto y piensa que así se arreglan las cosas.
3. Úrsula se queja .... María invita / invite a Luis a la fiesta. Le parece muy antipático y no quiere que venga.
4. Ricardo se ha comprado ropa nueva .... le han dado / le den un nuevo empleo. Dice que con un buen traje conseguirá un trabajo bien pagado.
5. Se ha cambiado de número de teléfono .... un desconocido le llama / le llame de noche.
6. Se está portando bien .... le dejamos / le dejemos el coche... No sabe que lo hemos vendido y que ya no es nuestro.

Conectores para expresar la condición

Si introduce una condición necesaria para que se pueda realizar una acción.

FRASE 1 **si** FRASE 2
*Mañana iré a verte, **si** tengo tiempo.*

si FRASE 2, FRASE 1
***Si** tengo tiempo, mañana iré a verte.*

Atención: aunque la condición se presente como algo posible en el futuro, no se expresa con tiempos de futuro, sino en presente de indicativo.

*El año que viene iremos de vacaciones, **si** tenemos dinero.*
*El año que viene iremos de vacaciones **si** ~~tendremos~~ dinero.*

Atención: no se debe confundir el **si** condicional con el adverbio afirmativo **sí**.

- ***Si** te apetece, podemos ir a cenar juntos.*
- *Pues **sí**. ¡Qué buena idea! Seguro que lo pasamos bien.*

Atención: las estructuras **cuando** + presente y **si** + presente pueden referirse a las mismas realidades, pero **si** presenta una condición y **cuando** una acción que es habitual.

***Cuando** llueve y hace sol, sale el arco iris.*

***Si** hace sol después de llover, sale el arco iris*

ESTRATEGIA

El uso de la segunda persona del singular es una manera coloquial de hacer frases con un matiz impersonal. Estas frases no son adecuadas en todos los contextos ya que son informales y tratan de tú a nuestro interlocutor.

14 CONDICIONES B1

Estos avisos y advertencias escritos se pueden expresar en lengua oral mediante frases condicionales con **si** y un verbo en 2ª persona del singular. Créalas.

NO SE PERMITE LA ENTRADA DESPUÉS DE COMENZAR EL ESPECTÁCULO.

Si llegas después de que comience el espectáculo...

....

LOS PASAJEROS CON TARJETA DE FIDELIDAD ORO Y DIAMANTE PUEDEN EMBARCAR EN EL MOMENTO QUE DESEEN.

....

....

+12 *Atracción no permitida a menores de 12 años.*

....

....

2 por el precio de 1
en todos los productos de la marca Don Pimpón.

....

....

ENTRADA GRATUITA
hasta las 12 de la noche.

....

....

15 SI Y CUANDO B1

Completa las siguientes oraciones utilizando los conectores **cuando** o **si**.

1. .... tengo vacaciones la semana que viene, voy a tu pueblo.
2. ¡Qué peli tan aburrida! .... quieres irte a casa antes del final, nos vamos.
3. .... llega el verano, empiezan las vacaciones.
4. .... mañana no hace frío, podemos ir a dar un paseo.
5. ¿Vas a ir a Hollywood? Pues .... ves a algún actor famoso, pídele un autógrafo para mí.
6. .... me toca la lotería, dejo de trabajar una temporada.
7. Por lo general .... termina el otoño, muchos árboles ya no tienen hojas.
8. ¿Qué te pasa? .... te encuentras mal, ve a ver al médico.

Cuando tengo algún problema para aprender español, siempre llamo a Super ELE.

MUNDO PLURILINGÜE

Traduce a tu lengua o a otra que conozcas bien estos pares de frases. Observa si usas, en cada caso, un único recurso o dos.

Te confundiste, no estaba de vacaciones en Las Palmas **sino** en Palma.

Es de Las Palmas **pero** vive en Palma; vaya, un lío.

Cuando dan las 9 de la noche, se pone el chándal y va corriendo hasta Algorta.

Si tienes sed, puedes beber un zumo que he dejado en el frigorífico.

Hemos venido **para** traerte el pan, pero nos tenemos que ir.

Nos han multado **por** tener el coche mal aparcado.

您好!

مرحبا

¡Hola!

La comparación de sustantivos

Para comparar las cantidades de sustantivos (personas, cosas, conceptos abstractos...) usamos **más ... que, menos ... que** y **tanto/a/os/as ... como.**

Natalia tiene ***más*** *hermanos* ***que*** *tú.* [superioridad]

Joaquín tiene ***más*** *paciencia* ***que*** *tú.* [superioridad]

Febrero tiene ***menos*** *días* ***que*** *marzo.* [inferioridad]

Bruno conoce ***tantos*** *lugares interesantes* ***como*** *yo en esta ciudad.* [igualdad]

Pues la verdad es que tu piso tiene ***tantas*** *habitaciones y tanta luz* ***como*** *el mío.* [igualdad]

Atención: tanto/a/os/as concuerda en género y número con el sustantivo al que acompañan.

Cuando, por el contexto, está claro con **quién** o con **qué** estamos comparando algo, no es necesario expresar la segunda parte de la comparación.

Ya, pero mi piso tiene ***más*** *cuartos de baño.* [...que el tuyo]

Atención: cuando la segunda parte de la comparación es un pronombre personal sin preposición, usamos las formas de sujeto.

Gertrud habla ***más*** *lenguas* ***que tú*** *y* ***que yo.***
~~[...que ti y que mí.]~~

Atención: para expresar inferioridad, frecuentemente se usan las formas de igualdad negadas.

Tú no tienes tanta paciencia como Edith. [=tú tienes menos paciencia que Edith]

Yo tengo menos años que tú, pero parezco más vieja.
Usa mi mascarilla antiarrugas, ¡hace milagros!

1 OFERTAS DE VACACIONES A2

A. Observa estas dos ofertas de vacaciones y piensa cuál te gustaría escoger. Si es necesario, busca en un diccionario las palabras que no conozcas.

Lima y Cuzco (Perú)

- Billetes de avión ida y vuelta (vuelo con escala en Madrid y Bogotá).
- 10 noches de alojamiento en hoteles de 3 *** (6 noches Lima) y 4 **** (4 noches Cuzco).
- Desayuno incluido.
- 2 cenas gastronómicas.
- Excursión 1: visita guiada al barrio de Miraflores.
- Excursión 2: visita al centro histórico de El Callao y viaje en barco hasta la Isla de San Lorenzo.
- Excursión 3: subida guiada al Machu Picchu.

Precio para dos personas:
junio: 4595 €, IVA incluido // septiembre: 4150 €, IVA incluido.

Ciudad de México (México)

- Billetes de avión ida y vuelta (escala en Madrid).
- 9 noches en hotel de 4 ****.
- Desayuno incluido.
- 3 cenas gastronómicas.
- Excursión 1: visita guiada a Coyoacán y a los museos de Frida Kahlo y León Trotski.
- Excursión 2: visita a Xochimilco y paseo en barca por sus canales.
- Excursión 3: visita a las pirámides de Teotihuacán.
- Excursión 4: visita guiada a la Sierra de Ajusco.

Precio para dos personas:
mayo: 2955 €, IVA incluido.

B. Ahora escucha la grabación y señala a cuál de las dos ofertas se refiere cada persona.

163
168

1. ....
2. ....
3. ....
4. ....
5. ....
6. ....

2 MÁS MUSEOS A2

A. Después de hacer los viajes anteriores, dos personas han respondido un cuestionario contando sus experiencias en una página web de viajes: www.recomiendaviajes.dif. ¿Te parecen útiles?

www.recomiendaviajes.dif

¿Has visitado algún museo?	
Bianca. México D. F.	Sí, el museo de Frida Kahlo y también el de Diego Rivera.
Lars. Lima y Cuzco	Sí, el Museo Larco de arte precolombino. ¡Lo recomiendo!
¿Has practicado algún deporte de aventura?	
Bianca. México D. F.	Sí, bicicleta de montaña junto al volcán Ajusco, a dos horas al sur del D. F.
Lars. Lima y Cuzco	Sí, surf en El Callao, cerca de Lima. También montañismo en el Machu Picchu.
¿Puedes recomendar algún restaurante?	
Bianca. México D. F.	Sí, uno que se llama Contramar. ¡Buenísimo!
Lars. Lima y Cuzco	En Lima, sin duda Astrid y Gastón. En Cuzco... pues Pacha Papa.
¿Has salido alguna noche?	
Bianca. México D. F.	Un par de noches. Una por el barrio de Polanco y otra en Coyoacán.
Lars. Lima y Cuzco	¿Salir? Dos veces, por el barrio de Miraflores. Está muy bien.
Has tenido problemas con...	
Bianca. México D. F.	¡Con el tráfico! En el D. F. hay muchísimos coches. También con un taxi ilegal.
Lars. Lima y Cuzco	Hay que negociar el precio de los taxis. ¡Uf!, es un poco pesado.
¿Has hecho muchas fotos?	
Bianca. México D. F.	Sí, bastantes, unas 200, creo. ¡Hay mucho que ver!
Lars. Lima y Cuzco	Claro que sí. No sé cuántas, unas 200 quizás.
¿Has traído recuerdos?	
Bianca. México D. F.	Sí, unos pendientes de plata para mi hermana, un sombrero mexicano para mi novio y tequila para mis padres.
Lars. Lima y Cuzco	Solo una flauta andina para decorar mi habitación.

B. Compara sus experiencias y acaba las frases en tu cuaderno usando **más/menos ... que** y **tanto/a/os/as ... como.**

1. Bianca ha visitado ....
2. Lars ha practicado ....
3. Bianca recomienda ....
4. Lars ha salido... ....
5. Lars ha tenido... ....
6. Bianca ha hecho... ....
7. Bianca ha traído... ....

Entonces, Lars, ¿me recomiendas el museo Larco?
Es mejor que el de Frida Kahlo, ¡seguro!
¡No creo!

La comparación de verbos

Para comparar la intensidad, la cantidad y la frecuencia de las acciones usamos **más ... que, menos ... que, tanto ... como.**

Las deportivas de cuero duran ***más que*** *las de tela.* [superioridad]

Dicen que los chicos hablan ***menos que*** *las chicas, pero eso es una tontería.* [inferioridad]

Trabajo ***tanto como*** *Abel, pero no gano lo mismo.* [igualdad]

Un europeo medio consume ***tanto como*** *15 habitantes de Kenia.* [igualdad]

Atención: normalmente no repetimos el verbo en la segunda parte de la comparación.

Yo ando ***tanto como*** *tú.* [Yo ando tanto como tú andas]

Cuando por el contexto está claro con **quién** o con **qué** estamos comparando, no es necesario expresar la segunda parte de la comparación.

Santiago ha pedido dos platos y postre. Yo he comido ***menos****.* [...que él]

Atención: cuando la segunda parte de la comparación es un pronombre personal sin preposición, usamos las formas de sujeto.

Mamá dice que Úrsula estudia ***más que*** *tú.* ~~[...que ti]~~

3 EL ESPAÑOL EN LOS CINCO CONTINENTES A2

A. Lee estos datos sobre las lenguas en el mundo y señala los que no conoces y los que más te sorprenden. Después, completa las siguientes afirmaciones referidas al español, usando **más, menos** o **tanto** y señalando en cada caso si se debe usar **que** o **como**.

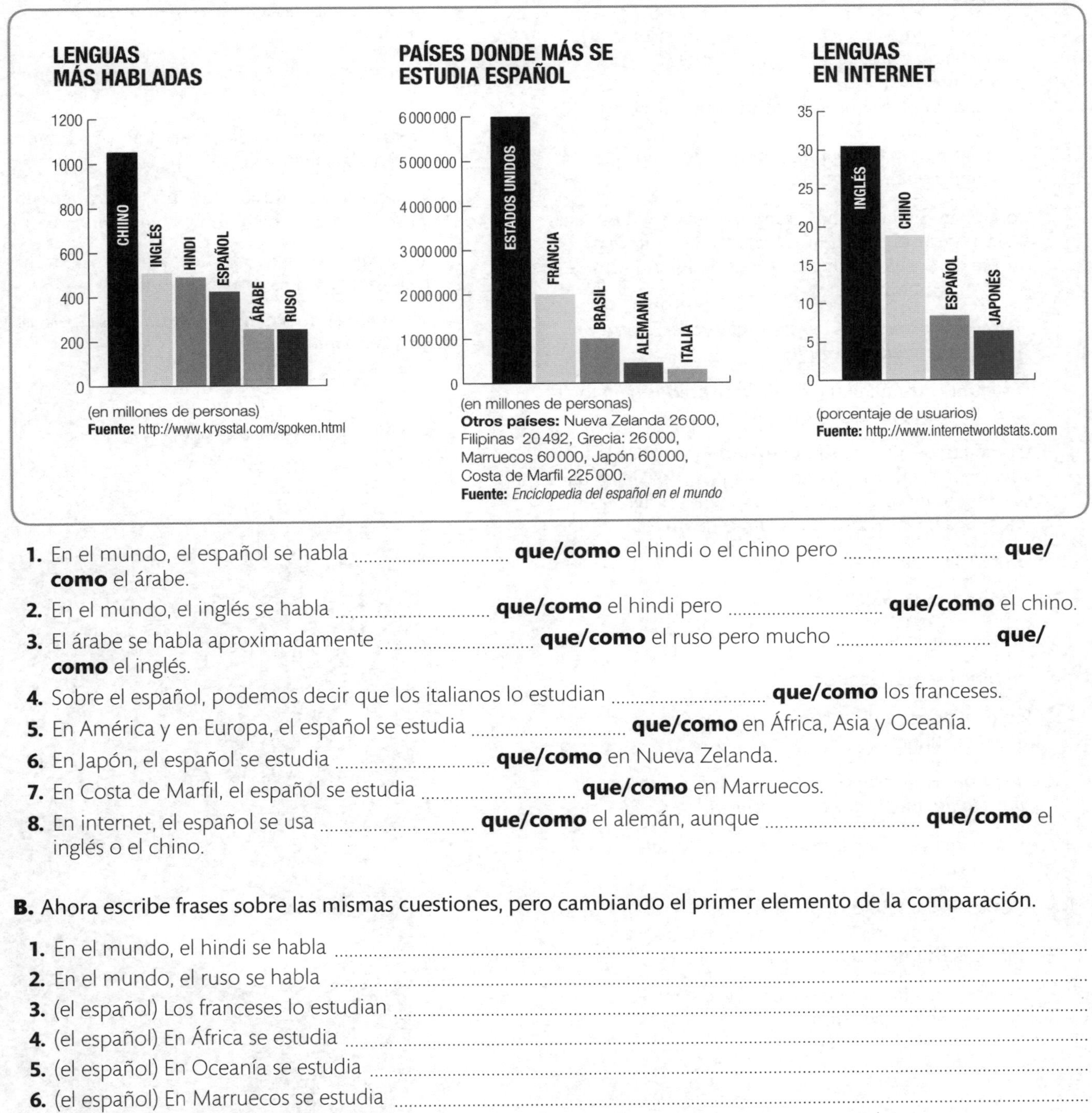

1. En el mundo, el español se habla .... **que/como** el hindi o el chino pero .... **que/como** el árabe.
2. En el mundo, el inglés se habla .... **que/como** el hindi pero .... **que/como** el chino.
3. El árabe se habla aproximadamente .... **que/como** el ruso pero mucho .... **que/como** el inglés.
4. Sobre el español, podemos decir que los italianos lo estudian .... **que/como** los franceses.
5. En América y en Europa, el español se estudia .... **que/como** en África, Asia y Oceanía.
6. En Japón, el español se estudia .... **que/como** en Nueva Zelanda.
7. En Costa de Marfil, el español se estudia .... **que/como** en Marruecos.
8. En internet, el español se usa .... **que/como** el alemán, aunque .... **que/como** el inglés o el chino.

B. Ahora escribe frases sobre las mismas cuestiones, pero cambiando el primer elemento de la comparación.

1. En el mundo, el hindi se habla ....
2. En el mundo, el ruso se habla ....
3. (el español) Los franceses lo estudian ....
4. (el español) En África se estudia ....
5. (el español) En Oceanía se estudia ....
6. (el español) En Marruecos se estudia ....
7. Para navegar en internet, el japonés se usa ....
8. Para navegar en internet, el chino se usa ....

La comparación de adjetivos y adverbios

Para comparar la intensidad de adjetivos y adverbios, usamos **más ... que, menos ... que, tan ... como** (o **igual de ... que**).

*Marcial es **más** joven **que** Marcos* [superioridad], *pero conduce **más** prudentemente **que** él.* [superioridad]
*La madera es **menos** dura **que** el hierro.* [inferioridad]
*Mi camiseta es **tan** bonita **como** la tuya. (o ...**igual de** bonita **que**...).* [igualdad]

Como pasa en las demás comparativas, si no es necesario repetir el segundo elemento, este no aparece. En ese caso, si la comparación es de igualdad, se expresa únicamente con **igual de**...

*El reloj de oro es **más** caro **que** el de acero, pero yo creo que es **menos** elegante.*

*Estefanía estudia piano desde hace **menos** tiempo **que** Bárbara, pero toca **igual de** bien.*

Los adjetivos **bueno, malo, grande** y **pequeño**, y los adverbios **bien** y **mal** tienen formas especiales para la comparación. Estos adjetivos comparativos tienen una única forma para el masculino y para el femenino.

mejor [= más bueno/bien]

peor [= más malo/mal]

mayor [= más grande]

menor [= más pequeño]

Mejor y **peor** se usan sobre todo para comparar una idea de calidad.

*Te recomiendo esta chaqueta, es **mejor que** la tuya para la lluvia, porque es impermeable.*

*Este reloj nuevo siempre se retrasa. Funciona **peor que** el viejo.*

Atención: cuando hablamos de la bondad o maldad de una persona (en términos de carácter) usamos **más bueno** y **más malo**.

*Aitor es **más bueno** que otros niños, siempre es amable con su profesora.*

Mayor y **menor** se usan para hablar del tamaño y de la cantidad.

*La población de España es **menor que** la de Francia.*

*El gasto de petróleo hoy es mucho **mayor que** hace 20 años.*

Mayor y **menor** se usan también para comparar la edad de las personas.

*Aunque yo soy **mayor** que Luis y mucho **menor** que Paco, los tres tenemos amigos en común.*

Pero para comparar el tamaño físico, también se usan **más grande** y **más pequeño.**

*Un sillón es **más grande** que una silla, pero **más pequeño** que un sofá.*

Este Cuaderno de gramática es mejor que otros cuadernos.

4 JUANA Y SUS HERMANAS A2

169 **A.** Todos dicen que Juana y sus hermanas se parecen mucho. Aquí tienes unas imágenes de las cuatro. Obsérvalas y señala en qué coinciden y en qué se diferencian. Vas a escuchar lo que dice una de ellas sobre Juana. ¿Puedes decir quién está hablando?

B. Vuelve a escuchar la grabación y observa qué comparaciones hace. Después compara tú a las otras dos hermanas con Juana usando la ficha que te proponemos aquí y otra que puedes escribir tú.

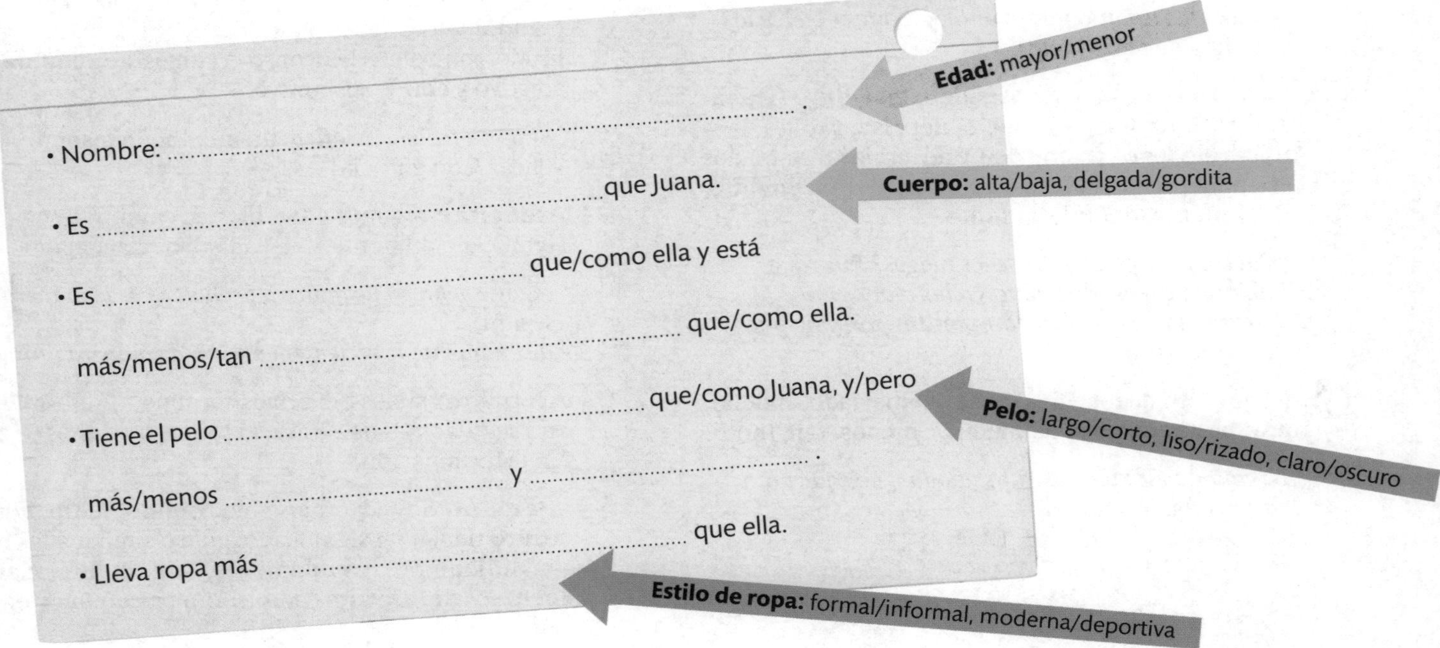

• Nombre: ....
• Es .... que Juana.
• Es .... que/como ella y está
más/menos/tan .... que/como ella.
• Tiene el pelo .... que/como Juana, y/pero
más/menos .... y ....
• Lleva ropa más .... que ella.
Edad: mayor/menor
Cuerpo: alta/baja, delgada/gordita
Pelo: largo/corto, liso/rizado, claro/oscuro
Estilo de ropa: formal/informal, moderna/deportiva

Adverbios y locuciones adverbiales

Los adverbios son un grupo de palabras y de expresiones invariables en género y en número que modifican el significado de verbos, de adjetivos, de otros adverbios o de frases enteras. Cuando están formados por varias palabras, se llaman locuciones adverbiales.

*Adela escribe **correctamente** en inglés y en francés.* [modifica un verbo]
*Nicolás está **muy** moreno.* [modifica un adjetivo]
*Francisco vive **bastante** lejos de aquí.* [modifica un adverbio]
***Probablemente** estaba cansado de esperar y se ha ido a su casa.* [modifica una frase]

Generalmente, los adverbios sirven para añadir información sobre las siguientes preguntas:

- Dónde: **cerca (de), lejos (de), dentro (de), fuera (de), abajo, arriba, debajo (de), encima (de), enfrente (de), detrás (de), aquí, ahí, allí...**

*Mi casa está **cerca** del centro, **enfrente de** la estación de autobuses.*

- Cuándo o con qué frecuencia: **ayer, hoy, mañana, ahora, entonces, pronto, temprano, tarde, mientras, anteriormente, últimamente, antes (de), después (de), siempre, nunca, jamás, a veces, de vez en cuando, normalmente, a menudo, aún, todavía, ya...**

***A veces** me levanto **temprano** para hacer ejercicio, pero **hoy** no tengo ganas.*

- Cómo o de qué manera: **así, bien, mal, duro (trabajar), alto (hablar), despacio, deprisa, rápido, lento, barato/caro (comprar)** y adverbios terminados en **-mente: claramente, rápidamente, fácilmente, difícilmente, completamente...**

*¿Sabes cuál es el secreto de los magos? Pues que hablan muy **rápido** y mueven las manos muy deprisa. **Así** te distraen **completamente** y no puedes ver el truco.*

- Cuánto o en qué medida: **todo, demasiado, mucho, muy, bastante, poco, nada; más, menos, tan, tanto.**

*La comida está **demasiado** salada, ¿por qué no cocinas con **menos** sal?*

- En qué orden: **primero, en primer lugar, segundo, en segundo lugar, luego, después, finalmente...**

***Primero** se corta la verdura, **luego** se lava y, **finalmente**, se fríe en la sartén.*

- Sí o no: **sí, por supuesto, vale, claro, faltaría más, no faltaba más...** y **no, qué va, para nada, en absoluto, también, tampoco...**

● *¿Tienes un billete de 10 euros para dejarme?*
***Sí/claro**, no hay problema.*
***No/qué va** es que me he olvidado la cartera.*

- Con qué grado de conocimiento: **tal vez, quizás, acaso, a lo mejor, probablemente, seguramente, indudablemente, aparentemente, visiblemente, obviamente, ciertamente, evidentemente...**

● *Juan no ha llegado todavía. ¡Qué raro!*
○ ***A lo mejor** ha tenido algún problema. O **quizás** es que no se acuerda de la cita.*

- Con qué punto de vista: **personalmente, profesionalmente, científicamente, formalmente...**

Los adverbios acabados en -mente

Los adverbios acabados en **-mente** se forman con un adjetivo en su forma femenina + la terminación **-mente.** Son un tipo frecuente de adverbios de modo, pero también de grado de conocimiento, de punto de vista, etc. Cuando son de modo, su significado equivale a las construcciones **de manera** + adjetivo y **con** + sustantivo.

*Elías ha trabajado **eficazmente**.* [= de manera eficaz/con eficacia]

Atención: algunos adverbios en **-mente** tienen un significado diferente al del adjetivo relacionado.

seguramente = de manera probable, ≠ de manera segura;
últimamente = recientemente, ≠ de manera última

Atención: si dos adverbios terminados en **-mente** van seguidos en una frase, el primero de ellos se usa sin la terminación.

Atención: los adverbios **solo, rápido, lento, claro** y **duro** tienen un significado igual o similar a las formas **solamente, rápidamente, lentamente, claramente** y **duramente**, pero son más comunes en la lengua oral.

1 ALEGRÍA, ALEGRÍA A2

Clasifica cada palabra según su categoría.

1. alegrarse, alegre, alegría, alegremente

sustantivo	verbo	adjetivo	adverbio

2. suave, suavemente, suavidad, suavizar

sustantivo	verbo	adjetivo	adverbio

3. cuidar, cuidadosamente, cuidadoso/a, cuidado

sustantivo	verbo	adjetivo	adverbio

4. felicidad, felicitar, felizmente, feliz

sustantivo	verbo	adjetivo	adverbio

5. dolor, doler, dolorosamente, doloroso/a

sustantivo	verbo	adjetivo	adverbio

6. corregir, correctamente, corrección, correcto/a

sustantivo	verbo	adjetivo	adverbio

7. amable, amar, amablemente, amor

sustantivo	verbo	adjetivo	adverbio

8. fácilmente, facilitar, facilidad, fácil

sustantivo	verbo	adjetivo	adverbio

9. atentamente, atender, atento/a, atención

sustantivo	verbo	adjetivo	adverbio

Indudablemente, estoy francamente decepcionada, Juan, porque no has hecho los deberes.
Es que ayer estuve bastante ocupado: primero fui a clases de kárate y después a clases de inglés.

ESTRATEGIA

Para ampliar tu vocabulario puede serte útil aprender juntas varias palabras de la misma familia con categorías gramaticales distintas.

MUNDO PLURILINGÜE

Traduce las siguientes frases a tu lengua o a otra que conoces y observa cómo expresas la información trasmitida aquí por los adverbios.

Francamente, me parece un poco extraño; pero seguramente tienes razón...

Ese restaurante no es especialmente caro.

¿Puedes hablar más despacio y un poco más alto, por favor?

您好！

¡Hola!

مرحبا

2 CON CIERTA IRONÍA A2

Completa las siguientes frases con adverbios acabados en **-mente.**

1. Hacer un cálculo aproximado es calcular ....
2. Tener una pronunciación clara es pronunciar ....
3. Comportarse de manera adecuada significa actuar ....
4. Cuando alguien te besa .... te da un beso apasionado.
5. A una fiesta elegante hay que ir vestido ....
6. Decir algo con ironía es hablar ....
7. Una persona sincera y directa es aquella que habla .... y ....
8. Expresar tus pensamientos de manera espontánea es hablar ....

3 EN LA CARRETERA A2

Completa los textos con los adverbios adecuados a partir de los adjetivos de la siguiente lista. En algunos casos, es necesario usar la forma terminada en **-mente**.

total	prudente	doble	barato	inteligente	urgente	tranquilo	directo	atento

DIRECCIÓN GENERAL DE TRÁFICO
En la carretera la velocidad es peligrosa. Por tu propia seguridad y por la seguridad de los demás, conduce ....

PEAC
Cursos a distancia

Cursos de idiomas a distancia. En cualquier momento y lugar, aprende .... y a tu ritmo.

www.todo-apartamentos.his

Apartamentos junto a la playa .... equipados: cocina completa, habitaciones amuebladas, aire acondicionado, televisión, conexión a internet. 500 euros/mes. Consulta en www.todo-apartamentos.his

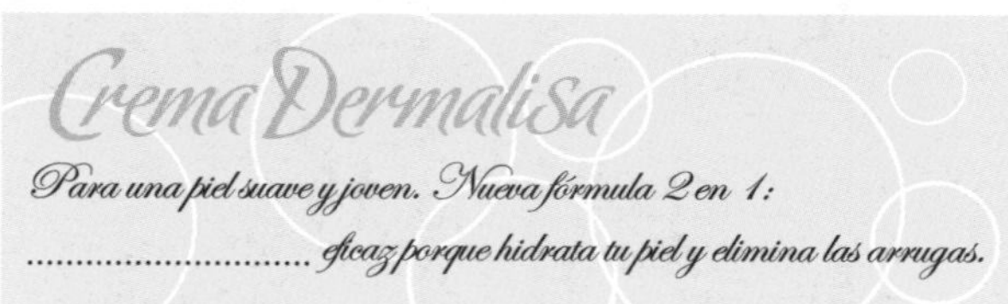

Crema Dermalisa
Para una piel suave y joven. Nueva fórmula 2 en 1:
.... eficaz porque hidrata tu piel y elimina las arrugas.

RESFRIADOL
Alivia los síntomas del resfriado

Leer .... las indicaciones de este medicamento. En caso de dolor de estómago o vómitos, ir .... al hospital más cercano.

MICROELEMENTS

¿Las tiendas de informática son muy caras?
Nosotros somos fabricantes. Ven y compra aquí tu ordenador ....

AHORROPLUS
Supermercados

Piensa en tu economía, compra ....
Descubre nuestros precios, compra más ....

Las mayúsculas

En español, las letras mayúsculas se utilizan al inicio de un texto o de un párrafo y después de un punto y seguido. También se escribe con mayúscula después de los puntos suspensivos (cuando estos finalizan una frase).

La primera gran novela en español es Don Quijote. Su primera parte se publicó en 1605 y la segunda, en 1615.

Cervantes escribió novelas, relatos, obras de teatro, poesía... En todos los géneros creó obras de gran calidad.

Atención: después de dos puntos que introducen una cita también se usan las mayúsculas.

Don Quijote empieza con la frase: "En un lugar de la Mancha...".

También se usan las mayúsculas en las siglas y en algunos acrónimos.

***DNI** (Documento Nacional de Identidad), **UE** (Unión Europea), **SA** (sociedad anónima).*

Y en algunas abreviaturas: **Ud.** / **Uds.** (usted / ustedes), **Sr.** / **Sra.** / **Sres.** / **Sras.** (señor / señora / señores / señoras), **D.** (don), etc.

Se usan mayúsculas en los nombres propios de personas, animales y cosas (marcas, empresas, instituciones, festividades, etc.).

Beatriz López, Laika, Aeroméxico, Navidad, Federación Española de Fútbol, Año Nuevo, etc.

Atención: no se usan en los nombres de los días de la semana, de los meses, ni en los sustantivos en general. Tampoco con los adjetivos o sustantivos de procedencia ni con los idiomas.

El miércoles hago un intercambio: yo hablo español con François, un amigo mío que es belga, y él habla francés conmigo.

1 UN ERROR MAYÚSCULO B1

Marca qué letras deben ir en mayúscula en las frases siguientes.

1. el próximo jueves es navidad y, además, es el cumpleaños de mi tío ramón.
2. el 3 de febrero se publicará la primera novela de juan antonio pérez sánchez: la vida secreta de caroline en barcelona. trata de una estadounidense que da clases de inglés en barcelona.
3. este martes la asociación española de psiquiatría ha visitado la sede de la ue en bruselas, bélgica.
4. mi hermana arantxa me dijo ayer: "tienes que ir a chile, santiago es una ciudad fantástica y valparaíso, también. además, los chilenos son muy simpáticos".

5. ¿sabe ud. dónde para el autobús para sevilla? creo que es de la compañía hispalense sa.
6. este jueves hablé con d. javier y me dijo: "¿por qué no te apuntas a la federación madrileña de alpinismo? organizan salidas todos los fines de semana y campamentos en julio y agosto."
7. en semana santa vamos a ir a bilbao, queremos visitar a mis primos begoña y aitor y aprovechar para ir al guggenheim.
8. compré estas gafas en una óptica que se llama opticentro, en málaga.
9. fabián ha viajado por toda américa del sur: chile, venezuela, argentina, brasil... ¿tú sabías que era tan viajero?
10. parece que marcos se ha dejado el dni en casa y no ha podido hacer el examen. ¡qué desastre!

Signos de puntuación: el punto (.)

Los signos de puntuación se usan para facilitar la comprensión de la lengua escrita, para indicar la entonación de las palabras y las frases y para dividir los textos en unidades de significado (grupos de palabras, frases, párrafos, etc.).

El punto (.) representa una pausa larga en la lectura y sirve para indicar el final de frases (punto y seguido), párrafos (punto y aparte) y textos (punto final).

Hola, Andrés:
¿Qué tal? Ya hemos llegado a Caracas. (punto y seguido) Hace muy buen tiempo, pero no demasiado calor; un tiempo perfecto para hacer turismo. (punto y aparte)

Ya hemos hablado con tu hermano. Vendrá mañana a buscarnos al hotel y nos llevará a un lugar que se llama Chichiribichi, que parece que es precioso. (punto y aparte)

De momento, no tenemos nada más que contarte, pero pronto empezaremos a enviaros fotos. (punto y aparte)

Un abrazo desde Caracas. (punto final)

Felipe

Atención: en español todos los signos de puntuación se escriben junto a la palabra anterior y separados de la palabra siguiente por un espacio.

El punto se usa además...
En algunas abreviaturas.

etc. *(etcétera),* ***máx.*** *(máximo),* ***mín.*** *(mínimo),* ***p.*** *(página),* ***tel.*** *(teléfono), etc.*

En la expresión de la hora, separando horas y minutos. Para esto también se pueden usar los dos puntos.

Son las 4.23 = 4:23 (4 horas, 23 minutos).

Signos de puntuación: la coma (,)

Representa una pausa corta en la lectura y sirve para separar palabras, grupos de palabras y también frases coordinadas.

Se usa para separar palabras o frases en enumeraciones (excepto en el último elemento, que puede ir introducido con un conector como **y/e**, **o/u**).

Llego a casa, me ducho, ceno y veo la tele.

De primero tenemos sopa, ensalada, macarrones o guisantes.

Para introducir una aclaración o explicación.

El cine, ***especialmente el de aventuras****, tiene mucho éxito entre los jóvenes.*

El clima de mi país, ***que era muy frío en invierno****, está cambiando en los últimos años.*

Para separar palabras que se refieren a nuestro interlocutor, al orden y al significado del discurso.

Oye, Javier*, tengo algo que decirte.*

Juan me ha dicho que está muy ocupado, ***vaya****, que no va a venir.*

Vive muy bien, ***sin embargo****, no parece nada feliz.*

En lugar de un verbo cuando no es necesario mencionarlo o repetirlo.

Las camisas van en el armario y los calcetines, en el cajón.

Antes de los conectores **pero**, **aunque** y equivalentes, y después de los fragmentos de frase que se ponen destacados al principio de la frase.

Está muy cansado, ***pero*** *quiere salir.*

Los libros*, déjalos encima de esa mesa.*

Cuando llegues*, llámame.*

Con los números decimales (sin espacio). Esta coma se "lee": **1,6 = uno coma seis.**

Los beneficios de la empresa han sido de ***2,3*** *millones de euros.* [dos coma tres]

2 COMAS IMPORTANTES B1

170
173

A. Escucha los siguientes pares de frases y escribe las comas necesarias.

1. Alberto ☐ come más,
2. Alberto ☐ come más...

3. La única novela de Matamala ☐ publicada en formato electrónico ☐ es buenísima.
4. La única novela de Matamala ☐ publicada en formato electrónico ☐ es buenísima.

5. ¿Dónde estuvo ayer ☐ Felisa?
6. ¿Dónde estuvo ayer ☐ Felisa?

7. No ☐ vendrá hoy.
8. No ☐ vendrá hoy.

B. Después, decide cuál es la continuación o la explicación (entre paréntesis) más adecuada para cada una de ellas.

.... **a.** desde que hace deporte.

.... **b.** ¿o no está bueno el cocido?

.... **c.** (Matamala ha escrito otras novelas.)

.... **d.** (Matamala no ha escrito otras novelas.)

.... **e.** ¿No vino usted aquí?

.... **f.** No la vi en todo el día.

.... **g.** Ayer no pudo venir.

.... **h.** Está enfermo y no puede salir de casa.

Signos de puntuación: dos puntos (:)

Este signo indica una pausa más larga que la coma y más corta que el punto y se usa para llamar la atención sobre lo que sigue.

- Lo usamos para presentar enumeraciones.

Tengo que comprarme varios libros: un diccionario, una gramática y el libro para clase.

- Para introducir ejemplos, explicaciones, reformulaciones, conclusiones (con o sin fórmula de introducción: **por ejemplo, o sea, en conclusión**, etc.).

EJEMPLO: *A veces Lolo hace cosas raras (, **por ejemplo**): hoy ha venido a clase sin camiseta.*

REFORMULACIÓN: *Dedica mucho tiempo a la gente (, **o sea**): le gusta ayudar a los demás.*

CONCLUSIÓN: *Los camareros son antipáticos, la comida es mala y el menú caro (, **en conclusión**): no es un lugar recomendable.*

- Para reproducir las palabras exactas de otra persona, que normalmente van entre comillas y empiezan con letra mayúscula.

Como dice mi padre: "A mal tiempo, buena cara".

- Después de la fórmula de saludo en correos electrónicos, cartas y otros documentos. La palabra siguiente se escribe en un párrafo aparte y empieza con mayúscula.

Querida Milagros:
Llevo seis día aquí. Te echo de menos y...

3 HOLA, PEDRO B1

En cada una de las siguientes frases se pueden colocar dos puntos (:). Atención: en algunos casos se deben colocar sustituyendo a una coma o un punto.

a. Para conservar bien esta camisa, hay algo que no debes hacer, lavarla en agua caliente.

b. Hola, Pedro. Gracias por el regalo. Me ha gustado mucho...

c. Mi abuelo siempre decía "Vísteme despacio que tengo prisa".

d. Los ingredientes son los siguientes, ½ calabaza, 5 zanahorias, crema de leche y sal.

e. Me encantan los detalles románticos, un ramo de flores, una cena con velas o un pequeño regalo inesperado.

Signos de puntuación: el punto y coma (;), los puntos suspensivos (...), las comillas (" ") y los paréntesis ( )

El punto y coma indica una pausa más larga que la coma y más corta que el punto y se puede usar con valor de coma o con valor de punto, en textos con un estilo muy elaborado. Se usa con valor de coma para separar oraciones que tienen en su interior una coma.

En mi viaje por España pasé por Granada, una ciudad misteriosa y romántica; por Salamanca, alegre y llena de estudiantes; por Sevilla...

Se usa también con valor de punto para unir dos frases haciendo una pausa más corta que el punto, especialmente si van unidas por conectores como **sin embargo, por tanto, no obstante, aunque**.

Es difícil hacer las cosas bien a la primera; ***sin embargo****, vale la pena intentarlo.*

Los puntos suspensivos se usan para indicar una interrupción del discurso (sin entonación descendente) que refleja que el hablante no puede continuar o no lo considera necesario. Pueden también representar el estado de ánimo de la persona que habla (duda, miedo, etc.) o que lo que se dice es ya suficientemente conocido por la persona que escucha o lee.

No sé si ir o si no ir... No sé qué hacer.

Te llaman del hospital... Espero que sean buenas noticias.

Fue una situación muy desagradable... Pero prefiero no hablar de ello.

Quería preguntarte... No sé..., bueno..., que si quieres ir conmigo a la fiesta.

Se usan en enumeraciones para expresar que es posible añadir más elementos, con el mismo valor que la palabra **etcétera**.

Puedes hacer lo que quieras: leer, ver la tele, escuchar música...

Atención: los puntos suspensivos son incompatibles con la expresión **etcétera** (o **etc.**).

**Puedes hacer de todo: leer, ver la tele, oír música..., ~~etc.~~*

~~**Puedes hacer de todo: leer, ver la tele, oír música, etcétera...*~~

Las comillas (" " ' ' « ») se usan para indicar que una palabra, grupo de palabras o frase tiene un valor especial. Se usan sobre todo para reproducir exactamente las palabras de otra persona.

Picasso dijo en una ocasión: "Yo no busco, encuentro".

Para indicar que una palabra o expresión es incorrecta, vulgar, extranjera o tiene un sentido especial o irónico.

Mi hermano pequeño dice "poblemas".

Para mí lo peor de viajar es el "jet lag".

Llegué tarde a clase y el profesor me dijo con ironía: "¡Pero qué 'temprano' llega usted hoy!"*
[*Dentro de un fragmento en el que ya se usan comillas, se usan las comillas simples.]

Para referirnos a una palabra sobre la que queremos decir algo utilizamos " " y para decir su significado utilizamos ' '.

En muchos países de Latinoamérica la palabra "plata" significa 'dinero'.

Los paréntesis ( ) se usan para añadir aclaraciones o información complementaria.

En España, la comida del mediodía (el almuerzo) es la más importante.

Atención: los paréntesis y las comillas se escriben pegados a las palabras que quedan dentro de ellos, pero separados por un espacio de las palabras que quedan fuera, excepto cuando hay un signo de puntuación después del paréntesis o la comilla de cierre.

¿Qué significa "Ande yo caliente, ríase la gente"?

En español la comida del mediodía se llama "almuerzo" (excepto en algunos lugares de España, donde se usa la palabra "comida").

4 PUNTOS... DE VISTA B1

A. Decide en qué lugar de las frases siguientes podrías colocar un punto y coma **;** . Atención: en algunos casos se deben colocar sustituyendo a otro signo.

1. Tenía una casa preciosa en la Costa Brava sin embargo no iba casi nunca.
2. Las casas de la derecha son del siglo xx, las de la izquierda, del xix.
3. Hemos hecho el trabajo cuidadosamente y siguiendo las instrucciones, no obstante, no lo han aceptado.
4. En la fábrica, las mujeres limpiaban el pescado y lo cortaban, los hombres eran los encargados de transportar las conservas y conducir los camiones.
5. Las ciudades del interior de la región son más antiguas y señoriales, las de la costa, más modernas y abiertas.
6. Tendremos una semana de descanso. Por tanto, podremos pintar la casa nosotros mismos.

Podremos pintar la casa nosotros mismos.

B. Lee las siguientes frases y decide en qué lugar se pueden colocar comillas **“ ” ‘ ’**. Atención: en algunos casos se deben poner sustituyendo a otro signo.

1. Está mañana Petra ha dicho: Eso son margaritas para los cerdos. ¿Qué quería decir?
2. Se ha confundido y en vez de decir fragante ha dicho flagrante.
3. ¿Qué quiere decir zarrapastroso?
4. En el contexto en que lo ha dicho, fantasma significa fanfarrón.
5. ¿Quién dijo Carthago delenda est?
6. Este fin de semana quieren hacer rafting, pero a mí me apetece más hacer canyoning, es decir, barranquismo.

C. Lee las siguientes frases y decide en qué lugar se pueden colocar paréntesis **( )** . Atención: en algunos casos se deben poner sustituyendo a otro signo.

1. Esa faja llamada “gerriko” es típica de varios trajes vascos.
2. El real, la moneda de Brasil, goza de muy buena salud en este momento.
3. Las pochas, alubias frescas, son típicas de Navarra y otros lugares.
4. Su jefe, que es cuñado del director general, no es muy capaz.
5. La mesa del despacho, heredada de su abuelo, era feísima.
6. Su perro de raza, un podenco ibicenco, es precioso y muy cariñoso.

5 OFERTA DE TRABAJO B1

A. Por culpa de un problema técnico, el siguiente correo electrónico no tiene mayúsculas, espacios entre párrafos ni puntuación. Léelo con atención y responde a las preguntas.

1. Este correo electrónico es la respuesta a...
- ☐ un anuncio de empleo publicado en Internet.
- ☐ un correo electrónico anterior.
- ☐ un anuncio de empleo publicado en un periódico.

2. El autor del mensaje...
- ☐ señala problemas y propone soluciones.
- ☐ señala problemas.
- ☐ propone soluciones.

3. El mensaje tiene:
- ☐ dos párrafos.
- ☐ entre tres y cuatro párrafos.
- ☐ más de cinco párrafos.

B. Reescribe el texto usando mayúsculas, puntos seguidos, puntos y aparte, un punto final, comas, dos puntos, puntos suspensivos, comillas y paréntesis donde sean necesarios.

estimados señores les escribo para responder a su anuncio publicado en el diario el globo núm ref 257003 para exponerles mis observaciones sobre su web ventaonline y ofrecerles mis servicios para mejorarla en primer lugar me gustaría decir que los productos que ofrecen son de gran calidad y tienen un gran potencial en nuestro país sin embargo estoy de acuerdo con ustedes en que es necesario que mejoren el diseño de su web para aumentar sus ventas en segundo lugar deseo llamar su atención sobre los siguientes problemas que he detectado la distribución de la información es confusa la sección para realizar compras es difícil de encontrar y los datos de tarjeta de crédito de los compradores no se manejan de manera suficientemente segura por todo lo anterior estaría encantado de presentarles mi propuesta para modificar su web creo que puedo mejorar su imagen su estructura su facilidad de uso la seguridad general de los datos de los usuarios introducir varias keywords para facilitar la búsqueda en internet para finalizar solo decirles que estaré encantado de colaborar con ustedes en el caso de que deseen considerar mi propuesta a la espera de sus noticias reciban un cordial saludo
esteban vico suárez
av américa 1275
20039 madrid
tel 9184268823
evicosuarez@correitos.dif0

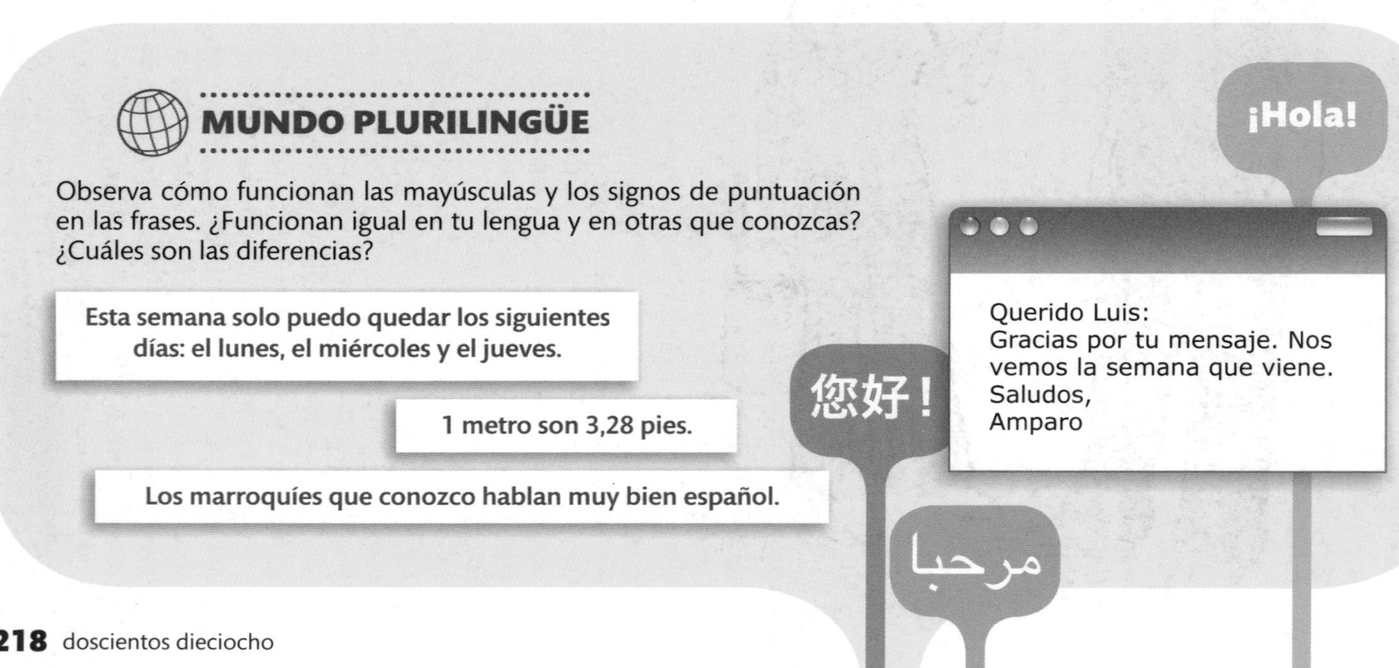

MUNDO PLURILINGÜE
Observa cómo funcionan las mayúsculas y los signos de puntuación en las frases. ¿Funcionan igual en tu lengua y en otras que conozcas? ¿Cuáles son las diferencias?
Esta semana solo puedo quedar los siguientes días: el lunes, el miércoles y el jueves.
1 metro son 3,28 pies.
Los marroquíes que conozco hablan muy bien español.
¡Hola!
您好！
مرحبا
Querido Luis:
Gracias por tu mensaje. Nos vemos la semana que viene.
Saludos,
Amparo

Construcciones impersonales sobre el tiempo

En español existen varios tipos de construcciones impersonales, es decir, que no tienen sujeto gramatical. Algunas de ellas se usan para hablar de fenómenos meteorológicos y contienen verbos impersonales como **llover, nevar, granizar, helar**, etc. conjugados siempre en la tercera persona del singular.

*En mi ciudad no ø **nieva** nunca.*

*Cuando ø **llueve** prefiero quedarme en casa.*

Hace + sol/viento/frío/calor, buen/mal tiempo, buen/mal día, ... grados.

***Hace** muy buen día para hacer windsurf: **hace** sol, viento y más de 20 grados.*

El verbo **estar** con adjetivos como **nublado, sereno, despejado, soleado...**

*Creo que va a llover, **está** muy nublado.*

Hay/ha habido/hubo... se combinan con sustantivos como **niebla, tormenta,** etc.

*Es peligroso conducir cuando **hay** niebla.*

Hoy hace sol, pero ayer hacía un frío increíble.

1 EL DÍA IDEAL PARA... A2

174–176 Los periodistas de toda España de Radio Ocio escriben cada día en este blog recomendado qué hacer en sus ciudades. Completa los textos con las palabras que faltan. Después, escucha la audición y comprueba tus respuestas.

RadioOcio

01.
Día ideal para ir a la playa en Tenerife

Aquí en Tenerife .... un día perfecto para ir a la playa. .... sol, pero no .... demasiado calor: 24 grados. Hay que aprovechar porque el resto de la semana va a .... nublado.

02.
Día ideal para esquiar en el Pirineo Aragonés

Hoy en Jaca .... un día fantástico para acercarse a las estaciones de esquí de Candanchú y Formigal. Esta noche ha .... abundantemente y tenemos 30 cm de nieve acabada de caer y en perfecto estado. No .... mucho frío, 5 grados, y tampoco .... demasiado viento. En algunos puntos .... un poco de niebla, pero eso no dificulta la práctica del esquí.

03.
Día ideal para pasear en San Sebastián

En San Sebastián hoy no .... ni frío ni calor: 15 grados, un tiempo ideal para pasear. Las calles están mojadas porque esta noche ha .... , pero pueden salir sin paraguas porque hoy va a .... sol hasta el final de la tarde. Destacamos que en Deba esta noche ha .... una fuerte tormenta...

Formas impersonales con **hacer** y **haber**

- El verbo **hacer** en tercera persona del singular se usa para expresar el tiempo que ha pasado desde que se produjo un cierto hecho hasta el momento actual.

Llegué a España ***hace*** *dos meses.* [= desde el momento en que llegué hasta ahora han pasado dos meses]

Conocimos a Marta ***hace*** *cinco años, cuando fuimos a Sevilla.* [= desde ese momento han pasado cinco años]

- Cuando usamos el verbo **haber** para expresar existencia, esta forma tiene valor impersonal y solo se usa en la forma de 3.ª persona singular. **Hay** es una forma especial del presente del verbo **haber**. Otras formas son **ha habido** (pretérito perfecto), **hubo** (pretérito indefinido), **había** (pretérito imperfecto), etc.

Aquí normalmente no ø ***hay*** *problemas de tráfico, pero esta semana* ***ha habido*** *algunos.*

- La perífrasis **hay que** + infinitivo es impersonal.

Para aprender bien una lengua ø ***hay que*** *practicar mucho.*

¡Hace 220 páginas que empecé este cuaderno de gramática y he aprendido muchísimo español!

2 ¿QUÉ TIEMPO HACE EN...? A1

A. ¿Qué tiempo hace en estas imágenes? Escríbelo debajo de cada una.

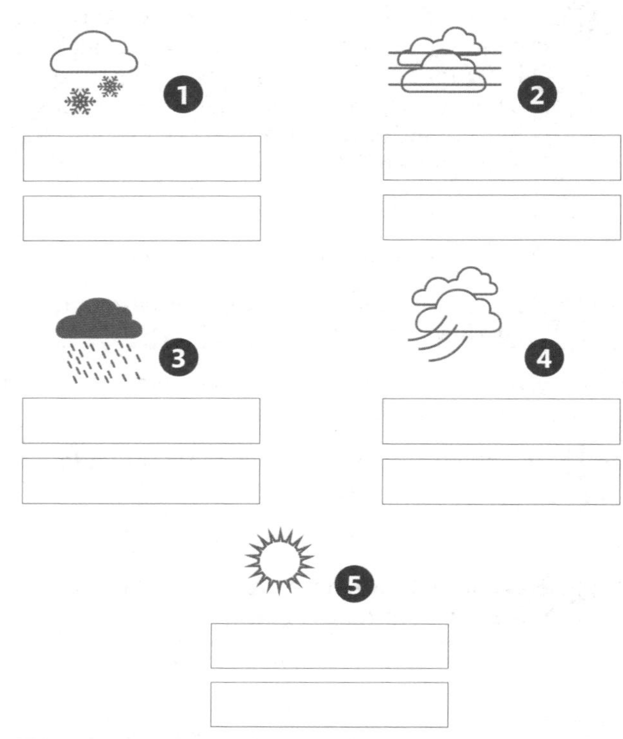

177 **B.** Escucha ahora la grabación y anota a qué ciudad española corresponde cada imagen.

C. ¿Qué tiempo hace ahora en el lugar donde aprendes español? Escríbelo aquí.

3 ¿CUÁNTO TIEMPO HACE? A2

Sergio anota en un calendario algunas de las cosas más importantes que viven él y sus amigos. Si actualmente estamos en abril de 2012, ¿cuánto tiempo hace que pasaron esas cosas?

2010		2011		2012	
enero		enero		enero	
febrero	Boda de Paco	febrero		febrero	
marzo		marzo		marzo	
abril	Nacimiento de mi hija Lola	abril	¡Tere gana un premio Goya!	abril	
mayo		mayo		mayo	
junio		junio		junio	
julio	Vuelta de Carmen del Brasil	julio		julio	
agosto		agosto	Traslado de Carmen a Madrid	agosto	
septiembre		septiembre		septiembre	
octubre	Empiezo a trabajar en Molosa	octubre	Mi último día de trabajo en Molosa	octubre	
noviembre	Primer mes viviendo en el centro	noviembre		noviembre	
diciembre		diciembre		diciembre	

1. Paco se casó hace...
2. ....
3. ....
4. ....
5. ....
6. ....
7. ....
8. ....

Sergio, ya que lo anotas todo, ¿puedes apuntar el día de mi cumpleaños?

Se impersonal

Con la construcción **se** + verbo en 3.ª persona podemos dar una información sin mencionar el sujeto de la frase. Podemos usar este recurso cuando no sabemos quién realiza la acción o no deseamos explicitarlo, cuando damos instrucciones o cuando generalizamos.

*Stonehenge **se construyó** hace casi 5000 años.*

*Para hacer tinto de verano **se mezcla** vino y gaseosa, y luego **se pone** un poco de hielo y unas rodajas de limón.*

*En verano **se está** muy bien en mi pueblo: **se ve** a los amigos de siempre, **se puede** descansar...*

También usamos esta construcción para hablar de costumbres, hábitos y normas (a veces asociados a un lugar).

*En España **se usa** la palabra «coche», pero en Chile, **se dice** más «auto» y en otros países **se oye** más «carro».*

*Aquí no **se permiten** animales.*

Con verbos que pueden llevar Objeto Directo, si el sustantivo que expresa ese OD es plural, el verbo de la construcción **se** + 3.ª persona va también en plural, y si es singular, el verbo va también en singular.

*Se necesit**an** camarer**os**.*
PLUR. PLUR.
*Se necesit**a** camarer**o**.*
SING. SING.

Atención: en los casos en los que el OD va precedido de la preposición **a**, el verbo va en singular.

*En el restaurante solo se atiend**e** a los señores clientes a partir de las nueve.*

4 ESTE MES SE LLEVA... A1

A. Fíjate en este texto de una revista de moda y completa con estos verbos en la forma correcta.

comer	hablar	beber	leer	escuchar

Lo que se lleva
>>este mes:

1 Se .... de Antonio Banderas y de su última película.

2 Se .... Nocilla Experience, la novela de una generación.

3 Se.......................... cerveza con limón, la clásica «clara».

4 Se .... las canciones de La Shica.

5 Se .... comida japonesa.

B. ¿Podrías decir cinco cosas que «se llevan» este mes en tu país o ciudad? Escríbelas en tu cuaderno.

5 SE PUBLICAN DIARIAMENTE A2

A. En las siguientes frases falta el sujeto. ¿Puedes decir cuál de las dos opciones (**a** o **b**) puede serlo?

1. se publican diariamente en los periódicos de todo el mundo.

☐ a. Los índices de la bolsa de Nueva York ☐ b. Los periodistas económicos

2. enseña únicamente en una escuela de idiomas del centro.

☐ a. El turco ☐ b. Mi profesor de turco

3. se reparan en un único taller mecánico de la ciudad.

☐ a. Estas motos de carreras ☐ b. Los mecánicos

4. se venden en las farmacias.

☐ a. Los nuevos productos de la marca Klin ☐ b. Los farmacéuticos

5. se pueden curar sin necesidad de usar antibióticos.

☐ a. Algunas infecciones ☐ b. Los médicos

B. Comprueba tus resultados del apartado **A**. ¿Qué debes cambiar en las cinco frases para tener como solución correcta la opción que has descartado?

1. Los periodistas económicos publican diariamente en los periódicos de todo el mundo.

2. ....

3. ....

4. ....

5. ....

6 ¿SE VE? A2

Completa las siguientes frases con estos verbos en la forma correcta.

vivir · **vender** · **ver (2)** · **llegar** · **tirar** · **pronunciar** · **permitir** · **construir** · **oír** · **publicar** · **usar**

1. ● ¿En tu habitación funciona bien la tele? Porque en la mía no .... bien la imagen.

❍ Pues aquí la imagen .... pero no .... bien el sonido. Creo que hay que arreglar la antena.

2. ● He leído en una revista del corazón que Javier Tardem tiene un hijo secreto. ¿Tú crees que es verdad?

❍ ¡Eso son tonterías! Todo lo que .... en esas revistas es mentira.

3. En este país no .... fumar en los lugares de trabajo, está prohibido.

4. Las gafas oscuras .... para protegerse del sol, pero algunas personas las llevan solo por razones estéticas.

5. Aquí los sellos .... únicamente en los estancos y las cartas .... en cualquier buzón.

6. ● Oye, ¿en Canarias cómo .... el sonido de la «z»?

❍ Pues igual que en América, como una «s».

7. Estoy harto de la ciudad, cada vez .... más edificios y más autopistas. Creo que en el campo .... más tranquilo.

8. ¿Cómo .... más rápido hasta el campus de la universidad? ¿En tren o en autobús?

Otras maneras de expresar impersonalidad

Verbo en 3.ª persona del plural

Esta forma impersonal también se utiliza para referir acciones realizadas por una persona o varias, cuando la identidad del sujeto se desconoce o no tiene importancia para el hablante y lo que interesa es la acción misma. En la lengua oral, es una forma mucho más habitual que la construcción pasiva.

Van *a subir otra vez el precio de la gasolina.* [no queremos o podemos precisar quién va a hacerlo]

Han visto *a la actriz saliendo de una conocida discoteca de Madrid.* [no importa quién la ha visto]

Atención: Esta forma impersonal excluye al hablante y al oyente como posibles sujetos.

Verbo en 2.ª persona del singular

Con la segunda persona nos referimos, en general, a todo el mundo; es decir, a un sujeto genérico que incluye normalmente a la persona que habla y al interlocutor. Es una forma propia de la lengua oral.

Aquí, cuando ***viajas*** *en tren,* ***sabes*** *a qué hora* ***sales****, pero no a qué hora* ***llegas****.*

Si ***quieres*** *tener amigos,* ***tienes*** *que dedicarles tiempo.*

A veces se usa esta forma para dar carácter general a algo que afecta a la persona que habla.

En esta familia, si no lo ***haces*** *todo perfecto, no* ***eres*** *un buen hijo.* [el hablante se refiere a sí mismo]

Uno/a + 3ª persona del singular

Otra manera de expresar impersonalidad es el uso de **uno** o **una** con el verbo en la 3.ª persona del singular. Es equivalente a la 2.ª persona del singular como forma impersonal y se trata también de una forma propia de la lengua oral.

Uno *no* ***puede*** *fiarse de nadie.* [= no puedes fiarte de nadie]

Uno *no* ***sabe*** *qué pensar cuando* ***ve*** *estas cosas.* [= no sabes qué pensar cuando ves estas cosas]

Al igual que en el caso de la 2.ª persona del singular, esta forma impersonal incluye a los interlocutores como posibles agentes de la acción y se usa también para generalizar algo que afecta al hablante.

7 SE COME DE UNA A TRES B1

A. A continuación tienes algunas afirmaciones sobre hábitos sociales en España. ¿Crees que son verdaderas o falsas?

	V	F
1. En España normalmente se come entre la una y las tres de la tarde.	☐	☐
2. Cuando comes con amigos lo normal es pagar por separado, es decir, cada uno paga lo que ha consumido.	☐	☐
3. En España se cocina mucho con mantequilla.	☐	☐
4. Cuando estás invitado a comer, llevas una botella de vino.	☐	☐
5. En España se dan los regalos de Navidad el día 6 de enero.	☐	☐
6. Los miembros de la familia se saludan normalmente dándose la mano o con un abrazo.	☐	☐
7. A una fiesta con amigos o familia se puede llegar quince minutos o incluso media hora más tarde de lo acordado.	☐	☐
8. Para brindar se dice normalmente: "¡Jesús!".	☐	☐

178
185

B. Algunos extranjeros que han estado en España comentan estas cuestiones. Según ellos, ¿las afirmaciones son verdaderas o falsas?

C. ¿Cómo son estas cuestiones en tu país? ¿Puedes comentar cuatro hábitos sociales típicos de tu país?

1. En mi país normalmente se come...
2. Cuando comes con amigos lo normal es...
3. En mi país se cocina mucho...
4. Cuando estás invitado a comer...
5. En mi país se dan los regalos de Navidad...
6. Los miembros de la familia se saludan...
7. A una fiesta con amigos o familia...
8. Para brindar se dice...

MUNDO PLURILINGÜE

¿Cómo dirías en tu idioma las siguientes frases? ¿Usarías recursos equivalentes para expresar las mismas ideas?

En España se hablan cuatro lenguas: el castellano o español, el catalán, el gallego y el vasco.

La iglesia de Santa María del Mar en Barcelona se construyó entre 1329 y 1383.

Uno trabaja todo el día, llega a casa y se tiene que poner a hacer tareas domésticas.

Se necesita dependiente para fines de semana.

Se prohíbe pegar carteles.

Esta familia es increíble: trabajas como un loco, ayudas a todo el mundo ¡y nadie te lo agradece!

Esta es una ciudad pequeña, pero se vive muy bien.

您好！

مرحبا

¡Hola!

29 El estilo indirecto

El estilo indirecto (I)

El estilo indirecto o discurso referido es la transmisión, en un nuevo contexto temporal y muchas veces también espacial, de las palabras dichas por otros o por nosotros mismos.

● *Tengo hambre.*
○ *Perdona, ¿qué has dicho?*
● ***Que tengo** hambre.*

Cuando el hablante considera que las referencias temporales del discurso original ya no son vigentes, se dan una serie de cambios en los tiempos verbales.

discurso original		**estilo indirecto cuando las referencias temporales ya no son vigentes** *aquel día me dijo que...*
presente		pretérito imperfecto
*"**estoy** cansado."*	➔	*...**estaba** cansado.*
pretérito perfecto		pretérito pluscuamperfecto
*"**he estado** nadando."*	➔	*...**había estado** nadando.*
pretérito imperfecto		no cambia
*"**tenía** hambre."*	➔	*...**tenía** hambre.*
pretérito indefinido		pretérito pluscuamperfecto
*"ayer **perdí** las llaves."*	➔	*...el día antes **había perdido** las llaves.*
futuro imperfecto		condicional simple
*"**pasaré** unos días en Badajoz."*	➔	*...**pasaría** unos días en Badajoz.*
futuro perfecto		condicional compuesto
*"el martes **habré terminado** los exámenes."*	➔	*... el martes **habría terminado** los exámenes.*

Cuando el hablante considera que las referencias temporales del discurso original aún son vigentes no se producen cambios en los tiempos verbales. Únicamente el imperativo se transforma en presente de subjuntivo.

discurso original		**estilo indirecto cuando las referencias temporales son aún vigentes** *dice que...*
imperativo		condicional compuesto
*"el martes **cómprame** un billete de lotería."*	➔	*...el martes **le compre** un billete de lotería.*

1 ¡ESE VOLUMEN! B1

A. En la fiesta de Tito la música está a todo volumen y la persona que tienes a la izquierda, Lara, no oye lo que dice la que tienes a la derecha, Teo. ¿Cómo se lo transmites tú?

TEO:	TÚ:
• Hay mucha gente, ¿no? Necesito aire, voy al balcón.	◆ Dice que....
• Blas me ha llamado esta mañana para invitarme.	◆ Dice que...
• Ayer estuve con Flora: me dio recuerdos.	◆ Dice que...
• Me encanta ese cuadro de ahí, es precioso.	◆ Dice que...
• El día de mi cumpleaños haré una fiesta como esta.	◆ Dice que...
• Me gustaría tener un piso como este. Es perfecto para hacer fiestas.	◆ Dice que....

B. En la fiesta de Tito robaron un valioso cuadro, la policía sospecha de Teo y el inspector Gámez quiere saber todo lo que Teo dijo aquel día. ¿Cómo se lo transmites tú? Lee antes la sección de gramática de la página siguiente.

TEO:	Inspector Gámez:	TÚ:
• Hay mucha gente, ¿no? Necesito aire, voy al balcón.	○ ¿Qué dijo Teo aquel día?	◆ Dijo que...
• Blas me ha llamado esta mañana para invitarme.	○ ¿Qué dijo Teo aquel día?	◆ Dijo que...
• Ayer estuve con Flora: me dio recuerdos.	○ ¿Qué dijo Teo aquel día?	◆ Dijo que...
• Me encanta ese cuadro de ahí, es precioso.	○ ¿Qué dijo Teo aquel día?	◆ Dijo que....
• El día de mi cumpleaños haré una fiesta como esta.	○ ¿Qué dijo Teo aquel día?	◆ Dijo que...
• Me gustaría tener un piso como este. Es perfecto para hacer fiestas.	○ ¿Qué dijo Teo aquel día?	◆ Dijo que...

El estilo indirecto (II)

El estilo indirecto se introduce mediante verbos como **decir**, **afirmar**, **comentar**, **contar**, **admitir**, etc. y el conector **que**.

*¡Lola me **ha dicho que** te vas a casar!*

*López **afirma que** está preparado para el trabajo.*

*Leonardo **ha admitido que** tiene miedo a volar.*

Atención: cuando el discurso que repetimos se acaba de pronunciar, no es necesario el verbo de introducción y se puede usar solo el conector **que**.

● *Espérame aquí…*
○ *¿Cómo dices?*
○ ***Que** me esperes aquí.*

Al modificarse las coordenadas personales, pueden sufrir cambios las palabras con marca de persona, como los verbos, los posesivos y los pronombres.

*[Marta a Luis] **Yo canté** en **tu** fiesta de cumpleaños, ¿no te acuerdas?*
*➔ [Luis a otra persona] Me dijo que **ella había cantado** en **mi** fiesta de cumpleaños.*

Al modificarse las coordenadas espaciales, también pueden sufrir cambios los demostrativos, los verbos de movimiento y las referencias espaciales.

***Vinimos** a **este** cámping por casualidad, pero nos encantó y nos quedamos **aquí** 3 semanas.*
*➔ Me dijo que **habían ido** a **ese** cámping por casualidad, pero les había encantado y se habían quedado **allí** 3 semanas.*

Se pueden modificar también las referencias temporales.

***Hoy** y **mañana** son días muy importantes porque el curso empieza **esta semana**.*
*➔ Me dijo que **ese día** y **el siguiente** eran muy importantes porque el curso empezaba **esa semana**.*

Si lo que referimos es una pregunta, la introducimos con verbos como **preguntar** o **querer saber**. Si la pregunta es abierta, con una forma interrogativa como **qué**, **quién**, **cuándo**, **dónde**, etc., retomamos esa forma interrogativa.

*¿**Dónde** estudió usted? ➔ **Me ha preguntado dónde** estudié.*

Si la pregunta es cerrada (de respuesta **sí** / **no**) la introducimos con el conector **si**.

*¿Quieres trabajar en el proyecto? ➔ **Me ha preguntado si** quiero trabajar en el proyecto.*

El presidente del club de fútbol ha declarado que Romero, la estrella del equipo, no va a renovar...

ESTRATEGIA

El estilo indirecto nos obliga a "repensar" las palabras de los otros. No es algo que se pueda hacer automáticamente: en primer lugar, tenemos que entender qué referencias personales, espaciales y temporales han cambiado y cómo debemos expresar eso desde nuestra posición actual.

2 ESPIONAJE B1

A. Una espía se ha escondido en el despacho del señor Páez, director de una importante empresa. Lee las diferentes conversaciones que tuvo el señor Páez y ayuda a la espía a redactar su informe.

10.03: ¡Hola Gerardo! ¿Has conseguido encontrar mis notas?

10.13: ¿Qué tal, Martínez? ¿Cuándo me vas a traer el prototipo?

10.25: Claro, claro, Lourdes. ¿Podrás venir esta tarde?

10.35: Dígame, señora Puig, ¿cuándo piensa volver a visitarnos?

10.55: Paco, ¿tus hijos van a ir al campamento de verano del Ayuntamiento?

11.05: Sí, sí, Flora. Esta tarde tendremos los resultados del test y decidiremos si continuamos con el proyecto o no.

11.23: Claro, Antonio. Ayer estuve con tus abogados y me contaron que has ganado el juicio.

     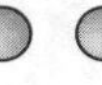 

- A las 10.03 habló con un tal Gerardo y le preguntó si...
-
-
-
-
-
-

B. Escucha a la espía mientras lee su informe a su jefe y verifica tus respuestas. 186

3 MIENTRAS USTED ESTABA REUNIDA... B1

Eres asistente de la Sra. Estévez. Ella ha estado toda la tarde reunida con unos clientes. En ese tiempo, han llegado muchos correos electrónicos, mensajes y SMS. Escríbele una nota para cada mensaje.

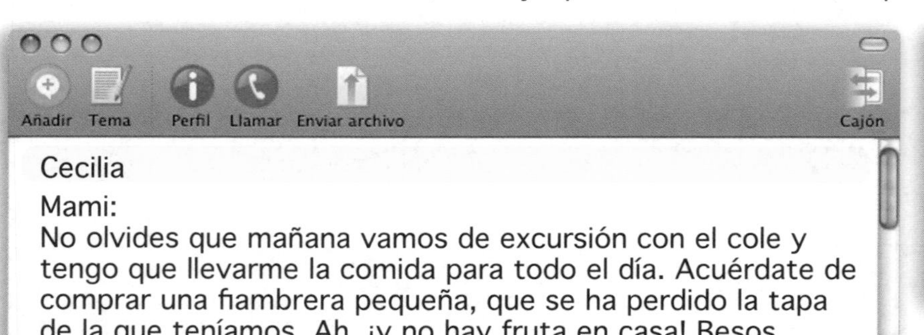

Cecilia

Mami:
No olvides que mañana vamos de excursión con el cole y tengo que llevarme la comida para todo el día. Acuérdate de comprar una fiambrera pequeña, que se ha perdido la tapa de la que teníamos. Ah, ¡y no hay fruta en casa! Besos.
Ceci

No podré llevar a Ceci a clase de piano hoy: tengo que quedarme hasta tarde en la empresa. Por favor, llévala tú. No me esperen para la cena. Besos. Rafael

---

De: Mayor, Yáñez y Asociados – Despacho Notarial
Para: Clara Estévez
Asunto: escritura

Estimada Sra. Estévez:
Necesitamos que nos firme una autorización para proceder a la operación inmobiliaria referida a los locales de la calle Ibarra. Por favor, comuníquese urgentemente con nosotros para fijar una cita esta misma semana.
Atte.
Federico Yáñez Leñador

¿Tienes tiempo para tomar algo después del trabajo? Yo salgo a las 18 h...
Maite

De: Dr. Samuel Ramírez Blanco
Para: Clara Estévez
Asunto: resultados

Sra. Estévez:
Acabamos de recibir los resultados de sus análisis. ¿Pasa usted a retirarlos o prefiere que se los enviemos a su casa?
Cordialmente
Dr. Ramírez

De: Hotel Libertador - Reservas
Para: Clara Estévez
Asunto: Reserva

Estimada Sra. Estévez:
Le confirmamos por la presente la disponibilidad de una habitación doble superior en nuestro hotel del 8 al 12 del mes próximo.
Le pedimos por favor nos haga llegar en las próximas 48 h los datos de su tarjeta de crédito a los efectos de hacer efectiva la reserva.
Gracias por su preferencia.
Cordialmente
Graciela Ibarguren
Hotel Libertador – Reservas

Soy Olga, la profesora de piano de Cecilia. Estoy con gripe, tengo que cancelar las clases de esta semana... Mil disculpas.

Necesito hablar contigo urgente... ¡mamá me está volviendo loco! Llámame.
Alfonso

Recordatorio de vencimiento: Seguro Médico Universal, 30/03, 420 €.
Banco del Norte.

Su hija quiere que le compre una fiambrera para la excursión...

Transmitir la intención comunicativa

En muchos casos no deseamos transmitir los mensajes de manera literal, sino que preferimos resumir o transmitir la intención comunicativa. Estos son algunos de los verbos que cumplen esa función:

admitir (algo)
agradecer (algo, a alguien)
dar la razón (a alguien, sobre algo)
despedirse (de alguien)
disculparse (con alguien, por algo)
felicitar (a alguien, por algo)
insistir (en algo, a alguien)
invitar (a alguien, a algo)
pedir (algo, a alguien)
poner excusas (para algo)
preguntar (a alguien, por algo)
proponer (algo, a alguien)
protestar (por algo)
quedar (en algo, con alguien)
reconocer (algo)
recordar (algo, a alguien)
regañar (a alguien, por algo)
responder (a alguien, sobre algo)
saludar (a alguien)
sugerir (algo, a alguien)

- *¡Hola, Claudia! ¡Cuánto tiempo sin verte!*
- *¡Marcela! ¿Cómo estás? ¿Qué es de tu vida? ¿Qué tal está tu hermana?*
- *Bien, bien... Oye, tengo que ir a buscar a los niños, pero ¿nos llamamos y vamos a tomar algo?*

4 LO ADMITIÓ B1

Resume en pretérito perfecto estas intervenciones. Usa alguno de estos verbos (puede haber más de una opción).

admitir | agradecer | dar la razón | felicitar | disculparse | insistir | invitar | poner excusas | reconocer | regañar

1. ***Manolo a Pedro***: Oye... el sábado doy una pequeña fiesta por mi cumpleaños... A las nueve, en mi casa. Vienes, ¿verdad?

   Manolo ha invitado a Pedro a ....

   ....

2. ***Lolo***: Bueno, está bien... fui yo quien rompió la impresora...

   ....

   ....

3. ***Laila a Maribel***: ¡Enhorabuena! ¡Me alegro mucho de que te hayan ascendido!

   ....

   ....

4. ***Pedro***: ¡Venga, ven esta noche a la despedida de Jimena!

   Pablo: Ya te lo he dicho: tengo que estudiar.

   Pedro: Aunque sea una hora, ¡venga! ¡no seas así!

   ....

   ....

5. ***Lupe***: Lo siento mucho, señor Fernández. No quería mancharle el traje.

   ....

   ....

6. ***Maribel a Laila***: Gracias por tu ayuda, en serio, menos mal que me has ayudado a traducir el correo.

   ....

   ....

7. ***Moisés a Arturo***: ¿Cuántas veces tengo que repetirte que guardes la leche en la nevera? ¿En qué idioma tengo que decírtelo?, ¿eh?

   ....

   ....

8. ***Mario a Elena***: Me encantaría poder ayudarte pero es que Marisa está visitando a sus padres en el pueblo.

   ....

   ....

9. ***Juan***: Bueno, está bien, el camino más corto era el que tú decías.

   ....

   ....

5 DEJE SU MENSAJE DESPUÉS DE LA SEÑAL B1

187–191 Acabas de regresar a casa y encuentras en el contestador todos estos mensajes para tu compañero de piso. Déjale notas con el contenido de los mensajes.

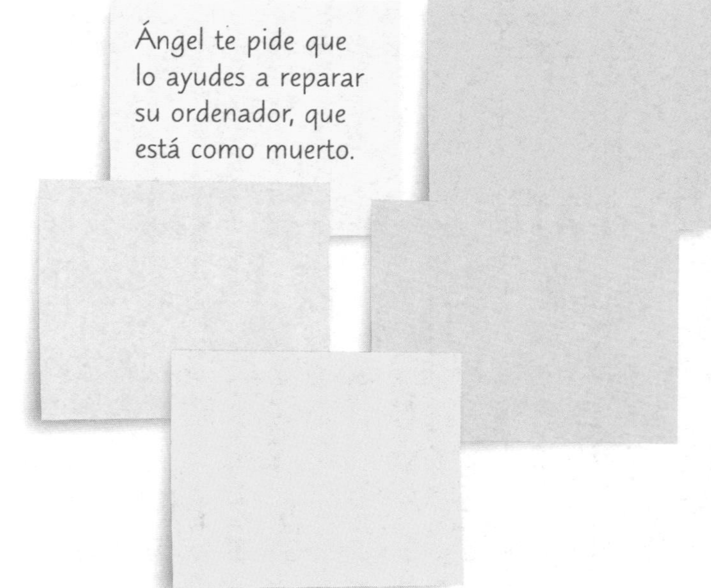

Ángel te pide que lo ayudes a reparar su ordenador, que está como muerto.

La voz pasiva

Mediante las construcciones pasivas y las impersonales destacamos el objeto –la persona o cosa afectada por la acción del verbo– o la acción misma. El sujeto queda en un segundo plano o no se menciona.

- Las oraciones pasivas se forman con el verbo **ser** y el participio pasado del verbo en cuestión.

- El Objeto Directo de la oración activa (**a los ladrones**) es el sujeto de la oración pasiva, mientras que el sujeto de la oración activa (**la policía**) es el complemento agente de la oración pasiva y va precedido de la preposición **por**.

ORACIÓN ACTIVA
La policía** ha detenido **a los ladrones.
sujeto activo ***objeto directo***

ORACIÓN PASIVA
Los ladrones** han sido detenidos **por la policía.
sujeto pasivo ***complemento agente***

- En la oración pasiva, el verbo **ser** se conjuga en el mismo tiempo que el verbo de la oración activa y concuerda en número y persona con el sujeto pasivo.

Los terremotos de Santa Marta en el año 1773 destruyeron la ciudad. [oración activa]

*La ciudad fue destruida **por** los terremotos de Santa Marta en el año 1773.* [oración pasiva]

Atención: el participio en la oración pasiva concuerda en género y en número con el sujeto pasivo. Esto no sucede con los participios en las oraciones activas.

La policía ha detenido a los ladrones. [el participio no concuerda con el sujeto]

***Los** ladrones han sido detenid**os**.* [hay concordancia]

***La** ladron**a** ha sido detenid**a**.* [hay concordancia]

- En español oral, las oraciones pasivas son poco frecuentes y solo se utilizan en registros formales. En la lengua escrita, es habitual usar la forma pasiva en noticias y titulares de prensa. En los titulares, a veces se omite el verbo **ser**.

HOY
Detenido esta mañana el ladrón del Banco Central.

- Cuando consideramos que no es necesario mencionar quién ha realizado una acción o no lo sabemos, el complemento agente no aparece.

*Un valioso cuadro de Goya **fue robado** ayer en Burdeos.* [No sabemos quién lo ha robado]

1 NOTICIAS B1

Transforma las siguientes oraciones activas en frases pasivas con el verbo **ser**. Hay varias formas posibles de ordenarlas.

1. El Congreso aprobó ayer la ley antitabaco.

   ....

   ....

2. Un vecino de la localidad vio a la sospechosa saliendo de la discoteca.

   ....

   ....

3. La policía desactivó dos artefactos explosivos en las cercanías de la estación.

   ....

   ....

4. El equipo de salvamento localizó a los dos montañistas desaparecidos el domingo pasado.

   ....

   ....

5. Las llamas destruyen dos casas de la localidad de Berceo.

   ....

   ....

6. La policía de tráfico detuvo la noche pasada a más de cien conductores.

   ....

   ....

2 LA MEZQUITA DE CÓRDOBA B1

A. El texto siguiente resume la historia de la célebre mezquita de Córdoba. Subraya en él todas las formas pasivas que encuentres.

Al caer Córdoba bajo dominio árabe, la basílica de San Vicente, que era el templo cristiano más importante de la ciudad, fue en parte destruida para construir en su lugar una mezquita. La construcción fue iniciada sobre los restos de la iglesia cristiana bajo el reinado de Abderramán I, entre los años 780 y 785. La mezquita fue ampliada varias veces en los siglos IX y X y las obras fueron concluidas bajo Almanzor.

La más importante de estas ampliaciones fue realizada bajo el gobierno de Alhakén II: las columnas y los arcos del templo cristiano eran demasiado bajos para un espacio tan grande y el arquitecto decidió colocar nuevas columnas sobre las columnas ya existentes y arcos más altos, pero sin eliminar los antiguos. Los arcos inferiores y superiores fueron pintados en rojo y blanco y son hoy en día la imagen más conocida de la mezquita de Córdoba.

La mezquita, junto al centro histórico de Córdoba, fue declarada patrimonio mundial por la Unesco.

B. Busca información y escribe una descripción como esta de algún monumento que conozcas.

....

....

....

....

....

....

....

....

La voz pasiva con **estar**

También existen construcciones pasivas con el verbo **estar**.

*La riada ha inundado **muchas casas** próximas al río.*
objeto directo
***Muchas casas** próximas al río **están inundadas**.*
sujeto

En este tipo de oración pasiva, lo importante es el resultado de la acción del verbo y el efecto sobre el sujeto paciente. Por este motivo, no suele aparecer el complemento agente.

*Las obras **estarán terminadas** a finales del mes de julio.*

En la oración pasiva, el verbo **estar** no siempre se conjuga en el mismo tiempo que el verbo de la oración activa. Esto es así porque lo importante es el resultado de la acción y no la acción misma.

***Terminarán** las obras a finales de julio.*
futuro imperfecto
*Las obras **estarán terminadas** a finales de julio.*
futuro imperfecto
[el resultado es simultáneo a la acción]

***Han traducido** la novela a siete idiomas.*
pretérito perfecto
*La novela **está traducida** a siete idiomas.*
presente
[el resultado es posterior a la acción]

ESTRATEGIA

Para escribir en español, puede servirte de ayuda tomar como modelo textos auténticos sobre el tema que quieras tratar. Así puedes observar qué estructuras gramaticales y qué vocabulario específico usan normalmente los hablantes nativos en ese tipo de texto.

Glosario de términos gramaticales

Glosario de términos gramaticales

NOMBRE EN ESPAÑOL	DEFINICIÓN	INGLÉS	ALEMÁN	FRANCÉS	ITALIANO	HOLANDÉS	OTRA LENGUA
ADJETIVO	Palabra que acompaña al sustantivo y aporta información sobre cualidades o sobre características de la cosa o persona nombrada. • *Un viaje **interminable**.* • *Tres **buenas** razones.*	**adjective**	**Adjektiv**	**adjectif**	**aggettivo**	**bijvoeglijk naamwoord**	
ADVERBIO	Palabra invariable que aporta información sobre un verbo, sobre un adjetivo o sobre otro adverbio. Puede ser información sobre el modo, el tiempo, el lugar, la cantidad, etc. • ***Últimamente** no tengo hambre.* • *Pepe está **muy** preocupado por mí.*	**adverb**	**Adverb**	**adverbe**	**avverbio**	**bijwoord**	
ARTÍCULO	Palabra que antecede al sustantivo e indica su género y número, y si este se introduce por primera vez en la comunicación (artículo de primera mención) o ya ha aparecido (artículo de segunda mención). • ***Los** vecinos de Maite son un encanto.* • *Marcos tiene **unas** plantas preciosas.*	**article**	**Artikel**	**article**	**articolo**	**lidwoord**	
CONECTOR	Palabra o grupo de palabras que se utiliza para unir dos partes de un texto. Puede expresar una relación de causa, de finalidad, etc. • *¿Eres de Alcorcón **o** de Móstoles?* • ***Después de** la siesta, trabajo un poco.*	**linker**	**Bindewort**	**connecteur**	**connettore / nesso**	**signaal-woord**	
CUANTIFICADOR	Elemento o palabra que aporta información acerca de la cantidad de la cosa a la que se refiere. • *¿Tienes **bastantes** hojas?* • *Vinieron **algunos** amigos a vernos.*	**quantifier**	**Mengenang-abe**	**quantificativ**	**quantifica-tore**	**onbepaald**	
DEMOSTRATIVO	Palabra que antecede a un sustantivo o lo remplaza, y con la que se hace referencia a ese sustantivo indicando su cercanía o su lejanía respecto a las personas que hablan (tanto en el espacio como en el tiempo). • ***Estas** flores no son de verdad, ¿no?*	**demonstra-tive**	**Demons-trativpro-nomen, -begleite**	**démonstratif**	**dimostra-tivo**	**aanwijzend voornaam-woord**	
GERUNDIO	*Forma no personal del verbo que expresa la acción en su desarrollo y, a menudo, también modo.* • *¿Estáis **hablando** de mí?* • *Ha aprendido español **viendo** la tele*	**gerund**	**Gerundium**	**gérondif**	**gerundio**	**gerundium**	
INFINITIVO	El Infinitivo es la forma básica del verbo. Expresa la acción en sí. Funciona también como sustantivo. • ***Comer** productos frescos es bueno para la salud.* • *Quiero **ver**te pronto, ven a casa.*	**infinitive**	**Infinitiv**	**infinitif**	**infinito**	**infinitief, hele werk-woord**	
INTERROGATIVO	Pronombre o adjetivo que introduce una pregunta de respuesta abierta y que indica la información que se desea obtener. •*¿**Cómo** funciona esta máquina?* •*¿**Cuánto** hace que has llegado?*	**interroga-tive pronoun**	**Interrogativ-pronomen / Fragewort**	**interrogatif**	**interroga-tivo**	**vraagwoord**	

NOMBRE EN ESPAÑOL	DEFINICIÓN	INGLÉS	ALEMÁN	FRANCÉS	ITALIANO	HOLANDÉS	OTRA LENGUA
NUMERAL	Los numerales cardinales son palabras que expresan una cantidad determinada de cosas o personas. Los numerales ordinales indican el orden de algo en una serie. • *Hay **cinco** cines en la ciudad.* • *El **tercer** año de Medicina es muy difícil.*	**numeral**	**Zahlwort**	**numéral**	**numerale**	**telwoord**	
OBJETO DIRECTO	Parte de la frase que recibe directamente la acción del verbo. • *¿Ves **esa casa**? **La** ha comprado Paco.*	**direct object**	**direktes Objekt**	**objet direct**	**complemento oggetto**	**lijdend voorwerp**	
OBJETO INDIRECTO	Parte de la frase que recibe indirectamente la acción del verbo. • ***Les** llevo unos dulces **a tus padres**.* • ***Me** encanta el mar en invierno.*	**indirect object**	**indirektes Objekt**	**objet indirect**	**complemento oggetto indiretto**	**meeverkend voorwerp**	
PARTICIPIO	Forma no personal del verbo que se utiliza para formar tiempos verbales compuestos. A veces, puede actuar como adjetivo. En ese caso, recibe marcas de género y número. • *Nos hemos **sentado** en un banco del parque y hemos **charlado**.*	**past participle**	**Partizip II / Partizip Perfekt**	**participe**	**participio**	**voltooid deelwoord**	
POSESIVO	Palabra que identifica algo o a alguien refiriéndose a su poseedor. Esta relación puede ser de posesión, paren-tesco, pertenencia a un grupo, etc. • *¿Esta cazadora de cuero es **tuya**?* • ***Nuestra** empresa es líder de mercado.*	**Possessive pronoun**	**Possessiv-pronomen, -begleiter**	**possessif**	**possessivo**	**bezittelijk voornaamwoord**	
PREPOSICIÓN	Palabra que establece una relación entre dos elementos de la oración. • *Mañana salimos **hacia** Cali.* • *Los vasos son **de** cristal **de** Murano.*	**preposition**	**Präposition**	**préposition**	**preposizione**	**voorzetsel**	
PRONOMBRE PERSONAL	Palabra que se utiliza para referirse a las diferentes personas gramaticales. • ***Yo** tengo hambre, ¿y **vosotros**?* • ***Nos** han traído unas pastas de Cáceres.*	**Personal pronoun**	**Personal-pronomen**	**pronom personnel**	**pronome personale**	**persoonlijk voornaamwoord**	
SUJETO	Parte de la frase que concuerda obligatoriamente en persona y en número con el verbo. • ***Zoila** está en Toledo, ¿**tú** lo sabías?* • *Me encanta **el helado**.*	**subject**	**Subjekt**	**sujet**	**soggetto**	**onderwerp**	
SUSTANTIVO o NOMBRE	Palabra con la que se nombra a una persona, a un animal, un objeto, un concepto o una entidad. Existen dos clases fundamentales: los nombres propios (entidades únicas) y los nombres comunes (objetos y conceptos). • *El **perro** está en la **casa** de **Marcos**.* • *¿Tenemos las **llaves** del **coche**?*	**noun**	**Substantiv / Nomen**	**nom**	**sostantivo / nome**	**zelfstandig naamwoord**	
VERBO	Palabra que se emplea para hablar de procesos, acciones o estados. • *Estas niñas **bailan** muy bien.* • *Últimamente **hemos ido** bastante al teatro.*	**verb**	**Verb**	**verbe**	**verbo**	**werkwoord**